MA VIE EN ROU...
UNE FEMME DANS LA CHI...
de Zhimei Zhang
est le huit cent cinquante-troisième ouvrage
publié chez VLB éditeur.

Dans la vie, les choses prennent parfois un tour inattendu et réjouissant. *Foxspirit – A Woman in Mao's China* a été publié il y a quinze ans chez Véhicule Press. Une traduction allemande a paru quelques années plus tard. Quant à la traduction française, une première démarche n'avait malheureusement pas abouti. Et voilà qu'en 2006, Jules Nadeau, que j'avais rencontré il y a un certain nombre d'années et avais perdu de vue depuis, prend contact avec moi. Il se trouvait que Radio-Canada cherchait quelqu'un ayant vécu (et survécu à) la Révolution culturelle pour une entrevue à l'occasion du 40e anniversaire de ce cataclysme social, quelqu'un qui en outre parlait français. À la suggestion de Jules, Marie-France Abastado, journaliste à Radio-Canada, m'a approchée, et une entrevue a été arrangée qui se déroulerait chez moi. C'était ma première entrevue en français et je peinais un peu avec la langue, mais Marie-France a su me mettre à l'aise et me secourir adroitement lorsque je trébuchais sur les mots. Et c'est au cours de cette entrevue que Marie-France, qui avait lu *Foxspirit*, a fait une remarque qui allait avoir d'heureuses conséquences. Elle a dit : « Il faut que nous en ayons une version française », et un projet qui dormait depuis des années est redevenu actif. Jules Nadeau, enthousiasmé par cette idée, s'est offert pour tâter le terrain auprès d'éditeurs québécois. Nous avons fait parvenir un exemplaire de *Foxspirit* (qui était presque épuisé) à deux maisons, dont l'une était VLB éditeur. À notre surprise, et à notre grande joie bien sûr, VLB a accepté presque immédiatement d'en publier une traduction française.

J'aimerais donc ici remercier chaleureusement Marie-France Abastado, Jules Nadeau, Gilles Jobidon et Jean-Yves Soucy, ainsi que le directeur littéraire des essais Robert Laliberté et la réviseure Nathalie Freitag qui ont revu la traduction avec grand soin et fait plusieurs suggestions judicieuses, en mettant à profit leur compréhension de la Chine et de la culture chinoise. Sans toutes ces personnes, *Ma vie en rouge* n'aurait pas vu le jour.

Un grand merci et *xie xie* à tous ceux qui m'ont soutenue, et particulièrement à Marcel Dessureault.

VLB éditeur bénéficie du soutien de la Société de développement des entreprises culturelles du Québec (SODEC) pour son programme d'édition.

Gouvernement du Québec — Programme de crédit d'impôt pour l'édition de livres — Gestion SODEC.

Nous reconnaissons l'aide financière du gouvernement du Canada par l'entremise du Programme d'aide au développement de l'industrie de l'édition (PADIÉ) pour nos activités d'édition.

Nous remercions le Conseil des Arts du Canada de l'aide accordée à notre programme de publication.

# MA VIE EN ROUGE

Zhimei Zhang

# Ma vie en rouge

## Une femme dans la Chine de Mao

Traduit de l'anglais (Canada)
par Gilles Jobidon

vlb éditeur

VLB ÉDITEUR
Une division du groupe Ville-Marie Littérature
1010, rue de La Gauchetière Est
Montréal (Québec) H2L 2N5
Tél.: 514 523-1182
Téléc.: 514 282-7530
Courriel: vml@sogides.com

Maquette de la couverture: Anne-Maude Théberge
En couverture: Zhimei Zhang, collection particulière

Catalogage avant publication de Bibliothèque et Archives nationales du Québec
et Bibliothèque et Archives Canada
Zhang, Zhimei
      Ma vie en rouge. Une femme dans la Chine de Mao.
      Traduction de: Foxspirit.
      Comprend des réf. bibliogr.
      ISBN: 978-2-89005-963-4
      1. Zhang, Zhimei.   2. Chine – Mœurs et coutumes – 1949-1976.   3. Chine
– Histoire – 1949-1976.   4. Femmes – Chine – Biographies.   I. Titre.
DS778.Z53A3 2008          951.05092       C2007-941586-5


DISTRIBUTEURS EXCLUSIFS:

• Pour le Québec, le Canada
  et les États-Unis:
  LES MESSAGERIES ADP*
  2315, rue de la Province
  Longueuil (Québec) J4G 1G4
  Tél.: 450 640-1237
  Téléc.: 450 674-6237
  *Une division du Groupe Sogides inc.;
    filiale du Groupe Livre Quebecor Média inc.

• Pour la Belgique et la France:
  Librairie du Québec / DNM
  30, rue Gay-Lussac
  75005 Paris
  Tél.: 01 43 54 49 02
  Téléc.: 01 43 54 39 15
  Courriel: direction@librairieduquebec.fr
  Site Internet: www.librairieduquebec.fr

• Pour la Suisse:
  TRANSAT SA
  C. P. 3625, 1211 Genève 3
  Tél.: 022 342 77 40
  Téléc.: 022 343 46 46
  Courriel: transat-diff@slatkine.com

Pour en savoir davantage sur nos publications,
visitez notre site: www.edvlb.com
Autres sites à visiter: www.edhexagone.com • www.edtypo.com
www.edjour.com • www.edhomme.com • www.edutilis.com

Édition originale: © Zhimei Zhang, *Foxspirit. A Woman in Mao's China*,
Montréal, Véhicule Press, 1992.

Dépôt légal: 1er trimestre 2008
Bibliothèque et Archives nationales du Québec, 2008
Bibliothèque et Archives Canada

© VLB ÉDITEUR et Zhimei Zhang, 2008
Tous droits réservés pour tous pays
ISBN 978-2-89005-963-4

« Les masses populaires ont rapporté que Zhang Zhimei a de sérieux problèmes. Il lui est formellement ordonné de se présenter au quartier général du Groupe de la dictature à 14 heures dès aujourd'hui. »

En lisant ces mots, je crus que mon cœur allait exploser dans ma poitrine. Pour les autres enseignants qui s'agglutinaient autour du tableau d'affichage de l'école, cet avis décrétant ma détention n'était que l'une des nombreuses affiches placardées durant cet été de 1968, la troisième année de la Révolution culturelle de Mao. Pendant que je me frayais un chemin hors de cet attroupement, personne ne m'adressa la parole. Hébétée, je retournai chez moi à l'autre bout du campus.

Mon mari, Pang, m'attendait. Lui aussi avait vu l'affiche. « Je vais préparer tes affaires, me dit-il gentiment. N'essaie pas de résister. Essaie surtout de contrôler ta peur. J'ai le moyen de savoir comment tu seras traitée. »

Nous sommes partis de façon à arriver bien avant l'heure. Pang transportait mon couchage*. Nous n'étions mariés que depuis trois mois.

« N'aie pas l'air si déprimée, dit-il. On n'a pas à se montrer complètement mortifiés, tu sais. » Tant bien que mal, nous nous efforcions de sourire et de garder la tête haute pendant que nous traversions le campus.

En nous voyant, des étudiants crièrent : « Regardez-le ! Il sourit. Hé, Pang, t'es fier d'elle, n'est-ce pas ? Il porte même ses affaires ! Vous n'avez pas honte ? » Garde la tête haute, me disais-je. Mais, en fait, j'étais plus désolée pour Pang que pour moi-même.

---

* Sorte de couverture ouatée obtenue par l'assemblage de minces couches de coton superposées et recouvertes d'une housse détachable. (Toutes les notes sont du traducteur.)

Déjà en disgrâce, je n'avais plus grand-chose à perdre, mais avait-il à partager cette humiliation lui aussi ? Mes accusateurs disaient que j'étais une femme immorale. Et en raison d'une correspondance que je tenais avec une amie est-allemande, on me suspectait d'être une espionne.

Hao, l'un de mes anciens étudiants, m'attendait au Quartier général du Groupe de la dictature. En raison de ses problèmes d'élocution, je lui avais déjà dispensé un enseignement particulier. En me conduisant à ma cellule, il s'efforça de ne pas me regarder dans les yeux.

« Pose ses affaires là, dit-il à Pang. Et maintenant tu dois partir. » La chambre était juste assez grande pour un étroit lit de camp. Les carreaux de la fenêtre avaient été peints en noir, mais la lumière filtrait à travers une mince bande laissée vierge dans le haut.

« Je dois vérifier tes effets personnels, dit Hao. C'est la règle. » Tout passa avec succès l'inspection, sauf une petite paire de ciseaux dans mon nécessaire de couture.

« Je ne peux pas te les laisser, c'est dangereux », dit-il.

« N'aie pas peur, mon petit, pensai-je. Je ne vais pas me tuer. »

À la tombée de la nuit, enfermée dans ma cellule, encore soufflée par ce qui m'arrivait, je me déshabillai et j'éteignis la lumière. C'était très étrange de faire ces choses ordinaires dans une situation qui l'était si peu. Quelques mois plus tôt, je pensais que j'avais un certain avenir et maintenant tout mon monde s'écroulait.

Comme j'allais me coucher, une voix de l'autre côté de la porte cria : « Laisse la lumière allumée ! » Je remarquai le trou dans la porte à travers lequel le garde jetait un regard furtif de temps à autre.

« Je ne peux pas dormir la lumière allumée, lui dis-je.

– Ce n'est pas mon problème, répondit-il. C'est la règle. Si tu ne peux pas dormir, prends ce temps-là pour réfléchir à ce que tu écriras dans ta confession. »

Je rallumai, tournai mon visage en direction du mur et pleurai le plus silencieusement possible. Cette nuit-là je ne dormis pas. La nuit d'après, je me confectionnai un abat-jour avec un numéro du

*Quotidien du Peuple* pour recouvrir l'ampoule et réussis à dormir un peu.

Les mois de solitude qui m'attendaient me laisseraient amplement le temps de réfléchir, de faire un retour sur mon passé et de ruminer sur ce qui s'en venait. J'avais bien essayé d'entrer dans le moule, d'arrondir mes angles, de confesser mes pensées les plus secrètes, j'avais fait des choses qui allaient à l'encontre de ma conscience et de ma personnalité afin de démontrer ma loyauté au système. Qu'y avais-je donc gagné? J'étais malgré tout toujours une paria à l'intérieur de ma propre culture: une femme divorcée qui avait des amis étrangers et de «mauvais» antécédents familiaux. Je ne serais jamais acceptée et mes enfants seraient également stigmatisés. Il m'avait fallu vingt ans de ma vie pour comprendre cela.

Après ma détention, Pang subit d'énormes pressions de la part des autres enseignants du camp «révolutionnaire» pour qu'il se joigne aux attaques contre moi. À quelqu'un qui lui suggérait de le faire pour sauver sa peau, il rétorqua: «Dire que Zhimei est une espionne est presque un compliment. Elle n'a malheureusement pas la tête qu'il faut. Si elle est une espionne, alors tout le monde l'est en Chine.»

Pang fit dès lors tout ce qu'il put pour s'isoler, même de ses amis les plus proches. Il comprit que les relations humaines normales, que l'amitié, n'existaient plus. «À ce moment-là, je m'étais fait une règle de ne plus croire en personne», me dit-il plus tard.

Un soir, alors que Pang était à la maison à préparer le repas, Zhu apparut. Ancien colocataire et ami de Pang, Zhu avait été envoyé par les enseignants révolutionnaires pour vérifier ce qu'il pensait de tout ça. Pang était assez prudent pour ne pas trop en dire à son vieil ami. Mais pendant qu'il était occupé à cuisiner, Zhu découvrit un petit carnet noir sur la table. C'était un carnet d'adresses à moi, datant de l'époque où j'avais travaillé pour le ministère du Commerce extérieur, dans les années cinquante. Il contenait les adresses et les numéros de téléphone de gens que j'avais connus à ce moment-là. Y figuraient entre autres les noms des attachés commerciaux d'Europe de l'Est avec qui j'avais communiqué pour le travail ainsi que ceux de collègues faisant partie du tournoi annuel de ping-pong du ministère.

Plus Zhu avançait dans sa lecture, plus il se convainquit qu'il venait de faire une grande découverte. Il y avait là beaucoup de noms, dont plusieurs pourraient se révéler d'importants indices. Et en prime, un certain nombre étaient d'origine étrangère. Zhu devait être au bord du délire lorsqu'il accourut au Groupe de la dictature pour rapporter sa trouvaille. Le lendemain, on ordonna à Pang d'apporter «le carnet noir».

Ce jour-là, on m'imposa quelque chose de nouveau, soit de livrer par écrit les noms de tous les gens que j'avais rencontrés dans ma vie, même des amis que j'avais eus dans ma petite enfance. Je devais détailler la relation que j'avais avec chacun d'eux, où et quand nous nous étions rencontrés, combien de temps nous étions restés en contact, et tout ce que nous avions fait ensemble. La tâche était impossible mais je devais tout de même essayer.

Quelques jours plus tard, j'étais convoquée à un interrogatoire devant une assemblée d'enseignants révolutionnaires. Comme d'habitude, je demeurai assise au centre du demi-cercle pendant qu'ils m'interrogeaient sur mes relations avec des dizaines de personnes. Plusieurs des noms qu'ils mentionnaient étaient ceux d'étrangers qui ne m'étaient absolument pas familiers. Ils ne faisaient pas partie de la liste que je leur avais remise. Je ne reconnaissais pas également plusieurs des noms chinois qui m'étaient lancés pêle-mêle. J'étais confuse, incapable de comprendre ce qu'ils cherchaient vraiment.

«Il semble que tu ne veuilles pas coopérer», dit l'un des enseignants après plusieurs heures d'interrogatoire, «en conséquence, nous devrons te tenir compagnie jusqu'à ce que tu le fasses.»

«Tenir compagnie» était la dernière trouvaille du Groupe de la dictature. Leurs victimes devaient se tenir debout durant des heures jusqu'à ce qu'épuisées, elles soient disposées à confesser n'importe quoi. Lors de cet interrogatoire continu, je me tins debout toute la nuit pendant que l'équipe des inquisiteurs, mes collègues, était relevée toutes les trois heures.

«Dis-moi, camarade Zhang…», dit Gao, l'un des interrogateurs, qui se mit à hésiter lorsqu'il constata son lapsus.

Zhu, l'ancien ami de Pang, dit d'une voix cassante: «Tu ne peux pas l'appeler camarade!

– À bas Zhang Zhimei! lança Gao, en corrigeant le tir.

– Quelle est ta relation avec Yuri Melamed? Avec Zinovy Dovlatov? Avec Helmut Mohr? Parle!» hurla Zhu.

Je relevai la tête péniblement, le regardant du coin de l'œil. Zhu, espèce de bâtard, pensai-je, dégoûtée. De quel droit fais-tu toutes ces insinuations? Je pense que nous nous rappelons bien tous deux comment tu m'as demandé d'utiliser ma chambre lorsque tu voulais être seul avec ta maîtresse, une femme mariée. Je vous ai enfermés tous les deux de l'extérieur pour éviter la suspicion grandissante – tu ne t'en rappelles pas?

«À bas la hooligan internationale Zhang Zhimei!» lança une autre voix. Je pouvais difficilement en croire mes oreilles, mais je n'avais pas besoin de regarder; je savais que c'était celle de ma vieille amie Lin. Dans le passé, nous avions passé des heures ensemble à parler comme deux sœurs. Je ne savais pas exactement ce qu'elle voulait dire par «la hooligan internationale», mais cela devait être assez humiliant.

Chère amie, pensai-je, tous ces moments que j'ai passés à t'encourager à rester forte et à refaire ta vie; il me semble que c'était hier. Tu étais si déprimée à ton arrivée à l'école. Si cela n'avait pas été de cette histoire d'amour, tu aurais été affectée au ministère des Affaires extérieures. Cet homme n'a eu aucun compte à rendre – il a poursuivi son ascension – mais cette histoire a ruiné ta carrière. Tu te rappelles comment je te tenais dans mes bras alors que tu pleurais?

Au petit matin, j'avais les pieds enflés à force d'être debout, ainsi que les mains à force de pendre au bout de mes bras la nuit durant. J'étais épuisée, mais ils n'avaient rien pu tirer de moi parce que je n'avais rien à cacher.

Après avoir été relâchée, j'ai appris comment le petit carnet noir avait été la cause de toute cette agitation. On pensait que les noms qu'il contenait étaient ceux d'espions d'un réseau auquel j'appartenais. Rien d'étonnant à ce que la plupart des noms sur lesquels j'avais été interrogée ne m'aient rien dit. C'étaient ceux des joueurs de l'équipe de ping-pong amateur du ministère du Commerce extérieur durant les années cinquante. Pendant un certain temps, j'avais été l'organisatrice du tournoi et les chiffres inscrits à côté des noms correspondaient simplement aux résultats des matches. Les personnes qui m'interrogeaient étaient convaincues qu'il s'agissait d'une sorte de code secret.

L'une de mes amies fut soumise à une épreuve plus cruelle. Comme moi, on l'avait accusée d'être une femme facile. À un meeting de masse, on la força à enlever ses vêtements et à se tenir debout devant une foule hostile. Cette humiliation avait été trop difficile à porter. Elle s'enleva la vie peu de temps après.

Même aux heures les plus sombres, je n'ai jamais songé au suicide. J'en étais venue à considérer mes accusateurs des meetings de critique comme de piètres acteurs jouant dans une mauvaise pièce de théâtre. Et je voulais voir la fin de cette pièce qui, à ce que je pensais, ne durerait pas longtemps. Jamais je n'ai pensé à moi-même comme à la plus faible des deux parties, parce que brutaliser ceux qui n'ont pas de pouvoir n'a jamais correspondu à ma conception de la force. Et je suis toujours restée convaincue qu'un jour le cours de ma destinée connaîtrait un retournement. Comment et quand cela arriverait, je n'en avais aucune idée, mais j'étais déterminée à vivre jusqu'à ce jour.

## CHAPITRE PREMIER

# Une coupe de cheveux révolutionnaire et des pieds libérés

Au petit matin du 19 juin 1935, ma mère faisait claquer des tuiles de mah-jong sur une table. Elle était assise avec ses compagnons de jeu depuis la soirée précédente, son ventre proéminent frottant inconfortablement sur le rebord de la table chaque fois qu'elle devait se pencher pour prendre une tuile.

«Encore de la soupe!» dit-elle à l'amah* qui se tenait toujours à sa disposition. Lors de telles nuits, cette domestique d'origine paysanne avait peu de chance de dormir. Durant des sessions de jeu qui se prolongeaient facilement de huit à dix heures, elle apportait à boire et à manger aux quatre joueurs penchés au-dessus de la table de jeu. Une soupe était gardée à mijoter de longues heures sur le poêle à charbon. Cette nuit-là, elle était composée de dattes et de graines de lotus qui nageaient dans un bouillon sucré. Ma mère était convaincue que les dattes étaient bonnes pour le sang à cause de leur couleur rougeâtre. De la même façon, pensait-elle, les noix étaient bénéfiques pour le cerveau en raison de leur forme.

L'amah servit un bol de soupe sur chacune des quatre tables d'appoint disposées autour de la table de mah-jong. Un petit plateau placé sur l'une de ces tables recueillait les quelques piécettes versées par le joueur qui remportait la mise. Elles étaient destinées à récompenser la servante. La somme déposée dans le plateau après chaque victoire était minime, mais lorsque la partie s'étirait

---

* Terme cantonais désignant une aide domestique.

jusqu'à l'aurore, ces petites sommes pouvaient s'accumuler joliment.

De temps à autre, la servante disparaissait dans la pièce d'à côté pour préparer la pipe d'opium. Bientôt un joueur s'éclipserait pour aller s'y étendre sur un lit moelleux, garni d'oreillers fraîchement secoués; ainsi se fumait l'opium. Ensuite, le joueur reprendrait le jeu, ragaillardi et de bonne humeur.

Ma mère avait alors 38 ans, elle était enceinte et c'était une joueuse compulsive. Je serais le fruit de sa huitième grossesse et même si son terme approchait, cela ne suscitait pas beaucoup d'excitation. Les contractions commencèrent au début de la partie et gagnèrent en intensité au même rythme que le jeu. Elle resta à la table autant qu'elle le put, cherchant à atténuer sa douleur et à oublier l'inévitable en buvant des bols de soupe chaude.

« J'étais en train de gagner! me dit-elle plusieurs années après. Il était tout à fait naturel que je ne veuille pas quitter la table.»

Où que fût mon père cette nuit-là, il priait pour avoir un fils. Jusque-là, en près de vingt ans de mariage, les fils nés de l'union de mes parents étaient tous morts avant l'âge de 10 ans. À ma naissance, il avait déjà trois filles et il ne voyait aucun avantage à en avoir une autre. Lorsque l'infirmière de l'hôpital vint lui annoncer la mauvaise nouvelle, il fut atterré. Frustré mais avec un reste d'espoir, il me nomma Zhimei, utilisant les caractères qui signifiaient «Arrêtez les filles». Cet ordre arriva à temps puisque ma mère fit un dernier essai à 42 ans et accoucha d'un garçon qui survécut.

Si la prononciation de mon prénom ne changea pas, les caractères servant à l'écrire furent modifiés au cours des années, en transformant par le fait même considérablement la signification. Lorsque mon père m'inscrivit à l'école, il fut en effet très gêné du nom qu'il m'avait donné. C'est donc sur place qu'il modifia le deuxième caractère. Alors que mon prénom signifiait «Arrêtez les filles» tandis que je marchais vers l'école avec mon père, il était devenu quelque chose comme «Arrêtez la beauté*» une fois de retour à la maison.

* Le caractère signifiant «beauté» se prononce également *mei*.

Comment pouviez-vous vous appeler «Arrêtez la beauté» quand, pour commencer, vous n'étiez pas belle? Et à supposer que je l'aie été, pourquoi aurais-je dû cesser de l'être? La seconde inspiration de mon père me dérangeait également. Les autres filles avaient de jolis noms conventionnels comme Perle Élégante, Plumage Resplendissant, Sérénité Délicate, Lotus Odorant ou Été Splendide. Plusieurs années après et sans le consentement de mon père, j'ajoutai quelques traits au premier caractère de mon prénom, transformant «Arrêtez» en «Herbe Blanche». Belle Herbe Blanche était une grande amélioration, pensais-je, mais mon père n'accepta jamais ce changement. Il était convaincu qu'il devait y avoir une idée d'«arrêt» dans mon prénom. Ainsi, durant le reste de sa vie, chaque fois qu'il m'écrivit, il s'adressa à «Arrêtez la beauté».

Ma mère était très gâtée. Elle était la favorite d'une famille de riches propriétaires terriens où l'argent était prodigué avec largesse aux enfants. Comme la plupart des femmes appartenant à sa classe sociale, elle s'adonnait à la broderie et à la peinture. Mais elle avait aussi appris à lire et à écrire, ce qui était rare à l'époque, surtout pour les filles originaires de petites villes.

Vous n'aviez qu'à jeter un coup d'œil à ses pieds pour constater son tempérament rebelle. Avant qu'ils ne soient complètement déformés par les bandes de tissu, elle s'était opposée farouchement à ce qu'on continuât à les lui bander. On la laissa donc avec ce qu'il était alors convenu d'appeler des «pieds libérés», soit des pieds qui avaient été graciés avant d'atteindre «l'idéal de trois *cun*» (environ 8 cm). Ses pieds étaient certainement plus petits que ceux qu'elle aurait possédés s'ils s'étaient développés de façon naturelle. Ainsi, ses gros orteils couvraient de façon permanente les seconds orteils. Mais dans ces pieds qui n'étaient déformés qu'à moitié, n'importe qui à l'époque pouvait voir la manifestation d'une volonté de fer.

Ma mère aimait les mondanités et les prodigalités, deux goûts qui se rejoignaient dans sa passion pour le jeu. Elle semblait par ailleurs avoir un peu de chance au mah-jong, alors que mon père n'avait ni la chance de sa femme ni son intérêt pour le jeu. Ses passions à lui étaient la calligraphie, la musique et la poésie. Bref, disons que mes parents avaient peu en commun.

À propos de ma mère, mon père me dit une fois : « Je l'ai mariée parce que je sentais que je devais quelque chose à sa famille. »

« Ton père est entré dans notre famille sans rien dans les poches, marmonnait souvent ma mère. Nous l'avons nourri, habillé et nous lui avons même procuré l'argent nécessaire pour qu'il aille étudier au Japon. » Elle pensait qu'elle avait épousé un homme au-dessous de sa condition sociale. Dans leurs fréquentes querelles, elle n'hésitait jamais à lui rappeler ses humbles origines. Quand la carrière de mon père commença à vaciller, elle lui rappela cette prédiction d'un diseur de bonne aventure selon laquelle il aurait un « destin de mendiant » à cause de la forme de son nez. Gros et plat, son nez était à l'opposé de la fine constitution de ceux des hommes chanceux, disait-elle. Ces disputes étaient profondément humiliantes pour mon père, et l'harmonie régnait rarement dans la famille.

Nés à un mois d'intervalle en 1897 (l'année du Coq selon le calendrier traditionnel), mes parents n'avaient que 18 ans au moment de leur mariage. Plus tard dans sa vie, ma mère disait avec conviction que les femmes ne devraient pas se marier avant d'avoir atteint 35 ans, ayant besoin de temps pour se développer en tant qu'individus avant de consacrer leur vie à leur mari et à leur famille. Un jour, après l'une des nombreuses disputes qui ont ponctué leur vie commune, elle poussa un soupir d'exaspération et murmura : « Un coq ne devrait jamais marier un autre coq parce qu'ils aiment trop se battre. »

Mes parents étaient tous deux nés à Jinxiang, une ville fortifiée située dans une région relativement prospère de la province du Zhejiang, sur la côte de la mer de Chine orientale. Cette prospérité était une des raisons pour lesquelles la population y possédait un haut niveau d'éducation. À cela s'ajoutait le fait que le Japon était situé juste en face, de l'autre côté de la mer, et ils étaient nombreux dans la province à aller y poursuivre des études qui n'étaient pas offertes en Chine.

Le Zhejiang a produit plus que sa part de grands hommes : le géant littéraire Lu Xun ainsi que le premier ministre Zhou Enlai étaient tous deux issus de cette ville traversée de canaux appelée

Shaoxing. Pas très loin, dans la ville de Fenghua, une décennie avant Zhou, naissait Chiang Kai-shek, chef du Guomindang.

Quatre familles prospères de propriétaires terriens vivaient à Jinxiang : les Xia (le nom de ma mère), les Zhang (le nom de mon père), les Yin et les Chen. Les Xia et les Zhang s'entendaient bien. Conséquemment, et ce bien avant leur naissance, ma mère et mon père avaient été promis l'un à l'autre. À ce moment-là, il était d'usage pour de bons amis de prévoir un mariage entre leurs rejetons pendant qu'ils sommeillaient encore dans le sein maternel. Cette coutume s'appelle «pointe du doigt le ventre et arrange un mariage». Il y avait des moyens traditionnels pour deviner le sexe d'un fœtus, dont les prédictions s'avéraient justes la plupart du temps. Si le ventre de la femme bombait directement vers l'avant, il y avait des chances pour que ce soit un garçon; si le ventre s'étendait plutôt de chaque côté, c'était une fille. On notait aussi quelle nourriture la femme désirait intensément au début de sa grossesse. Si elle avait le goût de mets aigres-doux, cela signifiait que c'était une fille; de mets piquants, c'était un garçon.

Il était aussi essentiel pour les affaires de la famille de s'assurer que la lignée ne serait pas brisée que de conserver les tombes des ancêtres dans un état impeccable. Laisser la décision d'un mariage à la fantaisie individuelle aurait été considéré comme d'une grande irresponsabilité. L'amour romantique n'avait donc aucun rôle à jouer.

Grand-père Zhang, le père de mon père, était un riche propriétaire terrien vivant confortablement de ses rentes. Sa femme, qu'il adorait, était belle et talentueuse. Elle pouvait lire, écrire et peindre. Quand elle mourut avec son enfant à son premier accouchement, mon grand-père sombra dans un profond abattement. Il ne put jamais s'en sortir. Mais même une dépression aiguë ne pouvait le soustraire à son devoir de perpétuer son nom de famille. Il épousa une paysanne qui lui donna deux garçons et deux filles. Elle était très myope, en ce temps où les lunettes n'étaient à la portée que d'un empereur. Puyi, le dernier à avoir occupé le trône impérial, en avait une paire. Mais jamais une femme issue d'une petite ville n'aurait pu en posséder. Rien d'étonnant alors qu'elle fût illettrée. Espérant soulager sa propre souffrance, grand-père Zhang devint un philanthrope qui donnait avec prodigalité à droite et à gauche. Cela se sut, évidemment. Les miséreux se déversèrent dans la maison comme un fleuve sans fin qui emportait avec lui en sortant la richesse de la famille. Grand-père entraîna sa famille dans la ruine par la générosité qui jaillissait de son deuil. À sa souffrance s'ajouta la honte et, un jour, il se jeta du haut d'un pont et disparut dans la rivière.

Mon père était âgé de trois ans et son frère n'avait que quelques mois lorsque leur père mourut. Cinq ans plus tard, leur mère était emportée par le typhus, laissant au monde quatre orphelins. Encore impubères, les deux filles furent données en adoption comme futures belles-filles. Les deux garçons furent confiés aux familles avec lesquelles des promesses de mariage avaient été échangées plusieurs années auparavant. Mon père intégra la famille de ma mère et ils vécurent comme frère et sœur pendant dix ans avant de se marier. En raison du respect qu'on avait pour la mémoire de grand-père Zhang, considéré comme un homme sérieux et généreux, mon père fut bien traité par la famille Xia. Ses nouveaux parents l'aimaient beaucoup, appréciant ses qualités de lettré : il était érudit, timide et réservé.

Ma mère avait déjà un frère. D'esprit rebelle, celui-ci rêvait d'aller au Japon pour approfondir l'étude des idées révolutionnaires – ce qu'il ne fit jamais. En 1906, il attrapa la tuberculose. Un jour, alité, il demanda à ma mère de lui apporter une paire de ciseaux. Il les lui arracha des mains, les porta à l'arrière de sa tête et clac! Ma mère était horrifiée : grand frère venait de couper sa natte!

Les Mandchous, qui ont dominé la majorité Han durant la dynastie Qing (1644-1911), ordonnaient à leurs sujets masculins de se raser la tête. Ils devaient conserver uniquement une natte de style mandchou. La mort punissait toute dérogation à cette règle : un Han gardait ses cheveux et perdait la tête ou il gardait sa tête et perdait ses cheveux. En coupant sa natte, mon oncle commettait un grave affront envers l'empereur.

«La révolution vient de commencer!» cria-t-il, en utilisant sa natte comme s'il se fût agi d'un fouet. Épuisé, fiévreux, il se laissa retomber sur ses oreillers imbibés de sueur. Ma mère se sentit soudainement clouée au mur par le regard de son frère. Ses yeux, injectés de sang, étaient fixes et largement ouverts, illuminés d'espoir à la vision de l'avenir révolutionnaire qui brillait à l'horizon. Ce n'est que peu de temps après ce geste exalté et contraire à la piété filiale qu'il mourut. Grand-père Xia était un homme brisé. Il allait çà et là en montrant aux gens la natte de son fils, disant tristement : « Mon fils a coupé court à la vie et est parti faire la révolution. »

À cette époque, les paroles et les actes d'un mourant étaient considérés avec une déférence particulière. Même les dernières volontés outrageantes d'un révolutionnaire devaient être exaucées après sa mort, ce qu'il n'aurait jamais obtenu durant sa vie. Or les dernières paroles prononcées par mon oncle concernaient ma mère : « Ne bandez pas les pieds de ma sœur et envoyez-la à l'école. »

En fait, il avait été le premier à encourager ma mère à enlever les bandages autour de ses pieds. Il l'avait fait lui-même la première fois, dégageant délicatement les pieds déformés et cachant le tissu sous des couches d'ordures dans une poubelle. En pleurant, ma mère d'abord s'était montrée docile lorsque ma grand-mère avait insisté pour envelopper ses pieds à nouveau. Plus tard, enhardie par les idées de son frère, elle s'y objecta de toutes ses forces pour qu'on laisse à ses pieds une petite chance de se développer.

Bien que la chose ne plût pas à mes grands-parents, la mort de mon oncle ajoutait un poids nouveau à ses paroles et ils furent forcés de se laisser fléchir. Ils voulurent aussi réaliser son autre souhait de mourant. Lorsqu'une école ouvrit en ville, ma mère y fut envoyée. Il était alors inhabituel pour une fille de fréquenter l'école et elle fut au début la seule fille de sa classe, parmi les fils de propriétaires terriens et de marchands. Elle y alla plusieurs années, et ainsi apprit à lire, à écrire et à compter avec un boulier.

Pour cette raison, et parce que son frère était décédé, ma mère fut un peu comme le fils de la maison. Vieillissant, grand-père Xia était heureux que quelqu'un prenne sa place et fasse les tournées pour collecter le grain que les paysans devaient lui payer en redevances. « J'aurais dû naître garçon. Comme homme, j'aurais très bien réussi ! » disait ma mère.

Pour sa part, mon père commença sa scolarité en 1906, pas très longtemps après que le système des examens impériaux eut été aboli et qu'on eut fondé des écoles. Il épousa ma mère à l'âge de 18 ans et l'année suivante, en 1916, il partit seul au Japon. Ses parents adoptifs lui fournirent l'argent nécessaire pour traverser à Kôbe. Durant ses deux premières années au Japon, il en apprit la langue. La troisième année, il commença un cours universitaire en économie. Une fois qu'il eut son diplôme, la Banque Mitsubishi à Tôkyô l'engagea parce qu'il pouvait se servir d'un boulier et faire de la tenue de livres. « Si vous vous comportez bien, vous gagnerez en peu de temps le même salaire que nos employés japonais », lui disait-on. Comme partout ailleurs, c'était la coutume au Japon de moins rémunérer les travailleurs chinois. Mon père travaillait depuis seulement deux semaines lorsque, le 1er septembre 1923, un tremblement de terre intense ébranla Tôkyô. Ma mère, qui demeurait à Jinxiang avec leurs deux enfants, n'eut pas de nouvelles de lui après le séisme. Elle ne savait s'il était mort ou vivant. Après avoir enduré ce silence trois mois, elle décida de s'y rendre.

Mes parents avaient vécu loin l'un de l'autre pendant sept ans. Mon père n'était revenu à la maison que pour une brève visite. C'est durant cette période qu'un fils, Long, avait été conçu. Le garçon, qui avait maintenant quatre ans, n'avait jamais vu son père. Et leur fille Mei, qui avait sept ans, ne pouvait s'en souvenir. Comme son frère, elle ne connaissait son père que par une photographie qu'il leur avait fait parvenir et qui le montrait vêtu d'un kimono.

« Regardez-moi donc cet accoutrement ! avait sifflé une voisine quand Mei lui avait montré la photo. On dirait que ton papa vient d'entrer au monastère ! »

Entre-temps, ma mère s'inquiétait en pensant que la conduite de son mari, seul durant toutes ces années, n'était peut-être pas exactement celle d'un moine. Une rumeur voulait en effet qu'il eût épousé une femme japonaise. C'est donc aussi ce qu'elle voulait éclaircir en se rendant à Tôkyô. Enfin, même si cette rumeur s'avérait inexacte, elle voulait s'assurer également que, malgré cette longue période de liberté dont il avait joui, il était encore disposé à s'occuper de sa famille.

Grand-père Xia accompagna sa fille et ses deux enfants pour le voyage d'une journée sur le fleuve Da jusqu'au port de Wenzhou, d'où ils embarquèrent sur le bateau à vapeur qui les mènerait à Kôbe. Cette histoire inquiétait grand-père, et par-dessus tout le préoccupait l'idée de la scène ridicule que pourrait provoquer l'arrivée de sa fille au Japon. L'anxiété le travailla durant tout son voyage de retour à la maison.

Ma mère, qui avait du cran, se jeta sereinement dans l'inconnu, sûre qu'elle était bien préparée. Par exemple, elle avait mémorisé trois phrases clés en japonais. Quand rien d'autre ne lui occupait l'esprit à bord du navire, elle répétait ses trois phrases encore et encore hochant la tête doucement de haut en bas comme elle avait vu faire les Japonais en Chine lorsqu'ils discutaient entre eux. Le bateau tanguait, ma mère tanguait et ses compagnons de voyage qui tanguaient eux aussi en passant à côté d'elle pouvaient l'entendre dire : « J'ai besoin d'un rickshaw. Je cherche un restaurant. Je veux acheter de la nourriture pour mes enfants. »

Lorsqu'ils atteignirent Kôbe, elle prit un rickshaw (cette phrase était donc au point) jusqu'au poste télégraphique d'où elle câbla un télégramme à mon père en lui donnant l'heure de leur arrivée à la gare de Tôkyô. Si son mari vivait toujours à l'adresse qu'elle avait et s'il était encore en vie, elle était sûre qu'il viendrait les y accueillir.

Ma mère était épuisée ; le voyage en train était pénible. Certaines portions de la voie venaient tout juste d'être réparées et le paysage qui défilait derrière les fenêtres montrait les dévastations qu'avait causées le séisme. En pénétrant dans la gare de Tôkyô, elle avait la nausée. Après avoir scruté les visages sur le quai, elle se sentit encore plus mal. Sa plus grande peur se concrétisait. Pas de mari. Il avait donc été fauché par le tremblement de terre. Peut-être même avait-il disparu en compagnie de sa femme japonaise lorsque la terre avait tremblé. L'idée la requinqua momentanément. Elle ne savait cependant pas ce qu'elle ferait si en arrivant devant la maison où il habitait elle ne trouvait qu'un amas de pierres. Ses bagages encombrants sur le dos et traînant un enfant fatigué au bout de chaque bras, elle se dirigea vers la sortie. Elle héla un rickshaw et montra au conducteur l'adresse inscrite sur une enveloppe en lambeaux. Lorsque le conducteur arriva dans la rue indiquée, elle put constater que les dommages étaient plus légers dans ce secteur. Une appréhension en remplaça alors une autre : son cœur commença à battre plus fort lorsqu'elle imagina découvrir son mari vivant, mais dans les bras de sa femme japonaise, tout aussi vivante que lui. Le rickshaw s'arrêta devant un hôtel qui, bien qu'il n'eût rien de luxueux, était tout d'une pièce. En frappant à la porte de la chambre qu'y louait mon père, son anxiété ne fit que croître. Pas de réponse. Elle ouvrit la porte.

Odeur de tabac, piles de livres et amoncellements de vêtements, couverture froissée sur une natte servant de lit. Quelqu'un habitait donc cette pièce.

Mei et Long arrêtèrent de renifler et se mirent à explorer. Ma mère s'étendit et en quelques minutes, elle succomba à l'épuisement. Une demi-heure plus tard, la porte s'ouvrit brusquement. Mei et Long accoururent vers elle en pleurnichant. Mei secoua sa mère : « Maman, réveillez-vous ! Il y a un homme ! »

Ma mère s'efforça d'ouvrir les yeux et aperçut son mari pour la première fois depuis cinq ans. Les mots jaillirent de sa bouche comme des chiens de combat : « Où étais-tu ? Pourquoi n'es-tu pas venu à notre rencontre ? » Mon père aussi était fâché : « J'y étais ! Pourquoi ne m'as-tu pas cherché ? » Il s'avéra qu'au moment où ma mère sortait de la gare, mon père y pénétrait par une entrée opposée. C'est par un tel échange exaspéré que le silence de leur longue séparation se termina, ce qui allait donner le ton à leur vie de couple.

Ma mère ne trouva pas d'autre femme sur les lieux, mais après avoir harcelé une voisine, elle apprit que mon père fréquentait une femme depuis plusieurs années. Quand celle-ci, une Japonaise, apprit que mon père avait une épouse en Chine, elle le quitta. Elle ne voulait pas être une concubine. Toute sa vie, mon père conserva le portrait d'une séduisante Japonaise dans son

album de photos et il n'expliqua jamais qui elle était. Nous soup-
çonnions que c'était *elle*. Plusieurs années plus tard, alors que le
mariage sans amour de nos parents emplissait la maison de tristesse, Mei dit qu'elle aurait souhaité que notre père épouse cette
autre femme. « Sa vie aurait été sûrement meilleure s'il avait épousé
une femme qu'il aimait. »

## CHAPITRE II

## Les tortues ont mis leurs chapeaux

Quelques années après l'installation de la famille à Tôkyô, un voisin qui regardait mes sœurs aînées jouer avec d'autres enfants fit cette remarque à mon père : « Vos enfants sont comme de petits Japonais maintenant. » Bien que cela se voulût un compliment, mon père ne le prit pas ainsi et décida sur-le-champ de retourner en Chine. Ses enfants pouvaient à peine parler chinois et il voulait qu'ils grandissent en sachant qui ils étaient.

Après le retour de la famille du Japon en 1931, mon père trouva du travail à la Banque de Chine à Fengtian*, ville située à douze heures de train au nord-est de Pékin. Fengtian était le siège du gouvernement fantoche du Manchukuô, créé par les Japonais en septembre 1931, après que le Japon eut occupé le nord-est de la Chine. Les Japonais nommèrent Puyi empereur du Manchukuô. Celui-ci avait été le dernier empereur de Chine et avait été chassé du pouvoir lorsque la dynastie Qing avait été renversée, deux décennies plus tôt. C'est donc dans le royaume fantoche dirigé par Puyi que je suis née en 1935.

Si mon père avait été éduqué au Japon, il était cependant demeuré un patriote. Même à l'intérieur du Manchukuô, il prit occasionnellement le risque de l'affirmer publiquement. Lors de la fête du Double Dix, marquant l'anniversaire de la fondation de la République de Chine le 10 octobre 1911, mon père déploya le drapeau du Guomindang sur le toit de la banque où il travaillait.

* À cette époque, Fengtian était connu des étrangers sous le nom de Mukden : après la Libération de 1949, la ville, sise dans la province de Liaoning, a été renommée Shenyang.

Les seuls drapeaux autorisés dans ce territoire étaient ceux du Japon et du gouvernement fantoche. Les autorités du Manchukuô appelèrent le gérant de la banque pour savoir qui était l'auteur de cet affront. Mon père avoua son geste et l'incident fut consigné à son dossier.

J'avais deux ans lorsque nous avons déménagé à Pékin (alors appelée Beiping), au début de 1937. Un ami de mon père qu'il avait connu au cours de ses études universitaires lui enjoignit d'accepter un travail au ministère des Travaux publics. Au début, mon père hésita ; après tout, comme la plupart des institutions à l'époque, le ministère était contrôlé par les Japonais. Il décida finalement qu'il ne ferait aucun tort au peuple chinois en acceptant le travail qui lui était offert, qui consistait à superviser la construction de nouvelles routes et de nouveaux ponts dans d'importantes villes du Nord. Son sort après la Libération aurait été très différent si ses fonctions l'avaient amené à porter préjudice à ses compatriotes.

J'étais trop jeune pour comprendre grand-chose à propos de l'occupation japonaise. Si j'avais vécu à la campagne et si j'avais été témoin des terribles gestes de barbarie qui y ont été commis, mon éducation politique aurait sans doute été plus profonde. Mais il y avait moins de cruauté manifeste à Pékin. Je me souviens d'avoir vu des soldats japonais qui marchaient en ville avec de gros sabres suspendus à la ceinture ; des femmes japonaises en kimono et au visage lourdement poudré, avec des enfants attachés sur leur dos ; des jeunes filles japonaises se promenant en groupe et portant des uniformes scolaires bleu marine. Des nourritures inconnues et toutes sortes de nouvelles choses apparaissaient dans les magasins ; des inscriptions en japonais surgissaient un peu partout dans la ville et le japonais était maintenant enseigné dans les écoles.

Parce que nos serviteurs les appelaient « les diables japonais », j'étais troublée lorsque des diables bien vêtus venaient à la maison et qu'ils étaient traités comme des invités. À ma sœur Wen et à moi, toutes deux nées après leur retour du Japon, nos parents apprirent même comment accueillir les diables dans leur propre langue.

Nous habitions une vaste demeure au centre de Pékin, dans l'allée de l'Atelier aux Flèches. La maison comportait deux cours intérieures, 24 «pièces», des quartiers réservés aux serviteurs ainsi qu'un garage. À l'époque, la «pièce» (*jian*) était une mesure représentant l'espace entre deux piliers porteurs. Ainsi notre salle de séjour était une salle de «six pièces». Elle était si grande que même deux gros poêles à charbon fonctionnant à plein régime n'arrivaient pas à la chauffer.

La chambre de mes parents était l'endroit le plus chaud de la maison. Elle était toujours maintenue à une température confortable. Les chambres où les enfants dormaient, quant à elles, n'étaient pas chauffées parce que mon père pensait que les enfants devaient être élevés à la dure. Souvent, en hiver, je n'arrivais pas à m'extraire de mon lit bien chaud pour aller aux toilettes au milieu de la nuit. Mes sœurs me taquinaient sans pitié parce que je mouillais mon lit. En réponse à leurs sarcasmes, il m'arrivait de fondre en larmes.

En fait, elles me surnommaient «l'enfant qui pleure tout le temps». Je pleurais lorsque je perdais au jeu, lorsque je ne pouvais assembler un jouet ou quand j'avais fait une tache sur mon devoir. Le pire, c'était lorsque j'avais un abcès sur la langue, ce qui m'arrivait habituellement lorsque je m'empiffrais d'arachides grillées. Je devais alors sortir la langue pendant que ma mère m'administrait quelques gouttes d'un médicament traditionnel au goût amer. Ma mère se méfiait de la médecine occidentale. Elle croyait que si on lui en donnait le temps, le système immunitaire finissait par surmonter n'importe quelle maladie. Cette conception explique peut-être la mort prématurée de quelques-uns de mes frères et sœurs.

Le premier grand événement à survenir après notre déménagement dans cette grande maison, a été la célébration du «premier mois» de mon frère Sheng. Cette fête traditionnelle se déroule un mois après la naissance d'un enfant. Sheng, né en 1939, est le benjamin de ma famille et le seul fils qu'ont pu conserver mes parents; c'était donc toute une affaire. Une scène fut montée dans la cour principale où des musiciens jouèrent des airs de l'opéra de Pékin devant une foule d'amateurs. Terrifiée par le vacarme que faisaient

29

les tambours, les gongs et les cymbales, je me bouchais les oreilles. Par la suite, je n'ai jamais pu apprécier l'opéra de Pékin.

Sheng était habillé d'un ensemble de soie rouge que complétait une calotte noire. Moi qui n'avais alors que quatre ans, je trouvais qu'il avait l'air d'avoir la moitié de la pelure d'un melon d'eau sur la tête. Les invités entraient et sortaient, chacun glissant dans sa robe de soie une enveloppe rouge vif contenant des coupures d'argent neuf. Certains avaient aussi apporté de petites clés ornementales en argent, en jade ou en or à porter autour du cou pour la chance. Ces clés devaient assurer à l'enfant la sécurité d'un foyer et lui éviter d'être emporté par les mauvais esprits ou par la maladie.

Quelques jours après la fête, Mei, alors dans la vingtaine, entendit des gens marcher sur le toit de la maison. « Donne-moi mon pistolet, dit-elle en plaisantant à l'une de nos servantes. Je vais combattre ces bandits ! » En fait, ce n'était pas une plaisanterie, et bientôt deux hommes armés pénétraient à l'intérieur de sa chambre.

« Donne-nous ton pistolet ! » cria l'un d'eux. Du toit, ils avaient entendu la remarque de Mei. Elle réussit à les convaincre qu'elle n'en avait pas pour vrai.

« Nous ne sommes que des voyageurs qui ont besoin d'argent pour continuer leur route », dit l'un des hommes, en la menaçant de son arme. Mei leur donna son coffre à bijoux, mais ses boucles d'or et sa montre ornée de diamants ne suffirent pas à les satisfaire. Ils la poussèrent du bout du fusil jusqu'à la porte fermée à clé de la chambre où nos parents dormaient tous les deux. Elle leur cria alors en japonais que deux voleurs lui pointaient une arme dans le dos.

Tremblant, mon père lança le coffre à bijoux de ma mère de l'autre côté de la porte. Parmi les effets de valeur qu'il contenait se trouvaient les petites clés que la famille avait reçues lors de la célébration du premier mois de Sheng. Nous avons ensuite pensé que c'était cet événement grandiose qui avait entraîné un tel vol. Les bandits cambriolèrent 10 autres familles avant d'être arrêtés. Quand la police convoqua mon père pour qu'il vienne récupérer ses biens, il découvrit que les bandits avaient fait fondre tout l'or volé aux 11 familles en une seule grosse masse. Il était impossible de dire quelle proportion était à nous et quelle proportion appartenait aux autres victimes. Il revint à la maison exaspéré. Il dit que le temps que cette affaire soit élucidée, il resterait de toute façon tout juste assez d'or pour « payer » la police. Lorsqu'ils résolvaient un crime, les policiers s'attendaient à recevoir un cadeau en guise de remerciement. Mon père laissa tomber l'affaire et refusa net d'entrer dans les disputes entre voisins à propos de la masse d'or. Ce furent les derniers objets en or que ma famille ait jamais possédés.

Nous étions des jours sans voir nos parents. Mon père travaillait tard et dînait fréquemment à l'extérieur. J'adorais lorsqu'il était à la maison et que, tous réunis autour de la table de la salle à manger, il nous racontait des histoires. Mes favorites appartenaient au recueil de Pu Songling*, le conteur du XVII<sup>e</sup> siècle. C'étaient des histoires de renardes** qui revêtaient la forme de jeunes et belles femmes pour séduire et piéger les hommes. D'autres fois, il nous relatait des anecdotes sur notre propre famille. J'étais particulièrement impressionnée par l'histoire de mon cousin envoyé du ciel.

« Peu de temps avant la mort du frère de votre mère, vous savez, celui qui a coupé sa natte, commençait-il, un mariage avait été arrangé précipitamment. La famille croyait que cela allait expulser l'esprit mauvais dont il était possédé. On chercha dans les villages voisins et on trouva finalement une pauvre paysanne à qui il était indifférent d'épouser un mourant. Elle était séduisante

---

* Recueil de contes fantastiques et d'histoires de renardes. Il en existe deux traductions françaises : celle de Louis Laloy, parue sous le titre de *Contes étranges du cabinet Leao* chez Picquier, et celle sous la direction d'Yves Hervouet, *Contes extraordinaires du Pavillon du Loisir*, chez Gallimard.

** La renarde est un personnage populaire des légendes chinoises. Se déguisant en humains, les esprits de renard prennent souvent la forme de femmes séduisantes, spirituelles et manipulatrices. Dans la culture chinoise, dominée par les hommes, la renarde apparaît comme profondément rebelle. Elle utilise ses charmes et son intelligence pour faire son chemin dans une société étroitement contrôlée et rester fidèle à elle-même.

et intelligente, mais votre oncle ne l'aimait pas parce qu'elle avait les pieds bandés. Il mourut quelques semaines après le mariage et votre tante se retrouva veuve. Selon la coutume, elle était alors dans l'obligation de prendre soin d'une belle-mère qui lui était presque étrangère.

« La mort de votre oncle a été un grand malheur dans la famille parce qu'il n'y avait pas d'autre garçon pour en transmettre le nom. Les femmes de la famille se concertèrent et trouvèrent à cela une solution. Une veuve habituellement ne paraissait pas en public durant plusieurs mois après le décès de son époux. Votre tante ne causa donc aucun commérage en restant longtemps cachée derrière les hauts murs de l'enceinte familiale. Et lorsqu'elle sortait, elle dissimulait de plus en plus d'oreillers bien dodus autour de sa taille.

« Lorsqu'une femme était sur le point d'accoucher, les plus vieux membres de la famille tiraient des tabourets à l'extérieur de la chambre à coucher pour attendre la nouvelle. Au jour choisi, on mit en branle la mise en scène bien huilée d'une "immaculée conception". Selon la coutume, les parents âgés se sont rassemblés à l'extérieur de la chambre à coucher, pour recevoir les vœux des visiteurs. Avant que la sage-femme ne soit appelée, un nouveau-né mâle avait été livré – par la grande porte : on l'avait caché dans un chargement de grain. Le matin même, il avait été acheté d'une pauvre famille paysanne avec son placenta. L'excitation d'une vraie naissance leur ayant été refusée, les femmes de la famille voulurent ajouter du piquant à l'arrivée du bébé. Elles inventèrent alors un scénario complexe dans lequel l'enfant descendait d'en haut, comme un cadeau du ciel. On noua des draps les uns aux autres et on fit descendre le bébé du grenier par un trou pratiqué dans le plafond jusqu'au lit à baldaquin où votre tante était étendue derrière des rideaux. L'enfant qui se balançait sur ce hamac de fortune devint officiellement un membre de la famille au moment où il toucha le ventre de votre tante.

« Lorsque la sage-femme arriva, elle fut surprise de constater que l'enfant était déjà né. Ça s'est passé si vite, lui expliquèrent les autres femmes, qu'elles n'avaient même pas eu le temps d'aller la

Ma mère dans les années trente.

Mei, ma sœur aînée, au Japon, au début des années trente.

Moi à trois ans, posant pour la photo.

J'ai trois ans. Je suis assise dans une brouette
en bambou tirée par ma sœur Wen.

Mes parents durant les années quarante.

Ma mère lisant à son bureau dans les années quarante.

Les cinq enfants de la famille (quatre filles et un garçon) photographiés dans la cour de notre maison. Je suis la dernière à droite. J'ai six ans.

Pékin, 1950. Mon prénom anglais, Madge, écrit sur le mur.

Berlin, République démocratique allemande, 1952.
Je porte une veste kaki de la Ligue de la jeunesse allemande.

Pékin, 1954. Prête pour un nouveau départ,
je viens tout juste de revenir de Berlin.

1955. Maman à sa machine à coudre. Elle travaille dur pour nourrir la famille.

chercher. On avait fièrement exposé le placenta qui débordait d'une casserole. À part les légers vagissements du nourrisson, c'était là la seule preuve qu'une naissance venait d'avoir lieu dans cette pièce. On engagea une nourrice pour le petit paysan qui, par un coup du sort, devait perpétuer le nom de la famille. Il n'a jamais connu ses vraies origines et il vit toujours, quelque part à Taiwan. »

Mon père nous racontait aussi des histoires de fantômes dont certaines étaient si effrayantes qu'après les avoir entendues, j'avais peur de me rendre toute seule à ma chambre : je devais pour cela traverser notre vaste salle de séjour dans le noir le plus complet. Un saule pleureur derrière la fenêtre faisait penser à une tête de femme dont les longs cheveux remuaient au vent. Je fermais les yeux, je retenais mon souffle et m'élançais dans ma chambre, où le plus petit craquement du plancher me terrifiait. Je partageais ma chambre avec Wen, de deux ans mon aînée. J'aurais aimé qu'il y ait un adulte à proximité, quelqu'un pour nous câliner et nous lire une histoire avant que nous nous endormions.

Mon père nous amenait occasionnellement dans un parc pour attraper des grillons. Il balançait les bras à la façon militaire et nous disions en chœur « un, deux, trois » en marchant autour du parc. Sur le chemin du retour, il nous achetait des croissants à la boulangerie française. Appelés « cornes de bœuf » à cause de leur forme, ceux-ci n'avaient pas le goût riche des vrais croissants parce que le beurre était rare. Nous les aimions cependant à cause de leur forme amusante.

J'adorais ces promenades, mais elles étaient rares. Nous voyions encore moins notre mère. Lorsque nous partions pour l'école, elle était encore au lit parce qu'elle avait joué au mah-jong toute la nuit. Quand nous revenions chez nous, elle se préparait à sortir de nouveau. Elle était très superstitieuse et elle imposait des règles strictes dans la maison les jours où elle jouait au mah-jong, c'est-à-dire presque tous les jours. Ainsi, on ne devait jamais lui réclamer d'argent lorsqu'elle partait jouer. Il était préférable de demander à nos camarades de classe de nous prêter ce dont nous avions besoin plutôt que d'attirer la colère de notre mère avec des propos malchanceux sur l'argent. Pour évoquer le sujet, nous attendions le jour où elle serait de bonne humeur, à savoir généralement lorsqu'elle avait gagné au jeu la nuit précédente.

Mentionner le mot «perdre» se faisait à nos risques et périls. Ce mot n'était pas le bienvenu à la maison, quel que fût le contexte. Lorsqu'elle se préparait à aller jouer, il était également interdit de mentionner le mot «livre» sous aucun prétexte, mot qui comme «perdre» se dit *shu*, mais s'écrit différemment. Et nous ne devions surtout pas nous asseoir près de sa table de mah-jong en lisant un livre.

Ma mère ne nous amenait jamais à l'extérieur. Les jours de pluie étaient les plus difficiles à supporter. Je me sentais prisonnière, je n'avais nulle part où aller. J'aimais alors m'asseoir dans la cour sous l'avant-toit pour regarder la pluie faire des bulles éphémères à la surface d'un étang en formation. Le système de drainage étant désuet, après une pluie torrentielle, l'eau nous allait jusqu'à la cheville des heures durant. Lorsque l'eau inondait la cour, je me chantais à moi-même :

> Il pleut, il pleut à seaux
> Les tortues ont mis leurs chapeaux.

Je trouvais ces vers amusants.

J'aimais passer du temps avec les servantes. Elles avaient des histoires intéressantes à raconter à propos de leurs propres familles qui vivaient à la campagne. Amah Sun, la nourrice de mon frère, était jolie, d'humeur joyeuse, intelligente, soignée et efficace. Ces qualités étaient recherchées chez une nourrice parce qu'on croyait que les bébés ressembleraient aux femmes qui les avaient nourris. Pour mes poupées, elle confectionnait des souliers qui étaient des versions miniatures des souliers de soie brodés que portait ma mère durant l'été. J'ai adoré Amah Sun.

«As-tu des enfants?

– Oui, un fils du même âge que notre jeune maître.

– Mais tu es toujours ici! Qui en prend soin? Il ne te manque pas?

34

– Je dois gagner ma vie. Mon mari travaille aux champs et ne gagne pas beaucoup d'argent. Les gages sont bons ici et, de toute façon, notre jeune maître a besoin de moi.

– Mais qui nourrit ton bébé? Est-ce qu'il a quelqu'un pour lui donner le sein?

– Sa grand-mère prend soin de lui. La plupart du temps, elle lui donne du gruau de riz et il tète le sein de sa tante à l'occasion. »

J'ai souvent pensé au fils d'Amah Sun pendant qu'elle berçait mon frère contre son sein. Je me demandais s'il recevait autant d'affection.

J'allais fouiner parfois dans la cuisine pour goûter un peu de ce que les serviteurs mangeaient. Le cuisinier, un homme tranquille et toujours souriant, faisait cuire un pain de maïs particulièrement délicieux. «Ne vous faites pas prendre par votre mère! disait-il en me faisant un clin d'œil complice. Une céréale aussi lourde n'est pas bonne pour la digestion d'une jeune demoiselle. »

Je pensais qu'il n'y avait pas de femme dans le monde aussi propre que notre gouvernante, Amah Li. Elle était d'une propreté resplendissante sur toute sa personne, jusqu'à ses chaussettes blanches et ses souliers de coton noir. Elle était une Mandchoue du Nord; les gens de cette région étaient reconnus pour leur politesse et leur propreté.

J'aimais la regarder peigner ses longs cheveux puis les arranger en chignon. Sa chevelure était comme l'ébène, noire et brillante. Elle trempait son peigne dans un gel qu'elle confectionnait elle-même à partir de copeaux de bois humectés d'eau. Elle disait que cela gardait ses cheveux en santé.

«Est-ce que je peux en utiliser moi aussi?» Je pensais qu'ainsi ma chevelure serait aussi belle que la sienne sans avoir à la laver, ce que je détestais.

«Votre mère n'aimerait pas ça, disait-elle. Ce n'est pas un truc pour une jeune demoiselle comme il faut. » Les serviteurs nous disaient toujours que notre mère n'aurait pas aimé qu'on fasse les choses comme eux les faisaient, mais, en même temps, ils semblaient avoir bien du plaisir.

Mon enfance a été largement confinée dans les murs de notre immense demeure. Ma mère n'aimait pas que nous jouions avec les enfants des voisins, mais Wen et moi nous glissions souvent discrètement dans la cour d'à côté. Ce qu'on pouvait y voir et y entendre était trop étrange pour ne pas avoir envie de chercher à en savoir davantage.

La mère de la famille Tian était une obstétricienne qui avait étudié aux États-Unis. À son retour au pays, elle avait fondé sa propre clinique de maternité. Eux aussi possédaient deux cours ; ils vivaient autour de l'une et la maternité entourait l'autre. Notre mère avait déclaré l'endroit zone interdite. Cela ne nous empêchait cependant pas d'aller nous accroupir dans un coin pour observer les allées et venues des femmes au dernier stade de leur grossesse qui se promenaient à petits pas, des infirmières affairées qui traversaient rapidement. Nous rembourrions les robes de nos poupées de chiffon pour qu'elles ressemblent aux femmes aux pas traînants qui déambulaient dans la cour. Après, nous hurlions à mort, de façon à imiter les hurlements que nous avions entendus. Un jour, des cris à glacer le sang s'élevèrent. Ils étaient plus forts que ceux que nous entendions d'habitude. Complètement terrorisée, une infirmière vint nous voir, Wen et moi, toutes deux debout au milieu de la cour.

« Une femme a un accouchement difficile, dit-elle. Elle en est au troisième jour et si cela dure davantage, on devra lui faire une césarienne. » Ce mot était nouveau. Je n'ai pas demandé à ma mère ce qu'il signifiait pour qu'elle ne sache pas d'où je le tenais. Le jour suivant, j'en demandai la signification à une infirmière. « Ce n'est pas une chose dont tu dois te préoccuper, dit-elle, mais c'est quand on doit couper le ventre de la femme pour en faire sortir le bébé. »

Je n'avais aucune idée de la façon dont naissaient les enfants, je crus donc que c'était la procédure habituelle. Je courus rapporter cela à Wen qui, bien que plus âgée, n'en connaissait pas beaucoup plus que moi sur la question de la reproduction. Ce jour-là, nous avons coupé le ventre de nos poupées et parce que cela prit un certain temps pour les recoudre, nous avons finalement décidé de ne plus faire de césariennes. Nos poupées étaient donc toujours enceintes.

Parfois, une infirmière fatiguée venait vider des seaux pleins de sang dans l'évier au milieu de la cour. La première fois que Wen et moi avons vu cela, nous nous sommes regardées l'une l'autre avec horreur en remuant la tête. «Je ne vais jamais avoir d'enfant, dis-je sur un ton solennel. – Je suis d'accord. Moi, non plus… C'est beaucoup trop dangereux!»

Un autre de nos voisins était un riche propriétaire qui possédait des terres à la campagne et des immeubles en ville. Ding était sévère avec sa femme et ses enfants et il vivait d'une façon très frugale. Ma mère, qui était dépensière, avait cette théorie qui voulait que seuls les gens qui savaient dépenser de l'argent savaient aussi en gagner. Après la Libération, alors que les propriétés privées allaient être confisquées aux propriétaires comme Ding, ma mère dit: «Tu vois! Nous avons dépensé jusqu'au dernier sou et maintenant nous n'avons plus rien. Ils ont lésiné et épargné et maintenant ils n'ont plus rien non plus. Alors, à quoi ça servait?»

Lorsque Wen et moi en avons atteint l'âge, nous avons été envoyées à Mingming, une école primaire privée où l'enseignement était de qualité et la discipline sévère. Chaque matin, Amah Sun montait dans un rickshaw avec nous pour nous conduire à l'école. C'était un rickshaw loué car le seul véhicule de la famille était réservé à ma mère pour la mener à ses parties de mah-jong. Le conducteur était un vieil homme à la charpente osseuse. Il avait l'air fragile, mais son torse efflanqué était supporté par de fortes jambes avec lesquelles il gagnait sa vie.

Je ressentais de la honte à le voir se défoncer littéralement pour nous tirer toutes les trois jusqu'à l'école. Durant l'été, à cause de la chaleur, c'était un travail épuisant. Même pendant l'hiver, la sueur coulait sur son visage alors qu'il devait lutter pour tenir le rickshaw d'aplomb contre le noroît qui hurlait. Pendant ce temps, nous étions douillettement assises sous le long manteau matelassé dans lequel il nous enveloppait. Les jours de pluie, nous étions protégées par une bâche imperméable pendant que lui se faisait tremper. Lorsqu'il pataugeait dans les rues inondées, sa charge devait lui sembler encore plus lourde. Pour me faire plus légère, plutôt que de m'appuyer vers l'arrière, je m'assoyais très droite. Ou je poussais avec les mains sur le siège pour me dresser un peu. Lorsqu'on descendait, j'essayais d'attraper son regard pour lui adresser un sourire, mais à ce moment-là, souvent, il était complètement penché en avant, pour reposer ses bras et ses épaules.

Les jours d'école apportèrent dans nos vies une routine toute simple. Pendant l'hiver, nous nous levions à contrecœur dans notre chambre non chauffée. Amah Sun nous servait notre petit-déjeuner, habituellement des restes de la veille ou de la bouillie de riz. Quoi que ce fût, ce n'était jamais très nourrissant parce que ma mère ne jurait que par un petit-déjeuner léger. J'étais habituellement fatiguée et affamée avant la fin de la classe de l'avant-midi. Après l'école, Amah Sun venait nous reprendre en rickshaw. Durant la soirée, Wen et moi faisions nos devoirs face à face, chacune à son petit pupitre. Jamais aucun adulte ne venait nous aider. Il y avait un tel écart d'âge entre nous et nos deux sœurs plus âgées que celles-ci vivaient comme dans un autre monde. Hua a 10 ans de plus que moi, Mei presque 20.

À cause de ma difficulté à sortir du lit le matin, Wen et moi arrivions souvent en retard en classe. Une fois, ce fut trois jours d'affilée. Au troisième jour, alors que j'entrais dans la classe sur la pointe des pieds, l'institutrice s'interrompit au beau milieu de sa phrase. «Tu continues à arriver en retard, Zhimei. Tu déranges les autres. Viens ici!» Je vins me planter devant elle, mes genoux s'entrechoquant.

«Tourne-toi et fais face à la classe. Incline-toi maintenant vers tes camarades et demande-leur pardon.» Effrayée, je fis ce qu'elle me demandait. Les enseignants, semblait-il, n'étaient pas aussi gentils qu'on me l'avait dit; ils m'apparaissaient maintenant comme des figures d'autorité qu'il ne fallait vraiment pas offenser.

Lorsque je pus voir ma mère quelques jours plus tard, je lui parlai de l'incident. Elle fut outrée. «Comment a-t-elle osé faire ça à ma fille? À une enfant de cinq ans?» Le lendemain, elle vint avec nous en rickshaw jusqu'à l'école et marcha droit au bureau du principal. Restées à l'extérieur, Wen et moi pouvions l'entendre vociférer à propos de l'épouvantable humiliation dont notre famille avait été victime. Elle sortit du bureau encore plus enragée qu'elle ne l'était à son arrivée et refusa qu'on remette les pieds à Mingming.

Ce jour-là a marqué un point tournant dans ma vie. Sauf pour les cours universitaires que je suivrais plus tard, les quelques mois passés à Mingming constitueraient la totalité de mon éducation chinoise proprement dite. Je commencerais bientôt à étudier en anglais chez des étrangers.

Mon père avait fait revenir notre famille du Japon pour mieux voir à l'éducation de ses enfants. Consterné à son retour par la piètre qualité de l'enseignement dans la plupart des écoles, il décida de tous nous envoyer dans des maisons d'enseignement dirigées par des missionnaires d'origine étrangère. Les droits de scolarité dans ces établissements étaient cependant beaucoup plus élevés que ceux des écoles publiques.

Wen et moi avons été inscrites à l'Académie catholique du Sacré-Cœur, dirigée par les Missionnaires franciscaines de Marie. C'était un édifice de trois étages très imposant, situé près du boulevard Wangfujing, la principale artère commerciale de Pékin. Ce collège de filles offrait un enseignement de la première à la dixième année. Il avait la réputation de dispenser une éducation de grande qualité, doublée d'une discipline sévère.

Dans les écoles missionnaires typiques, la plupart des enseignants étaient chinois et le chinois était la langue d'enseignement. Sacré-Cœur était la seule école de Pékin où tous les enseignants étaient étrangers et où tout se déroulait en anglais. On nous donnait même des prénoms anglais : alors qu'on continuait à m'appeler «Arrêtez la beauté» à la maison, j'étais Madge à l'école. Le chinois était strictement interdit en classe. Si une religieuse nous surprenait à le parler dans un corridor, elle nous rappelait que l'anglais était la langue de Sacré-Cœur.

Certains aspects de la doctrine catholique étaient attirants, mais je n'ai jamais ressenti le désir de me convertir. Tout cela me semblait trop rigide et exigeait trop de discipline. Les concepts de charité et d'honnêteté me plaisaient cependant. On nous disait d'accomplir trois actions charitables par mois, des choses toutes simples, comme aider une personne âgée à traverser la rue ou verser quelques sous à un mendiant. Les sœurs prêchaient aussi contre la jalousie. Je présumais alors que parce qu'ils m'étaient enseignés par des religieuses, ces principes étaient uniques au catholicisme. Par égard pour ces belles valeurs, je croyais aussi en leur Dieu. Je pensais que si nous étions bonnes, un ange gardien nous protégerait. Je croyais également au pouvoir de la prière. Je priais beaucoup chaque jour : pour qu'un mal d'estomac disparaisse, pour avoir plus de pain de maïs de la part du cuisinier, pour que mon père soit présent à la maison et qu'il nous raconte une histoire lors du dîner.

J'avais vraiment peur que Wen ne devienne religieuse. Elle se sentait souvent traitée de façon injuste par notre mère et rêvait de s'échapper dans un couvent. Durant les dix ans où j'ai fréquenté Sacré-Cœur, une seule étudiante chinoise devint religieuse. Je fus bien heureuse que ce ne soit pas Wen.

Mes parents étaient indifférents à la dimension religieuse de Sacré-Cœur. Ils voulaient simplement que nous ayons une bonne éducation. Lorsque ma mère assista à la première communion de Wen, ce qu'elle y vit lui plut. Elle fut frappée de voir comme les sœurs étaient de bonnes éducatrices. Ce qu'elles nous transmettaient importait peu ; la chose primordiale était qu'elles nous apprennent à apprendre.

Notre uniforme nous distinguait des autres écoliers de Pékin. En hiver, nous portions une robe bleue avec un col et des manchettes blancs. L'été, c'était une robe blanche et un chapeau de paille dont le rebord était enjolivé d'un ruban bleu ciel. Une des premières choses qu'on a apprises à l'école a été de prendre soin de nos cols et de nos manchettes détachables. Après les avoir lavés, on les collait, encore mouillés, contre une vitre. Le temps que le soleil les sèche, ils devenaient aussi raides que s'ils avaient été empesés et repassés.

Près du tiers des étudiantes de Sacré-Cœur étaient étrangères. Plusieurs d'entre elles venaient de familles de Russes blancs qui s'étaient enfuis après la révolution d'Octobre. Les autres étaient des enfants de missionnaires français, belges, allemands ou britanniques. Les enfants des officiers de l'armée américaine arrivèrent en 1945, après la capitulation japonaise.

En hiver, la plupart des étudiantes étrangères portaient sous leurs robes des bas de laine aux genoux. Elles avaient l'air soignées, à la mode et complètement frigorifiées. Nous, les étudiantes chinoises, portions des pantalons sous nos robes, ce qui nous faisait des bourrelets et nous rendait totalement disgracieuses. Tant que nous gardions nos uniformes, les religieuses n'avaient aucune objection à ce que nous portions quelque chose en dessous.

La discipline était stricte à Sacré-Cœur, même à la maternelle. Alors qu'on marchait en rangs serrés en direction de la salle de classe, une religieuse pouvait crier d'une voix tonitruante : « Les mains derrière le dos, les filles ! » La classe commençait et se terminait par une prière. Dès l'âge de six ans, je pouvais réciter le Notre Père avec une élocution parfaite sans avoir toutefois la moindre idée de ce que cela pouvait bien vouloir dire. À la fin de la période matinale, alors que l'odeur du potage flottait du réfectoire jusque dans le corridor, la prière semblait insupportablement longue. À midi, Amah Sun apparaissait avec un thermos de nourriture chaude et nous mangions avec les étudiantes pensionnaires. Un jour d'hiver, notre thermos explosa au milieu du réfectoire, ne causant aucune blessure, mais tout un émoi.

L'école possédait une belle petite chapelle avec des vitraux et un autel qui semblait si mystérieux lorsque se déroulait un service religieux. Le prêtre disparaissait littéralement derrière des nuages d'encens tandis qu'il balançait vigoureusement l'encensoir. J'étais si éblouie par ces visions et ces odeurs que je me sentais transportée dans un conte des *Mille et Une Nuits*.

La vie des sœurs m'intriguait également. En classe, il m'arrivait de dévisager l'enseignante et de rêver à ce que sa vie avait pu être avant qu'elle n'entre au couvent. Si une mèche de cheveux dépassait accidentellement de sa cornette, je l'observais avec fascination. C'était comme si j'avais surpris quelque chose de sa vie mystérieuse, secrète.

À Sacré-Cœur, nous apprenions la nature privée de certaines choses, par exemple des lettres personnelles. Dans la plupart des familles chinoises, les maris décachetaient la correspondance de leur femme et les parents faisaient de même avec celle de leurs enfants. Une telle pratique était considérée comme parfaitement acceptable, c'était un legs de la hiérarchie patriarcale du confucianisme.

Nous apprîmes également à frapper aux portes. Vous aviez à le faire avant d'entrer si vous étiez en retard en classe. Quand la sœur ouvrait la porte, vous deviez demander : « Puis-je entrer ? » Dans une école chinoise, vous n'aviez qu'à ouvrir la porte et à entrer. À la maison, on allait et venait entre les chambres sans jamais frapper avant d'entrer. Toutes les portes restaient habituellement ouvertes, de toute façon, on ne les fermait que pour la nuit ou lorsqu'on était malade. Pendant notre enfance, nous fermions la porte de notre chambre durant la journée seulement lorsque nous faisions quelque chose de mal, comme nous amuser à briser un jouet ou nous maquiller avec la poudre de notre mère. Devant une porte fermée, Amah Sun se montrait toujours suspicieuse. De derrière la porte, elle nous disait : « Quoi que vous fassiez, arrêtez ça tout de suite ! » Si la porte de la chambre de notre mère était fermée pendant la journée, cela signifiait qu'elle était sortie tard la nuit précédente pour jouer au mah-jong. Nous savions donc que nous devions nous tenir tranquilles.

C'est à Sacré-Cœur que j'ai éprouvé mes premiers intérêts pour la littérature occidentale. L'école possédait une petite bibliothèque contenant des versions simplifiées de romans classiques, dont *Jane Eyre* et *Les Hauts de Hurlevent*, mes préférés. Jane Eyre était mon héroïne. J'étais impressionnée par sa forte détermination et son expérience de l'amour romantique. J'ai lu ce roman trois fois. Je l'ai relu une autre fois quand on le publia en version chinoise.

À la fin du mois, mère Notker se tenait à la seule sortie que nous empruntions et glissait à chacune d'entre nous un rappel concernant les droits de scolarité pour le mois suivant. Nous étions toutes effrayées par la manière dont elle parlait en nous regardant par-dessus ses lunettes. À moi elle disait souvent : « Ton paiement était en retard le mois dernier, Madge, essaie d'être à temps cette fois. »

Mais lorsque Pékin fut assiégée à la fin de 1948 et au début de 1949, la «mère perceptrice» perdit toute sévérité. C'était aux derniers jours du gouvernement nationaliste; des troupes communistes avaient encerclé la capitale. Mon père était sans emploi depuis quatre ans. Quant à ma mère, elle tentait de boucler les fins de mois en faisant de la couture, mais nous n'avions jamais assez d'argent.

«Mère Notker, je ne pourrai pas venir à l'école lundi. Ma mère dit que nous ne pouvons régler les frais pour le mois prochain.»

En me donnant une petite tape sur l'épaule, elle me dit: «Madge, tu es à Sacré-Cœur depuis la maternelle. On ne peut te laisser partir avant que tu aies terminé ta scolarité. Nous vivons une situation spéciale présentement et tu dois fréquenter l'école comme d'habitude.» Pour la première fois, je sentis que j'appartenais véritablement à cet établissement.

Après la capitulation japonaise en 1945, des familles d'officiers de l'armée américaine arrivèrent à Pékin par centaines. Ces officiers avaient été envoyés pour négocier un armistice entre les nationalistes et les communistes, armistice qui, somme toute, s'avéra très court. Sans crier gare, Sacré-Cœur se remplit de jeunes Américaines turbulentes et bavardes. Je les enviais. Elles avaient toutes l'air si riches. Elles mangeaient du chocolat et mâchaient du chewinggum, deux choses que nous n'avions jamais vues auparavant. Elles étaient bien habillées et détestaient porter l'uniforme. C'est alors que les sœurs ont relâché leur code vestimentaire et ont même permis le port du pantalon.

Jusqu'à peu une école paroissiale plutôt guindée, Sacré-Cœur ne serait plus jamais la même. Les filles chinoises les plus vieilles commencèrent à fréquenter des soldats américains. On les surnommait les *Jeep girls* parce que les GI venaient les chercher en jeep après l'école. Elles avaient parfois des difficultés avec les sœurs parce qu'elles arrivaient en retard pour être sorties jusqu'à une heure avancée la veille. Je les enviais; elles semblaient si matures et avoir tellement de plaisir.

J'allais souvent faire du lèche-vitrine après l'école avec une copine de classe d'origine chinoise que les sœurs prénommaient Elizabeth. Un après-midi, alors que nous flânions dans un marché couvert, les lumières s'éteignirent. Les pannes de courant avaient été fréquentes durant l'occupation japonaise et les marchands étaient habitués à poser une chandelle sur le coin de leur étalage. Dans le noir, je vis Elizabeth voler des poignées d'arachides à même un étal et s'en bourrer les poches. Entre autres commandements, les sœurs nous avaient inculqué celui-ci: «Tu ne voleras point.» Mais Elizabeth continua à marcher nonchalamment et refusa d'admettre son geste. Les filles de l'école commencèrent à se plaindre qu'elles perdaient des choses. Un jour, j'aperçus Elizabeth qui faisait les poches de nos manteaux.

Durant une pause entre deux classes, je lui dis: «J'ai vu ce que tu faisais dans le vestiaire.»

Elle rougit. «Tu es une menteuse! Ce n'est pas chrétien tu sais. Tu ne devrais pas mentir. Vous autres, les non-croyants, vous êtes tous de sacrés menteurs. De toute façon, comment peux-tu prouver ce que tu avances?»

Je me haïssais de ne pas savoir comment m'y prendre pour que les autres me croient et je commençai à pleurer. Une religieuse entra alors dans la classe et demanda ce qui se passait. Elle m'appela à l'avant. «Madge, tu sais que tu ne dois pas faire ce genre d'accusation sans pouvoir le prouver. Je crois que tu dois des excuses à Elizabeth.»

J'étais soudainement sur la sellette tandis qu'Elizabeth devenait la personne offensée. Très frustrée et en colère, je commençai à tirer sur ma robe en même temps que mes pleurs se transformaient en gros sanglots. Un morceau de ma robe se déchira et je tirai dessus. J'étais en train de déchirer ma robe devant une classe qui me regardait en retenant son souffle. À la fin, je me retrouvai debout en caleçon de flanelle et en camisole, ma robe complètement déchirée à mes pieds.

Saisie, la religieuse me renvoya à la maison. Quand ma sœur Hua apprit la chose, j'eus droit à un sermon que je n'oublierais jamais. «Quelle créature sans colonne vertébrale! Pourquoi l'as-tu accusée si tu n'avais rien pour appuyer ce que tu disais, si tu n'étais pas préparée à ne pas te laisser faire, à te battre!» Je savais qu'elle avait raison. J'avais un esprit rebelle, oui, mais celui-ci n'était pas appuyé par une mesure égale de combativité. Ce fut pour moi une leçon importante.

On ne reparla jamais de l'incident, mais je sentais comme un nuage suspendu au-dessus de moi à l'école. Je ne comprenais pas pourquoi les sœurs laissaient Elizabeth faire ses petits larcins alors que constamment elles étaient sur mon dos pour que je me tienne droite en classe, pour que je marche lentement à l'intérieur de la chapelle ou que je mange sans faire de bruit.

Un jour, après la capitulation japonaise, mon ancienne amie Elizabeth m'interpella devant mes autres compagnes de classe : « Qu'as-tu à faire la fière ? Ton père est un *hanjian*. »

Cette expression signifiait « traître envers la Chine ». Mais pourquoi avait-elle dit cela ? De retour à la maison, je posai la question à ma mère.

« Ne l'écoute pas, Zhimei. Il y a des gens qui, pour une raison ou une autre, prennent plaisir au malheur d'autrui. » Elle ne s'étendit pas davantage sur le sujet. Ce fut ma première introduction aux « mauvaises » origines familiales qui allaient me suivre durant les quatre décennies où j'ai vécu en Chine.

CHAPITRE III

# Vite ! Enfermez les filles !

Boum ! Après que la pièce eut été lourdement ébranlée dans un bruit sourd, on entendit une vitre se casser. Je courus dans le séjour. Notre vieille horloge grand-père était couchée sur le côté, la devanture brisée. Son coffre de bois luisant était maintenant craquelé, éclaté. Tremblante de rage, ma mère se tenait debout à côté. Cette horloge était une pièce précieuse du mobilier de la maison, mais il semblait qu'elle l'avait renversée délibérément. Ma mère était-elle devenue folle ?

« J'en ai assez ! J'aime mieux la mettre en pièces que la vendre pour si peu, hurla-t-elle. Chaque jour, le batteur de tambour prend quelque chose. Qu'est-ce qui va bientôt nous rester ? » Les brocanteurs étaient appelés batteurs de tambour parce que lorsqu'ils parcouraient les ruelles de Pékin, ils frappaient sur un minuscule tambour d'environ cinq centimètres de diamètre. Deux énormes paniers de bambou se balançaient de chaque côté d'une palanche posée sur leurs épaules. Ils ramassaient tout ce dont les gens voulaient se débarrasser : les objets anciens étaient les plus prisés, après venaient les vêtements, puis les bricoles. Si vous aviez des meubles à leur offrir, ils repassaient les chercher plus tard avec un chariot à fond plat. Durant les années qui ont précédé la Libération, il n'était pas rare pour nous d'acheter de la nourriture grâce à l'argent d'une transaction effectuée le jour même avec le batteur de tambour.

Notre mobilier sculpté en acajou, les tapis, les sofas, la fine porcelaine et les œuvres d'art avaient tous été emportés les uns après les autres. Il était ennuyeux pour moi de voir qu'une pièce de mobilier qui nous était utile avait disparu de son emplacement habituel. Mais pour ma mère, cela ajoutait à un sentiment général de perte qui lui était insupportable.

Le jour précédent celui où elle avait renversé l'horloge, c'est le piano qui avait été vendu. Le fils de deux ans de Mei en avait eu le cœur brisé. Il s'était élancé sur l'un des batteurs de tambour qui luttait avec le piano pour le sortir par la porte. En se cramponnant à la jambe de l'homme, il avait dit en sanglotant : « S'il vous plaît, ne prenez pas notre cheval chantant (c'est ainsi qu'il appelait le piano). S'il vous plaît ! » Wen, qui avait l'habitude de jouer du piano tous les soirs après dîner, le regardait faire tristement. Mon père était assis sans broncher dans un coin, tirant nerveusement sur sa pipe. Il parlait de moins en moins. Il était pénible de le voir durant ces jours-là.

Au moment de la perte du piano, ma mère avait semblé faire face à la situation de façon stoïque. « Il est impossible de conserver un piano dans cette maison, elle est beaucoup trop humide. Si nous le gardons plus longtemps, ce sera une perte totale et nous ne pourrons jamais en toucher un bon prix. » Le lendemain, alors qu'elle se tenait seule dans la salle de séjour presque vide, elle en avait soudain mesuré la perte. Quelque chose s'était brisé en elle et elle avait donné une poussée à l'horloge.

Elle commença ensuite à me demander d'appeler le brocanteur lorsqu'il passait. Cette tâche la mortifiait trop pour qu'elle la fasse elle-même. Mes sœurs avaient la même réticence. J'étais alors trop jeune pour comprendre ce genre d'humiliation. Cela ne me dérangeait pas de courir à l'extérieur pour aller chercher le batteur de tambour lorsqu'on l'entendait arriver dans le voisinage.

Hua vendit son trésor, sa grande collection de 78 tours, disque après disque. Un jour, elle devait céder un album de valses de Strauss. Le lendemain, elle devait se défaire du *Messie* de Haendel. Quant aux disques que mon père avait rapportés du Japon, il n'existait aucun marché pour cela. L'occupation japonaise venait tout juste de prendre fin et personne ne désirait s'en rappeler. Nous avons alors fait ramollir ces microsillons dans l'eau chaude et leur avons fait prendre la forme de contenants de toutes sortes. On mettait des arachides dans un bol de ce type.

Hua essaya de s'accrocher à ses photographies de stars d'Hollywood, mais bientôt elles aussi s'envolèrent. Sa collection s'élevait à 300 images qu'elle gardait soigneusement dans des boîtes recouvertes de soie. Elle ne se lassait pas de sortir une pile de photos et d'expliquer de quel film chacune d'elles tirait son origine. Les photographies tirées d'*Autant en emporte le vent* en particulier étaient pour elle source de joie et de fierté. Mes propres canons de beauté masculine et féminine s'inspiraient des visages qui faisaient partie de la collection de Hua.

Je commençai à développer une répugnance pour les batteurs de tambour le jour où l'un d'eux revint pour nous demander si nous avions encore des photographies de stars de cinéma. Elles se sont très bien vendues, dit-il. Je le mis à la porte. Ces images avaient été précieuses pour Hua et cela lui avait fait tant de peine de s'en départir.

La vie pour nous avait commencé à être difficile après la capitulation des Japonais. Cet événement qui aurait dû être joyeux en d'autres circonstances annonça la fin de la carrière de mon père. Après avoir travaillé durant de nombreuses années au ministère des Travaux publics, il avait été transféré à l'Association des distributeurs de blé de la Chine du Nord en 1941. Cette organisation était responsable de la transformation du blé dans la région. Il perdit cet emploi en 1945 parce qu'il avait été employé par les Japonais, et il ne retrouva jamais de travail permanent. Il glissa peu à peu dans l'oubli, même au sein de sa propre famille. Lorsqu'il n'était pas là, nous ne parlions jamais de lui. Il semblait n'y avoir rien à en dire.

On discutait rarement de politique dans la famille et je ne savais pas grand-chose de ce qui se passait à l'extérieur. Mais soudainement, il y eut de grands changements à la maison même. Dans l'incapacité de payer le loyer de cette grande demeure, on licencia les domestiques et on déménagea dans un endroit qui ne faisait que le septième de notre ancienne maison.

«Tu n'es vraiment bon à rien! marmonnait ma mère à mon père. Regarde nos voisins! Ils possèdent tous des maisons.» Même si nous avions déjà connu l'aisance, nous n'avions toutefois jamais été assez fortunés pour être propriétaires.

Le nouvel endroit où nous habitions était situé dans une allée près de Wangfujing ainsi que de Sacré-Cœur. Toutes les pièces faisaient face au nord et nous n'avions plus aucun endroit ensoleillé où nous asseoir. Chaque jour, on devait fendre du bois de chauffage, pelleter du charbon dans la maison et vider la cendre de la veille. La nouvelle maison ne possédait ni baignoire ni eau courante. Nous devions partager un robinet dans la cour avec trois autres familles. En hiver, à laver le linge et la vaisselle dans l'eau glacée, nos mains se gerçaient et devenaient pleines de cloques. Je me suis sentie embarrassée un jour lorsqu'un garçon me tint la main et que je réalisai combien la mienne pouvait être rude comparée à la sienne. Il n'y avait pas non plus de toilettes à l'intérieur de la maison. Deux grandes cuves enfouies dans le sol faisaient office de latrines. Les personnes du même sexe pouvaient s'y accroupir côte à côte et y poursuivre de longues conversations. En été, entre les visites hebdomadaires du vidangeur de latrines, l'odeur devenait intolérable. Pour éviter la montée des vers, nous devions jeter continuellement de la chaux sur le bord des cuves. Ma mère refusait tout net de faire usage de ces installations. Elle préférait utiliser un pot de chambre. Notre vidangeur de latrines était un brave homme au visage difforme. Les adultes le surnommaient le « singe à fumier » lorsqu'il avait le dos tourné, mais les enfants se moquaient de lui ouvertement. Habituellement, il les ignorait, mais s'ils riaient de lui de façon trop insistante, il savait bien comment les faire taire : « Vous m'appelez comme ça encore une fois et j'essuie ma louche à merde sur vous ! »

J'étais désolée de le voir marcher pesamment sous la lourde tinette qu'il devait porter à l'épaule pour aller la vider dans un plus gros tonneau posé sur un chariot de bois. Parfois le contenu de la tinette débordait sur son dos. À son approche, les femmes se pinçaient le nez et pressaient le pas. Pour la plupart des gens de la campagne pauvres et illettrés, les vidangeurs de latrines étaient souvent incapables de prendre femme à cause du bas statut relié à leur travail ingrat. Leurs employeurs faisaient fortune en les exploitant. Ils étaient appelés les « despotes des excréments ».

Puisque mon père était sans revenus, même après notre déménagement dans cette maison plus modeste nos maigres épargnes commencèrent à fondre rapidement. Et en même temps que la bonne fortune familiale piquait du nez, ma mère réussissait à se sevrer presque complètement du mah-jong. De quotidiennes qu'elles avaient été, ses parties passèrent à une par mois et elle s'en tint à des mises beaucoup plus petites.

Après que mon père eut perdu son travail, il sembla accepter la défaite d'une façon passive qui nous irritait tous. J'avais des sentiments très ambivalents à son égard. Parfois je le blâmais pour ce que je jugeais être de la faiblesse. À d'autres moments, j'étais plus charitable et je ressentais amèrement toute l'humiliation qu'il avait à subir. Il fit un ultime effort pour tenter d'améliorer notre sort, et ce fut un véritable échec. Il acheta un verger de poiriers situé tout juste à la sortie de Pékin. Après la transaction, il se sentait très fier de lui : quelle affaire fantastique ! L'été suivant, il comprit pourquoi : aucun arbre ne donna de fruits. Il ne put même pas revendre le verger pour une fraction du prix qu'il l'avait payé. Lorsque des acheteurs potentiels s'informaient de son rendement, il n'arrivait tout simplement pas à mentir.

Entre-temps, l'inflation dévorait nos épargnes. Elle s'envola en flèche dans les dernières phases de la guerre civile. En 1935, le gouvernement du Guomindang avait mis en circulation un nouveau billet de banque appelé fabi. En août 1948, le fabi était devenu si faible que lorsque le gouvernement émit un nouveau billet, le jinyuanjuan, le taux de change était d'un jinyuanjuan pour trois millions de fabi. Mais la nouvelle unité monétaire se dévalua encore plus rapidement. Telle marchandise qui valait un nouveau jinyuanjuan en coûtait 1,2 million dix mois plus tard. Un sac de farine coûtait maintenant un sac de billets.

Les gens qui avaient des liquidités achetaient de l'or et de l'argent. Des pilotes qui servaient dans les forces aériennes du Guomindang se lancèrent dans le commerce de l'or. On disait que certains avions s'étaient écrasés parce qu'ils en étaient surchargés.

Des pilotes se promenaient avec des liasses de billets de banque qui débordaient ostensiblement de leur poche revolver. Quand Hua revint de Tianjin à Pékin après son mariage avec un officier du Guomindang de grade intermédiaire, elle cacha 20 onces d'or, une partie des économies de son mari, à l'intérieur de son soutien-gorge.

Acheter et vendre des yuans en argent était un autre négoce populaire chez les profiteurs. Juste à côté de Wangfujing, un marché noir de yuans en argent avait surgi. Vendeurs et acheteurs concluaient leur marché à l'intérieur des longues et amples manches de leurs robes traditionnelles. Un homme serrait la main d'un autre un certain nombre de fois pour indiquer le prix d'achat ou de vente qu'il offrait. L'autre faisait sa contre-proposition de la même façon.

Les négociations et la transaction étaient donc dissimulées à l'intérieur des manches. Cependant, la vérification pour savoir si la pièce d'argent était bonne devait se faire à l'extérieur. L'acheteur potentiel tenait la pièce de monnaie par le bord entre le pouce et l'index. Il soufflait alors avec force sur le bord et plaçait rapidement la pièce sur son oreille. Les acheteurs expérimentés pouvaient détecter la présence d'un autre métal que l'argent uniquement au son. La première année après la Libération, le marché de l'argent de Wangfujing continua d'être actif. Les communistes tolérèrent cette pratique durant un certain temps. Ils avaient bien d'autres chats à fouetter.

Après que mon père eut perdu son emploi eut lieu la dernière fête fastueuse que connaîtrait notre famille : le mariage de Hua avec l'officier du Guomindang. C'est un ami de la famille qui lui avait présenté Yu, ce soldat dont le régiment était cantonné à Tianjin. Ils se marièrent à l'occidentale durant l'automne 1948. Yu paya pour tout. Totalement décadent, le mariage se déroula dans la grande salle de bal d'un hôtel chic. Les invités dansèrent sur la musique d'un big band et le marié se saoula. Même dans sa longue robe blanche et ses parures de mariée, Hua semblait triste. Elle n'était pas amoureuse. Elle croyait aider notre famille en épousant ce riche officier.

Fin 1948, quelques semaines après le mariage de Hua, la 8ᵉ armée de route assiégea Pékin, toujours contrôlée par le Guomindang. Elle coupa les approvisionnements en eau et en électricité. Les black-out, fréquents déjà durant l'occupation, devinrent continuels. On entendait le bruit des tirs au loin alors que les opposants se livraient une bataille acharnée. Pendant ce temps se déroulaient aussi des négociations en vue d'une capitulation de la ville.

Même si nous n'avions plus l'eau courante dans la cour, nous avions la chance d'avoir un puits à proximité. Il était situé au bout de notre ruelle, justement appelée l'allée du Grand Puits d'Eau Douce. La première chose à faire le matin était de se joindre à la file et de puiser l'eau qui servirait à nos besoins quotidiens. C'était une tâche périlleuse parce que de la glace se formait aux abords du puits et les rendait très glissants.

Bientôt la farine se fit rare. Tout ce qu'il restait dans les magasins était une mixture grossière composée de sorgho et de maïs moulus avec des fèves et des patates douces. La texture en était grumeleuse et la couleur se rapprochait du noir. Une fois refroidi, le pain qu'on en faisait était dur comme de la pierre. À partir de là, il n'a plus été question de ce qui était bon ou non pour la digestion d'une jeune demoiselle.

Ma mère accompagna Hua jusqu'à Tianjin où les combats étaient particulièrement intenses. Ma sœur et d'autres personnes sous la protection de l'armée du Guomindang devaient se replier dans le Guangdong. Mais, arrivée à Tianjin, ma sœur changea d'idée et le dernier bateau quittant avec les évacués partit sans elle. C'est à ce moment que la ligne de chemin de fer menant à Pékin fut coupée. Hua et ma mère restèrent bloquées à Tianjin. Elles se réfugièrent avec une amie à l'intérieur de la concession britannique. Le bruit des affrontements était distant, jusqu'à ce que les combats de rue commencent non loin d'où elles habitaient. Mais cela ne dura qu'une seule journée. Ne subissant que très peu de pertes, les communistes prirent Tianjin le 14 janvier 1949.

Plusieurs semaines après la libération de Tianjin, ma mère et Hua prirent le premier train disponible pour Pékin, mais celui-ci ne put aller plus loin que Fengtai. Elles firent le reste du chemin dans un cyclopousse, dont le vent glacial de février rendait l'avancée particulièrement difficile. Ce qui aurait pris quinze minutes en train prit plus de deux heures. Quand elles arrivèrent à la maison, Pékin aussi venait d'être libérée.

À Pékin, dans les dernières semaines avant la Libération, il n'y avait rien à faire. Sacré-Cœur avait été fermé pour les longues vacances d'hiver, qui s'étendaient de Noël jusqu'après le Nouvel An chinois, en février. Sans électricité, les soirées paraissaient interminables. Mon père fit du mieux qu'il pouvait pour nous divertir en jouant aux cartes avec nous sous la lumière chancelante de la lampe à l'huile. Les tirs et les explosions au loin fournissaient à nos parties un fond sonore des plus saisissants. Une nuit, une bombe explosa dans la maison du maire de Pékin. Lui et sa femme, une Française, survécurent, mais une de leurs filles fut tuée.

Un soir, on entendit marteler de façon insistante à la grille. À cette époque, quatre familles vivaient dans la cour de notre maison. Personne n'osa répondre. «Vite! Ouvrez la porte!» Les voix qui s'élevaient de l'autre côté semblaient paniquées. Nous pensâmes qu'il s'agissait de jeunes soldats du Guomindang en déroute, qui fuyaient affolés. Mais nous craignions que même s'ils avaient manifestement besoin de nourriture et d'un abri, ils fussent aussi en quête de femmes et d'argent.

«Vite! dit Mei, ma sœur la plus âgée. Enfermez les filles dans la pièce derrière le miroir.»

De dehors, le miroir fixé sur la porte d'une petite pièce donnait à penser qu'il s'agissait d'un placard. Mon père ne laissa pas entrer les soldats avant que mes sœurs et moi n'y ayons été enfermées pour assurer notre sécurité.

Trois soldats du Guomindang se précipitèrent dans la maison. «On veut juste un endroit pour dormir, dit l'un d'entre eux. Et on a aussi besoin de nourriture. On crève de faim.»

Mon père leur offrit le peu que nous avions. Après un repas chaud, ils tombèrent sur le sol et s'endormirent tout habillés. Mon père les recouvrit avec nos couvertures. Enfermées à l'étroit dans notre cachette, mes sœurs et moi avons chuchoté jusqu'à tard dans la nuit. Mon père et le mari de Mei restèrent éveillés toute la nuit pour nous protéger d'une agression. Les soldats n'étaient cependant pas aussi terribles qu'on le craignait et tout se passa sans histoire. Ils partirent tôt le lendemain matin, ne nous faisant pas d'autre mal que de laisser des poux dans nos couvertures.

Le vacarme des fusillades dura plusieurs jours. Un jour, les bruits de bataille cessèrent. Puisque nous ne possédions pas de radio, nous ne savions pas ce qui s'était passé. Une grande confusion régnait : des voisins rapportaient des bribes de nouvelles authentiques, d'autres colportaient des rumeurs confuses. Comment savoir qui disait vrai ? Beaucoup de bruits circulaient à propos de la 8ᵉ armée de route. On disait que les communistes désiraient partager tout ce que vous aviez – votre maison, votre terre, votre femme. Les adultes se racontaient toutes ces histoires et nous, les enfants, nous les répétions à qui mieux mieux.

Un jour, quelqu'un dans notre cour dit que des chars d'assaut étaient apparus dans les rues et que les soldats portaient de gros manteaux et des chapeaux de fourrure comme il ne s'en portait pas à Pékin. Ces habits trahissaient leur provenance : venant du Nord-Est déjà libéré, ils faisaient partie de l'avant-garde des troupes communistes venue préparer la prise de Pékin. Insouciantes du caractère historique des événements, nous avons demandé la permission d'aller voir ces manteaux de fourrure. Mon père se laissa fléchir. Nous avions été cloîtrées si longtemps.

« Mais ne vous approchez pas d'eux ! nous prévint-il. On ne sait pas comment ils se comportent et tout pourrait arriver. »

Wen et moi nous sommes littéralement envolées de la maison, comme des oiseaux qu'on libère de leur cage. Mis à part quelques bicyclettes et rickshaws, les rues étaient désertes. Trois chars d'assaut étaient stationnés dans une rue, leurs conducteurs perchés dessus. En petits groupes, des badauds se tenaient à distance de façon circonspecte, regardant fixement les soldats avec malaise et curiosité.

À moi, les soldats m'apparurent plutôt gentils. Je souris à l'un d'eux qui me répondit par un signe de tête amical. « Tu vois, chuchotai-je à Wen, ce ne sont pas des monstres ! » Ce fut ma première impression des troupes communistes.

Pékin fut libérée ce jour-là, le 31 janvier 1949. Sans victimes et sans chaos, le transfert de pouvoir se déroula pacifiquement. Tout ce que le dernier empereur Puyi avait laissé derrière lui et qui n'avait pas été pillé par le Guomindang resta intact. Après, les troupes communistes continuèrent vers le sud pour libérer d'autres régions de la Chine.

À la Libération, après qu'elle se fut appelée Beiping pendant vingt et un ans, on redonna à la ville son nom d'origine, Pékin (Beijing), qui signifie la «Capitale du Nord». Les nationalistes l'avaient surnommée Beiping, «la Paix du Nord», lorsqu'ils avaient créé leur propre capitale à Nankin (Nanjing), «la Capitale du Sud».

Lorsque ma mère et ma sœur embarquèrent en toute hâte dans le premier train quittant Tianjin, elles ne savaient pas ce qui était arrivé à Yu, le mari de Hua. Trois mois après la prise de Tianjin, celui-ci arriva à Pékin. Son «cours de rééducation» terminé, on lui avait octroyé le permis de se rendre dans la capitale, mais sans garantie de pouvoir y travailler. Après la Libération, les officiers de haut rang du Guomindang furent emprisonnés, certains pendant plus de trois décennies. On les relâcha graduellement au fil des ans; les derniers furent libérés lors d'une amnistie en 1980. Pour ce qui est des simples soldats, trop nombreux pour qu'on les emprisonne, ils furent ainsi que les officiers de grade intermédiaire «rééduqués» puis relâchés.

Yu ne trouva pas de travail à Pékin. Après plusieurs mois, il quitta la ville pour sa province natale, le Guangdong, en compagnie de Hua. Six mois plus tard, Hua revenait à Pékin seule et enceinte. Son fils est né le 1er novembre 1950, le jour du premier anniversaire de la République populaire. Elle ne revit jamais Yu. Leur mariage avait été conclu dans la précipitation et elle s'était rendu compte qu'ils n'avaient rien en commun.

La vie revint graduellement à la normale. Sacré-Cœur rouvrit, toutefois l'établissement avait un peu changé. Au début des troubles, comme dans la cour de notre maison, on discutait très peu de politique à l'intérieur des murs de l'école. Soucieux de tenir leurs enfants à l'écart de l'occupation puis de la guerre civile, de nombreux parents avaient apprécié la sorte de réclusion que l'on trouvait à Sacré-Cœur.

Mais après la Libération, même Sacré-Cœur ne réussit plus à maintenir son isolement. Les étudiants de Qinghua, l'université la plus prestigieuse de Pékin, vinrent à notre école et réorganisèrent les deux classes supérieures en groupes d'étude. Les objectifs des étudiants étaient de redresser nos idées et de réformer notre cursus scolaire. Ils distribuèrent des brochures de textes de Mao, Marx, Engels, Lénine et Staline. Nous nous réunissions en groupes de discussion pour étudier le *Manifeste du parti communiste* ainsi que des tracts maoïstes de tout acabit.

Je trouvais le vocabulaire de ces brochures rédigées en chinois plus difficile que celui du catéchisme catholique, car, à cette époque, je lisais l'anglais mieux que le chinois. Elles étaient pleines de mots nouveaux et mystérieux : prolétariat, bourgeoisie, lutte de classes, exploitation, dictature démocratique du peuple et tous les mots en « isme ». J'essayais de compenser mon silence dans les groupes de discussion par un enthousiasme marqué à m'acquitter des autres tâches. Avec autant de ferveur que les autres, je découpais des caractères dans du papier rouge afin d'en composer des slogans que l'on suspendait aux murs de la classe.

On devait comprendre deux choses : la première, que l'éducation que nous avions reçue des missionnaires équivalait à une invasion culturelle de la part des puissances étrangères ; la seconde, que Dieu n'existait pas.

Nous étions encouragées à critiquer l'éducation que nous avions reçue et à reconnaître qu'elle nous avait empoisonné l'esprit. On nous amenait à de grandes assemblées sur les campus pour entendre les discours enflammés des étudiants sur le communisme. On s'y exerçait à des chants révolutionnaires.

À l'un de ces grands rassemblements sur le campus de l'Université de Pékin, des centaines d'étudiants étaient assis autour d'un immense feu de joie. Des orateurs passionnés nous hypnotisèrent avec des discours sur l'avenir brillant du communisme, puis nous avons entonné à tue-tête les chants que nous venions d'apprendre :

Le ciel du territoire libéré est brillant et clair
Ceux qui vivent dans le territoire libéré sont si heureux
Un gouvernement démocratique aime les gens
Jamais nous ne pourrons assez remercier l'Armée populaire de libération.

Je n'avais jamais connu expérience aussi exaltante. La passion des discours, la camaraderie, tout était si intense. Ces étudiants avaient un idéal. Même si je ne comprenais pas tout à fait l'objet de leur combat, leur ardeur m'inspirait.

Le sous-sol de Sacré-Cœur, qui en d'autres temps nous avait servi de salle de jeu, était maintenant devenu une « base d'activités révolutionnaires ». Nous y rédigions des affiches critiquant le collège : « Pourquoi n'enseigne-t-on pas l'histoire de la Chine ici ? » « Pourquoi ne parle-t-on pas chinois ici ? » Nous les écrivions en anglais pour que les sœurs puissent les lire.

Nous devînmes convaincues d'être les victimes de l'agression culturelle impérialiste et que nos esprits avaient été envahis par les idées étrangères. Une étudiante refusa de porter l'uniforme de Sacré-Cœur. Désormais, elle portait une longue robe traditionnelle pour venir au collège. La direction garda le silence et décida de ne pas intervenir.

Peu après le début de nos vacances d'été de 1950, Wen et moi recevions nos diplômes par la poste. C'était plutôt étrange parce que si Wen terminait, ce n'était pas mon cas. Je venais tout juste d'avoir 15 ans et il me restait encore une année à faire. Les sœurs avaient donc décidé de décerner leur diplôme à toutes les étudiantes des deux classes supérieures. C'était le moyen le moins provocant qu'elles avaient trouvé pour expulser les deux classes. Avec nos affiches politiques et nos sessions d'étude, nous étions devenues une nuisance. Les sœurs en avaient assez.

Sous la direction des activistes de Qinghua, les étudiantes de mon niveau organisèrent une nouvelle protestation. Encore au moyen de grandes affiches (*dazibao*), nous soutenions que des religieuses étrangères n'avaient pas le droit d'expulser des étudiantes chinoises d'une école située en Chine. Mais les sœurs tinrent bon.

Sacré-Cœur continua d'accepter des étudiantes chinoises encore deux ans après la Libération. Après, on n'accepta plus que des enfants de diplomates étrangers. Les sœurs ne s'aventuraient plus hors de leurs quartiers. La statue de la Vierge Marie dans une niche de la façade et la croix sur le toit de l'édifice restèrent en place plus de vingt ans encore. Elles seraient cependant délogées au moment de la Révolution culturelle, et les religieuses expulsées de Chine, accusées d'être des espionnes. Le Bureau municipal du textile occupa alors l'édifice un certain temps, mais aujourd'hui, le Sacré-Cœur de Pékin n'existe plus.

« De toute façon, quelle utilité y a-t-il pour les filles à fréquenter l'école ? Ne vois-tu pas que nous sommes au bout du rouleau ? » Ma mère et Wen s'étaient querellées quotidiennement au sujet de l'école l'année précédente. Pendant une année, même si ma mère s'y objectait, Wen avait continué d'aller au collège. Mais à l'été 1950, elle perdit le dernier round du combat. Il lui faudrait trouver du travail.

Le rêve que je caressais de poursuivre mes études s'évapora également. Après avoir reçu mon diplôme, je passai presque un an à flâner et à perdre mon temps. Pendant que l'été dérivait lentement vers l'automne, je restais assise des heures chaque jour à m'ennuyer dans le coin de la cour où je m'asseyais autrefois. Mon imagination ne pouvait plus faire apparaître quoi que ce soit d'amusant sur le mur de brique qui se dressait devant moi. Les tortues et leurs chapeaux qui m'avaient divertie pendant mon enfance s'étaient évanouis. C'était maintenant mon manque d'énergie que je projetais sur le monde entier. Le froissement des feuilles mortes était à mes oreilles un chant funéraire. Même le gazouillis des oiseaux me paraissait dissonant et sans vie.

Pour tromper notre ennui, Wen et moi allions danser occasionnellement avec des amis. La plupart des salles de danse avaient fermé après la Libération, mais en 1950, deux étaient encore ouvertes près de chez nous. Éclairée faiblement par des ampoules rouges et bleues, la salle que nous fréquentions accueillait un groupe de cinq ou six musiciens qui interprétait des chansons popularisées par Bing Crosby, les Andrews Sisters ou Frank Sinatra.

Durant cette période, je vis aussi de nombreux films occidentaux, tels *Le bal des sirènes*, avec Esther Williams, *Pour qui sonne le glas*, mettant en vedette Ingrid Bergman, et *La ruée vers l'or* de Charlie Chaplin. Quelques années après la Libération cependant, les œuvres hollywoodiennes seraient remplacées par la cinématographie soviétique. Les suaves et séduisantes actrices américaines auxquelles nous avions été habitués feraient soudain place aux travailleuses solides et bien en chair des communes populaires. Terminé les graciles baigneuses… Vive les conductrices de tracteurs aux joues roses et aux fichus fleuris.

« Je ne peux supporter ces visages rouges et ronds comme des tomates », se plaignit à moi un de mes amis après avoir trop vu de films soviétiques.

Un jour, un ami de la famille mentionna que la Société nationale d'importation venait tout juste de déménager de Tianjin à Pékin et qu'elle recrutait. Ma mère m'y conduisit dès le lendemain. Lorsque nous arrivâmes, une demi-douzaine de candidates y étaient déjà. Elles avaient toutes l'air plus âgées que moi et plus sûres d'elles. Je choisis une chaise dans un coin sombre où j'attendis nerveusement que mon tour vienne. Un homme d'âge moyen revêtu d'une veste à col Mao m'appela dans son bureau. « Avant tout, pouvez-vous écrire quelque chose en anglais au sujet de votre éducation ? » me demanda-t-il.

« J'ai déjà écrit quelque chose », dis-je. Mes sœurs m'avaient dit de m'attendre à ce genre d'exercice. Le soir d'avant, j'avais écrit une page et demie dans un anglais simple, presque enfantin. Même s'il ne pouvait lire l'anglais, mon interlocuteur fut impressionné. Il me regarda d'un air sceptique. « Avez-vous vraiment écrit cela toute seule ? Depuis combien d'années étudiez-vous l'anglais ?

– Dix ans. J'ai commencé à la maternelle.

– Quelle école avez-vous fréquentée ? »

J'hésitai. Il avait été un temps où j'étais fière de déclarer que j'allais à Sacré-Cœur, fière de la solide éducation que le nom de ce collège supposait. Après la Libération, j'avais commencé à être honteuse de le mentionner. Éduquée par les missionnaires ? Cela faisait pratiquement de moi une étrangère à la tête bourrée d'idées bourgeoises!

Je ne pouvais cependant pas mentir. À ma réponse, il fit seulement un signe de tête. J'étais soulagée. Il semblait surtout intéressé à se faire rassurer sur le fait que j'avais moi-même écrit le texte que je lui présentais. Mon éducation à Sacré-Cœur le confirmait.

«Maintenant, voyons si vous savez taper à la machine», dit-il.

Cette étape de l'entrevue ne m'inquiétait pas, puisque j'avais suivi un cours de dactylo de trois mois. Il me donna une feuille de papier et un texte à recopier sur une Underwood 1930 et se tint tout près de moi un chronomètre à la main.

Au moment où il me donna le signal du départ, mes doigts restèrent figés. Lorsque ceux-ci recommencèrent à se mouvoir, ils frappaient les mauvaises touches. Depuis quelque temps, j'avais besoin de porter des lunettes, mais nous n'en avions pas les moyens. Ma myopie devait être très apparente à ma manière de me pencher sur le texte et le clavier. Je prenais beaucoup plus de temps à revenir en arrière avec rage pour corriger mes erreurs qu'à aller de l'avant. À la fin du test, qui ne durait que cinq minutes, je me sentis toute honteuse de la feuille peu soignée que j'avais produite.

«Comment cela a-t-il été?» me demanda ma mère alors que nous revenions à la maison. Elle aurait pu lire la réponse sur mon visage.

«Aucune chance, dis-je en fondant en larmes. Je crois que l'examinateur m'a prise pour une enfant. En plus, j'ai raté mon test de dactylographie.»

Tôt le lendemain matin, au moment même où je m'attelais au ménage, qui manifestement allait être mon lot durant le reste de ma vie, une moto s'arrêta dans un crissement de pneus devant notre grille. À grandes enjambées, un jeune homme en livrée de messager s'avança, une grande enveloppe à la main.

«Quelqu'un ici s'appelle Zhang Zhimei?» demanda-t-il. Vrai de vrai, sur cette enveloppe était écrit mon nom, et dans le coin droit on pouvait lire «urgent». Je courus dans la maison et la déchirai en toute hâte. Le message qu'elle contenait était bien court, pour une si grande enveloppe. « Vous êtes engagée. Présentez-vous au travail demain à huit heures. » Je criai de joie. Ma vie professionnelle commençait ! Je me sentis tout à coup très mature.

La Société d'importation était située à l'autre extrémité de la ville. Je ne savais pas combien de temps le tram allait prendre pour s'y rendre et je ne voulais surtout pas arriver en retard. Par ce froid matin de février, lorsque je me levai à cinq heures, bien avant que le réveil ne sonne, la lune était encore visible dans le ciel. Ma mère, qui ne nous avait jamais préparé de petit-déjeuner, me cria de son lit : « Mange quelque chose de chaud, Zhimei. Et habille-toi chaudement. Tu as un long trajet à faire. »

Mon père se traîna hors du lit et rechargea le feu. On ne se dit rien pendant que je me préparais. Je me demandai si ma nervosité était palpable.

« J'y vais, papa. »

Il se leva et, sans dire un mot, il m'accompagna jusqu'à la grille.

« Il fait froid. Il vaut mieux que tu rentres, papa.

– Non, non. Je te regarde partir. »

Je fis une douzaine d'enjambées et me retournai avec l'idée de le saluer joyeusement de la main. Mais je m'arrêtai. Il avait l'air si triste. Les soucis des dernières années avaient marqué de rides son visage. Un manteau élimé flottait sur ses maigres épaules. Et mon regard tomba sur ses vieux souliers de coton. Était-ce là le même père que celui qui nous égayait avec ses histoires lorsque nous étions à table ?

Je compris qu'alors qu'il me regardait partir au travail, il ressentait cela comme un échec. Il avait perdu le dernier emploi qu'il aurait jamais, et c'était la raison pour laquelle moi, je devais commencer à travailler à un très jeune âge. Il savait combien j'aurais désiré continuer d'aller au collège. Je voulus lui dire quelque chose, mais les mots me manquèrent. Je voulais lui dire de ne pas se sentir coupable, que je comprenais. Je voulais lui dire qu'une fille pouvait être aussi utile à sa famille qu'un garçon et que j'allais le lui prouver.

« Je n'ai pas peur du tout, papa, ça va aller. » En fait, au contraire, j'étais très effrayée, et désolée que ni l'un ni l'autre ne puissions exprimer nos vrais sentiments. Je me retournai alors brusquement et m'en allai. Avant de tourner le coin, je regardai derrière moi. Il était encore là-bas, debout, immobile dans la faible lumière d'un lampadaire.

Après la Libération, mon père avait eu peur de reprendre un emploi. Son instinct l'avait peut-être sauvé ; s'il avait travaillé, il aurait bien pu être arrêté lors de l'une des campagnes politiques des années cinquante, et être alors déporté dans une région éloignée ou persécuté à mort, comme l'ont été plusieurs de ses anciens collègues. Parce qu'il avait seulement été un employé civil sous l'occupation japonaise et qu'il n'avait pas été mêlé aux affaires politiques ou militaires, on le laissa plus ou moins tranquille après la Libération. Les choses auraient aussi été différentes s'il avait gagné de l'argent en se livrant à des activités illégales, en exploitant d'autres Chinois ou en spéculant sur le marché boursier. Ma mère, qui avait maugréé contre le fait que nous n'étions pas assez à l'aise pour posséder une maison, remercia son étoile après la Libération.

Le trajet en tram me parut interminable. Sauf quelques balayeurs et quelques travailleurs qui rentraient chez eux après leur quart de nuit, les rues étaient vides. Cela me prit un bon vingt minutes de marche pour me rendre de l'arrêt du tram jusqu'à la Société nationale d'importation, logée dans ce qui avait dû être une demeure opulente avant la Libération. Les bâtiments étaient regroupés autour de cours qui se succédaient en enfilade à partir de la grille d'entrée. C'était dans des demeures de ce type que ma famille avait vécu autrefois.

Dans la deuxième cour, j'aperçus la plaque annonçant le secrétariat. C'était là que je devais me présenter. Quand j'ouvris la porte, une épaisse fumée me piqua les yeux. À travers le nuage qu'elle formait, je pus entrevoir le visage d'un jeune garçon accroupi, en train d'allumer un poêle.

« Laisse la porte ouverte », cria-t-il, avant de s'approcher d'un pas nonchalant pour m'examiner.

« Qui es-tu ?

– Je suis nouvelle.

– Ça se voit ! Personne n'arrive jamais si tôt au travail. Tu devras attendre à l'extérieur pendant que je finis de nettoyer. » À ces mots, la toute première dactylo pour la correspondance anglaise engagée par la Société nationale d'importation de Chine sortit furtivement dans la cour et attendit dans le froid mordant.

Après mon premier mois de travail, j'appris que mon salaire serait de 320 *jin** de millet par mois. Le nouveau régime essayait de stabiliser les prix et durant les quelques années qui ont suivi la Libération, les salaires étaient liés à la valeur du millet. En fait, nous ne recevions pas 320 *jin* en grain, mais sa valeur en argent comptant, valeur qui fluctuait. Mon salaire variait quelque peu chaque mois, mais je recevais habituellement autour de 32 yuans. Je gagnais plus que les autres dactylos parce que je travaillais en anglais et les autres en chinois.

Mon premier chèque de paie me sembla une véritable fortune. Lorsque j'arrivai à la maison, je courus trouver ma mère. Comme d'habitude, elle était penchée sur sa machine à coudre. « Tiens maman, mon premier chèque. »

Elle arrêta de pédaler un moment et me regarda. « Nous n'avons pas besoin de cet argent. Va te chercher une paire de lunettes. »

Je ne voulais pas blesser son amour-propre en la forçant à accepter cet argent, mais je savais que nous avions besoin de mon salaire. Elle travaillait jour après jour à sa machine à coudre, confectionnant des vêtements pour enfants qui se vendaient en magasin. Mais cela ne suffisait pas pour joindre les deux bouts.

D'abord, je courus au magasin acheter un extra pour dîner : un poulet fumé et un gâteau à la crème. Peu de temps après, j'achetai ma première paire de lunettes, la version courante avec la monture en plastique rose clair. Je pensais que des lunettes plus sophistiquées n'auraient pas été appropriées pour une employée sérieuse d'une société d'État. Nous étions tous fiers de travailler pour le gouvernement, d'avoir été invités à intégrer les rangs révo-

* 160 kilos.

lutionnaires, et nous nous habillions en conséquence. Les «vestes à la Lénine» étaient populaires, surtout chez les femmes. On les nommait probablement ainsi à cause de leur col à l'allure plus occidentale que celui des vestes de style Mao. De coton gris ou bleu, la Lénine était une veste croisée. Elle comportait une ceinture et découpait donc mieux la silhouette que la veste Mao. Avec mes nattes enroulées sous une casquette grise, j'avais l'impression d'être très chic.

Un après-midi par semaine, la cantine de mon lieu de travail était transformée en salle de conférence. Les tables étaient enlevées et les 120 travailleurs de la société s'asseyaient en rangs sur des bancs. Une session d'étude politique s'y tenait tout l'après-midi. Elle comprenait un cours interminable, qui était suivi par une discussion de groupe totalement anarchique.

Le premier cours auquel j'assistai était tout un programme. Il s'intitulait: «Vue d'ensemble du développement de la société, des sociétés primitives au communisme». Au début, l'éloquence du conférencier m'impressionna. Je l'écoutai avec attention durant deux bonnes heures. Ceux qui m'entouraient étaient plus attentifs encore. Plusieurs prenaient des notes. Mais lorsque le conférencier aborda la troisième heure, même si son enthousiasme à propos du matérialisme historique n'avait aucunement faibli, il me perdit. J'ouvris mon sac, pris un livre que j'avais acheté pour les trajets en tram et commençai à lire. Surprises de me voir agir ainsi, quelques personnes se tournèrent vers moi. Mais pour moi, l'alternative était claire: ou lire mon livre tranquillement ou m'endormir et tomber carrément du banc.

Le lendemain matin, lorsque j'entrai dans l'enceinte, un groupe était en train d'examiner le babillard à la grille d'entrée. «Que se passe-t-il?» demandai-je à un homme qui se tenait à l'arrière.

Il me reconnut et me dit en grimaçant: «Regarde donc toi-même!»

Je me faufilai à l'intérieur du groupe. Il y avait une caricature sur le babillard: une jeune fille maigre avec de longues nattes et des pantalons étroits était assise sur un banc sans dossier, le nez dans un livre. Les autres personnages dessinés autour d'elle étaient penchés en avant, exprimant une écoute attentive.

Je n'en croyais pas mes yeux. « Qu'est-ce que je fais là ? » demandai-je à l'homme à côté de moi. « C'est une forme de critique », dit-il gentiment. Il était clair que je devrais penser à une autre façon de me tenir éveillée lors des sessions d'étude.

Quelques mois plus tard, je vivais ma première campagne politique. Afin de démontrer notre loyauté, nous devions ouvrir nos cœurs au parti et tout lui révéler sur notre passé. Le but du parti était de nous enseigner à n'avoir aucun secret pour lui. Les circulaires officielles promettaient « la clémence pour ceux qui se confessent et la sévérité envers ceux qui se défilent ».

Les gens sortaient leurs squelettes du placard et les montraient à tous sans trop penser aux conséquences possibles. Personne n'avait encore expérimenté les campagnes de « libre expression » et leurs retournements punitifs. Li parla de ses années passées comme fantassin du Guomindang avant la Libération ; Jiang avait travaillé pour une compagnie étrangère ; Peng était marin sur un cargo étranger ; Chen avait eu deux femmes. Plusieurs personnes pleuraient alors qu'elles racontaient leur histoire avec la plus grande sincérité en demandant pardon au parti.

Tout ce que je connaissais à propos de la confession venait de mes années passées à Sacré-Cœur. À l'époque cependant, vous n'aviez pas à vider votre sac publiquement. Je me creusai la cervelle. Je sais ! J'ai menti sur mon âge à l'entrevue préliminaire lors de mon embauche. Ne voulant pas être rejetée en raison de mon âge, je leur avais dit que j'étais âgée de 18 ans, alors que j'en avais tout juste 16. J'étais soulagée ! J'avais finalement quelque chose à confesser. Ma première autocritique publique a été saluée par mes compagnons de travail par des gloussements. Le représentant du parti qui avait la charge d'enregistrer nos confessions dans nos dossiers leur dit sèchement de se taire et leur fit l'éloge de « l'attitude correcte » que j'avais eue en admettant la vérité.

Un après-midi, on nous convoqua tous à quelques minutes d'avis. Quand nous fûmes rassemblés, le chef du service des ressources humaines entra, une pile de dossiers à la main. Le regard sévère, il s'assit à une table devant nous.

« La plupart d'entre vous vous êtes comportés correctement durant la campagne de loyauté. Il y a cependant quelques exceptions. » Il fit une pause afin que la menace que contenaient ses paroles fasse son effet. « Au moins une personne a refusé de se confesser. » C'était là le signal pour que deux membres des services de sécurité publique apparaissent. Ils s'arrêtèrent devant un homme de l'auditoire, l'empoignèrent rudement et le menottèrent.

« C'est ce que nous voulons dire lorsque nous employons l'expression "sévérité" à propos de ceux qui refusent de se confesser, déclara le cadre d'une voix froide et mesurée. Yuan a déjà appartenu aux Jeunesses du Guomindang et il a essayé de le cacher. Vous comprenez que cela n'aurait pas été un problème s'il s'en était ouvert. Son crime réside dans le fait d'avoir cherché à le dissimuler au parti. »

Avec des mouvements étudiés pour faire monter la tension, il tira trois dossiers de sa pile. « Le parti sait que quelques autres d'entre vous ont camouflé certaines choses. Ne sous-estimez pas le pouvoir du parti en cette matière. » C'était une scène terrifiante, ce qui, bien sûr, était justement l'effet recherché.

Peu de temps après ce meeting, on me dit que Shen, le directeur de la société, voulait me parler. J'en fus effrayée, me rappelant la scène des menottes. Quel crime avais-je donc oublié de confesser ? Je me rendis à son bureau le cœur battant à tout rompre. Après m'avoir fait entrer, le directeur alla droit au but. « Aimeriez-vous travailler à l'étranger ? »

J'en fus abasourdie. Ce n'était pas du tout ce à quoi je m'attendais. Ayant peur de montrer mon excitation, je restai hésitante. Si je lui montrais à quel point je voulais aller quelque part, où que ce fût, peut-être changerait-il d'idée. J'essayai d'avoir l'air sérieux, tout en restant nonchalante.

« Je serai heureuse d'aller là où le parti pense que je lui serai le plus utile, répondis-je.

– Que ressentez-vous à l'idée de quitter vos parents ? Après tout, vous n'avez que 16 ans.

– Je suis très indépendante.

– J'ai remarqué », dit-il, en faisant une pause. Le suspense était en train de me tuer. Maintenant mon cœur ne battait plus de peur mais d'excitation.

« Je vais vous affecter à la délégation commerciale qui sera dépêchée d'ici deux mois en Allemagne de l'Est, dit finalement Shen. J'en serai le dirigeant. Nous avons besoin d'une dactylo anglaise et vous êtes la seule disponible. » Sur ce, l'entrevue d'une minute qui allait changer ma vie prit fin.

## CHAPITRE IV

# Danse lascive à Berlin-Est

L'occasion que j'avais d'aller vivre dans un pays étranger était des plus emballantes. Cependant, la partie la plus palpitante, et de loin, fut le magasinage avant le départ, une véritable fête. Chacun des membres d'une délégation gouvernementale mandatée à l'étranger recevait 600 yuans pour se doter d'une nouvelle garde-robe. Cette somme équivalait à une véritable fortune, soit environ deux ans de salaire. Le gouvernement voulait nous faire beaux avant de nous envoyer dans le monde. C'était véritablement une question de fierté nationale que de nous rendre présentables.

Les magasins de vêtements n'eurent pas le temps de réaliser ce qui leur arrivait lorsque, durant l'automne 1951, un homme d'âge moyen et six jeunes femmes apparurent soudainement et les délestèrent de leurs meilleures marchandises. Un cadre avait été désigné pour venir faire les magasins avec nous, les six dactylos qui étions envoyées dans des pays de l'Est. Nous avions besoin de vêtements pour toutes les occasions et toutes les saisons. On me confectionna quatre *qipao*, cette robe traditionnelle très ajustée que je n'avais jamais eu l'occasion de porter à Pékin. L'une était en satin noir, une autre était doublée pour la saison hivernale. Nous avons acheté de tout, des sous-vêtements jusqu'au manteau en simili-fourrure qui était prévu pour chacune de nous.

Aucune d'entre nous n'avait eu de vêtements faits sur mesure auparavant. Chez les tailleurs, les catalogues occidentaux des années quarante eurent sur nous l'effet d'un envoûtement. Tout était si splendide. Nous n'étions pas habituées à faire face à un si vaste choix et nous nous tourmentions durant des heures à chaque décision que nous devions prendre quant au style, au tissu ou aux couleurs. Même les produits courants que nous utilisions déjà ne convenaient plus. Nous fîmes provision de dentifrice et de savonnettes. Nous ne voulions que du neuf. En prime, nous reçûmes deux valises neuves chacune. C'était comme si nous venions d'assembler notre dot.

On nous donna aussi des cours sur la manière de nous comporter avec les étrangers. Voici les choses essentielles dont j'ai pris note à ce moment-là :

• Ne léchez pas votre couteau.

• Ne vous grattez pas la tête lors de négociations avec des étrangers.

• Ne vous rongez pas les ongles lorsque vous parlez à des étrangers.

• Ne crachez pas dans la rue.

• Posez la main devant votre bouche quand vous éternuez ou que vous bâillez.

• Les dames ont toujours préséance ; que ce soit en entrant dans une pièce ou en montant dans une automobile.

On nous avait également exercées à suivre d'autres règles. Celles d'entre nous qui seraient dirigées vers Berlin furent instruites de la situation complexe qui résultait de la division de la ville en deux secteurs, est et ouest. La chose la plus importante à nous rappeler était que nous ne devions nous rendre dans Berlin-Ouest en aucune circonstance. Il nous était également interdit de nous aventurer seules dans les rues de Berlin-Est, nous devions toujours voyager deux par deux ou en groupe.

Le soir de mon départ, une douce soirée de novembre, j'arrivai à contenir mes émotions durant le dîner d'adieu avec ma famille. Personne ne parla beaucoup. Mes parents n'étaient pas démonstratifs de nature, mais je savais qu'ils étaient fiers de leur fille, choisie en pleine adolescence pour une affectation à l'étranger. Cela faisait bien mon affaire que les ampoules du porche d'entrée aient eu besoin d'être remplacées. Ainsi, personne ne put me voir m'essuyer les yeux en sortant avec Hua. Elle m'accompagna en tram jusqu'à l'auberge où je devais passer la nuit ; là je lui confiai mes vieux vêtements pour qu'elle les rapporte à la maison. À partir du lendemain, je porterais seulement du neuf.

«Tu es toute seule maintenant, Zhimei, me dit Hua en me laissant. Ne fais pas de bêtises. Essaie d'apprendre à te comporter en adulte.» C'étaient bien là les paroles d'une sœur aînée – mais combien elle allait me manquer! Je pleurai quelque peu après son départ, puis je fis un dernier effort pour me ressaisir. Je ne quittais pas seulement la maison pour la première fois, mais le pays également et j'avais peur.

Le matin suivant, nous nous envolâmes de Pékin à bord d'un avion soviétique en direction d'Oulan-Bator, la capitale de la Mongolie. Je n'avais jamais pris l'avion auparavant et je n'osais pas regarder par la fenêtre. Un collègue m'assura que je ne manquais pas grand-chose, seulement d'immenses étendues de neige et de glace. Je fermai les yeux en essayant de ne pas penser à la folie qu'il fallait pour confier sa vie à un tube de métal suspendu entre ciel et terre. Je refusai de manger, pensant que je serais malade si je le faisais.

L'hôtel où nous passâmes la nuit à Oulan-Bator était propre et confortable. Mais les installations sanitaires y étaient des plus primitives, même selon les standards chinois. Pour y aller, vous deviez trouver votre chemin dans l'obscurité la plus totale et dans la neige épaisse jusqu'à une cabane chancelante. Je me sentis juste un peu trop près de la nature lorsque je répondis à son appel cette nuit-là avec une température qui oscillait autour de -30° et les hurlements d'une meute de chiens pas très loin.

Nous arrivâmes à Moscou le lendemain. Durant cette époque fraternelle qu'ont été les années cinquante, les délégations chinoises se dirigeant vers des postes en Europe de l'Est s'arrêtaient toujours dans la capitale soviétique pour une semaine de tourisme et de formation. On prit ensuite le train jusqu'à destination. On nous installa à l'hôtel Johanneshof, le meilleur de Berlin-Est, situé à peu de distance de Berlin-Ouest. À ce moment-là, la ville n'était divisée que par des postes de contrôle; le mur n'allait être érigé qu'une décennie plus tard. Si on se trompait et qu'on descendait à une mauvaise station du métro, appelé U-Bahn, on pouvait facilement se retrouver à l'Ouest. On nous avertit du danger le jour même de notre arrivée.

Au début, les 20 membres de notre délégation n'étaient responsables que des relations commerciales avec l'Allemagne de l'Est. Une année plus tard, après une réorganisation, la moitié de la délégation serait responsable du commerce avec le bloc de l'Est, et l'autre moitié devrait transiger avec des gens d'affaires de l'Europe de l'Ouest. On m'affecta au second groupe. Si les Européens de l'Ouest voulaient faire affaire avec la Chine nouvelle, ils devaient venir nous rencontrer à Berlin-Est.

En combinant les espaces réservés au travail et à l'habitation, notre délégation occupait la moitié du premier étage de l'hôtel. On nous attribua à chacun une chambre meublée. Celle-ci était à occupation simple ou double, selon notre rang dans la hiérarchie. Étant la plus jeune membre de la délégation, je dus partager ma chambre avec Feng, une dactylo en langue chinoise qui devint une amie proche. Elle n'avait qu'un an de plus que moi.

La salle à manger du premier était réservée à notre délégation. La nourriture allemande ne me plaisait pas outre mesure, sauf les petits pains fourrés avec du beurre et des saucisses enduites de moutarde. Je terminais chaque repas avec un bol de glace. Je mangeais d'ailleurs régulièrement du gâteau au chocolat et de la glace au petit-déjeuner. Personne d'entre nous n'avait une idée précise sur ce que les étrangers mangeaient et à quel repas on devait consommer quel aliment. En Chine, nos petits-déjeuners consistaient en tout ce qu'on pouvait avoir sous la main, habituellement des restes du jour précédent. Bientôt, la plupart des vêtements que j'avais achetés pour le voyage étaient devenus trop petits. Les robes ajustées, par exemple, sont restées accrochées dans ma penderie pendant la totalité de mon séjour. Lorsque je pourrais les porter à nouveau, à mon retour dans la Chine de Mao, elles ne feraient plus partie d'une garde-robe appropriée.

En 1951, Berlin-Est était encore pleine de décombres. La plupart des rues étaient bordées par des édifices délabrés ou en ruine. Un peu partout dans la ville, des brigades de travail composées de «volontaires» disciplinés s'adonnaient à la difficile corvée de reconstruction.

Je fus très vite consciente qu'à l'hôtel, nous menions une vie relativement privilégiée. Pour les Allemands, plusieurs articles étaient rationnés, dont le beurre, les pommes de terre, le sucre, la viande et certains vêtements. La différence entre les Berlinois de l'Est et ceux de l'Ouest était manifeste. Par exemple, les Berlinoises de l'Ouest portaient de fins bas de nylon, alors que les Berlinoises de l'Est portaient des bas épais fabriqués d'une fibre grossière qui s'usait rapidement.

Obligés de vivre et de travailler dans l'hôtel, on se sentit bientôt étouffer. Tout y était rigide, routinier. Je me levais, je me rendais d'abord au petit-déjeuner dans la salle à manger et je revenais taper à la machine dans la chambre qui me servait également de bureau. J'allais ensuite déjeuner à la salle à manger, je faisais une courte sieste, je travaillais encore et je retournais finalement à la salle à manger pour dîner.

Le soir, Feng et moi allions nous promener ou voir un film. Un de mes favoris a été un film sentimental suédois intitulé *Le dernier été*. Il était sans doute tout à fait anodin selon les standards suédois, mais il comportait une scène qui nous coupait le souffle : on y apercevait une femme nageant toute nue. Nous n'avions jamais vu de nudité à l'écran auparavant. À un moment ou à un autre, tous les membres de la délégation ont visionné furtivement ce film.

On n'allait pas bien loin avec les 60 marks d'argent de poche mis à notre disposition. Feng et moi nous contentions donc le plus souvent de faire du lèche-vitrine. Un kilo d'oranges revenait à 5 marks; faire développer un rouleau de film noir et blanc en coûtait plus de 10.

Durant l'hiver en particulier, nos soirées étaient consacrées au ping-pong, sur la table qui avait été dressée dans un salon. Parfois Feng et moi étions si transportées par le jeu qu'un client irrité pointait la tête dans l'embrasure de la porte. Il venait nous signifier qu'il était passé minuit. Occasionnellement, des soirées de danse étaient planifiées, spécialement durant les fêtes. Lors d'une soirée du jour de l'An, on organisa pour nous un important dîner à l'ambassade chinoise. À notre retour à l'hôtel, la plupart d'entre nous étions plutôt éméchés.

« Hé, pourquoi ne danserait-on pas un peu ! suggéra un des hommes.

– Toute cette nourriture et cet alcool m'ont épuisée ! Je vais au lit ! » gloussa Feng. Chancelantes sur nos talons hauts, nous nous dirigeâmes vers notre chambre. Nous étions déjà en pyjama quand on frappa à la porte.

« Allez ! C'est le jour de l'An ! » De l'autre côté de la porte, Wu, un de nos interprètes, cria : « Pourquoi ne pas vous joindre à nous ? » Puisque Feng et moi représentions les deux tiers des femmes de la délégation, notre absence serait une véritable catastrophe pour leur danse improvisée.

« Désolées ! Nous sommes prêtes à nous mettre au lit, nous ne voulons pas nous rhabiller, répondit Feng.

– Ce n'est rien de compliqué, on est entre nous. Allez, venez ! Personne ne va vous voir », dit Wu en continuant de frapper à la porte. Il nous sortit littéralement de la chambre et nous conduisit à travers le corridor jusqu'à la salle de ping-pong. Encore en pyjama, Feng et moi fûmes obligées de danser sur des airs provenant de notre petite collection de disques, surtout de la musique folklorique allemande. Comme il n'y avait toujours pas assez de femmes, les hommes durent donc aussi danser entre eux.

Quelques jours après, Dai, le représentant du parti, convoqua une réunion extraordinaire. L'ambassade l'avait chargé de nous informer de nouvelles règles : « Il est défendu de danser en pyjama. De plus, les hommes ne doivent pas danser avec d'autres hommes. » On n'arriva jamais à savoir comment ils avaient eu vent de notre bal impromptu. En d'autres occasions, nous eûmes des problèmes à cause de simples gestes de gentillesse qu'avaient eus à notre égard des Occidentaux. Il y eut par exemple cette histoire à propos des chocolats de M. Silver.

Adolf Silver, qui travaillait pour la Société d'exportation de Londres, visitait régulièrement notre bureau. Il agissait à titre de relationniste pour les compagnies britanniques opposées à l'embargo commercial exercé contre la Chine par les pays occidentaux.

C'était un gentil monsieur qui nous rapportait toujours des chocolats d'Angleterre, les meilleurs qu'il nous avait été donné de goûter. Un jour, le chef de la délégation s'entretint privément avec M. Silver pour lui demander de cesser d'apporter des chocolats. Shen avait peur que si on l'apprenait en Chine, cela soit considéré comme de la corruption.

Quelques mois plus tard, je reçus la permission de demander une dernière faveur à M. Silver, celle de me rapporter un manuel de sténographie pour débutants. Il se montra enchanté de rendre service. Lors de sa visite suivante, il me rapporta un paquet de la grandeur d'un bouquin. Je déchirai le papier d'emballage et trouvai le livre que j'avais demandé. En dessous, il y avait cependant une grosse tablette de chocolat qui avait presque la même dimension que le livre. J'étais catastrophée. Qu'allait-il se passer si un collègue du bureau s'en apercevait? Je restai là à me mordiller la lèvre inférieure en essayant de trouver une manière polie de refuser.

«Chut!» fit-il en posant son doigt sur sa bouche.

«Bon, puisque c'est comme ça», pensai-je, en mimant un merci des lèvres. Il quitta le bureau avec un large sourire.

Quelques années plus tard, en 1954, la société de M. Silver collaborera à la formation du «Groupe des 48 commerçants britanniques négociant avec la Chine», ainsi nommé à cause des 48 hommes d'affaires ayant participé à sa réunion de fondation. Ce groupe a été le seul à lutter en Occident contre l'embargo commercial imposé à la Chine communiste. Cet embargo fut encore renforcé lorsque la Chine fut désignée comme le principal agresseur dans la guerre de Corée de 1950-1953.

Même si la plupart du temps on était tout seuls durant les week-ends, le ministère est-allemand du Commerce extérieur nous organisait parfois quelque visite touristique. On prenait souvent le U-Bahn jusqu'à une banlieue où on allait se promener dans les bois. Un après-midi, alors que quelques-uns d'entre nous revenaient de l'une de ces excursions, la fatigue nous fit rater notre arrêt. Le métro allait pénétrer dans Berlin-Ouest. À peine avions-nous réalisé notre erreur qu'il était déjà trop tard. Nous n'avions d'autre possibilité que de descendre au premier arrêt dans Berlin-Ouest.

On ne se hasarda pas à sortir de la station, mais on jeta un coup d'œil depuis les portes. La tentation était trop forte. Il y avait des stands à journaux chargés de magazines et de journaux américains, du chocolat et du Coca-Cola, de la publicité sauvage, des gens qui marchaient en sifflant et en mâchant du chewing-gum. Tout cela était très surprenant et me sembla la quintessence même du style de vie américain.

Je me souvins de la directive que nous avions reçue de ne pas nous aventurer à l'Ouest. « Rappelez-vous que nous n'avons aucune relation diplomatique avec l'Allemagne de l'Ouest, nous avait dit Dai. Si vous descendez à Berlin-Ouest, vous serez kidnappés et votre passeport sera confisqué. Vous pourrez alors être facilement refilés aux autorités taiwanaises. »

J'avais peur que des policiers en civil nous approchent et nous demandent de vérifier nos passeports que nous n'avions pas avec nous. Nous étions conscients de sortir du lot, avec nos physionomies chinoises, nos expressions de lapins apeurés, nos vêtements relativement démodés et la façon dont nous nous tenions serrés les uns contre les autres alors que nous nous pressions pour rejoindre le quai opposé pour prendre le train de retour.

« Marchez plus vite, siffla Wei, un de nos interprètes. Regardez droit devant vous. Comportez-vous avec naturel ! » La traversée d'un quai à l'autre semblait interminable. Quel soulagement cela fut de reprendre le train vers l'Est.

Puisque notre incursion dans l'Ouest avait été accidentelle, nous nous mîmes d'accord pour éviter la critique en gardant le silence. Mais cela avait été une aventure si excitante que je m'en ouvris à voix basse à quelqu'un, un jeune homme pour qui j'avais le béguin. Il nous trahit immédiatement et nous fûmes fortement critiqués devant toute la délégation pour ne pas avoir rapporté l'incident nous-mêmes.

Feng était furieuse contre moi. « Comme tu es stupide ! Personne ne l'aurait su ! Tu ne pouvais pas te taire ? » Elle avait raison. Durant les semaines qui ont suivi cette aventure, je me sentis honteuse tant vis-à-vis des collègues que j'avais trahis que des supérieurs à qui j'avais désobéi.

Malgré cette incartade, Shen, le chef de la délégation, montrait un certain intérêt à mon égard. Lorsqu'il me choisit pour faire du tourisme avec lui, je pris la chose comme un geste attentionné envers une jeune subordonnée. Durant ces excursions, nous étions toujours accompagnés par Hong, son secrétaire masculin. Shen prit beaucoup de photos de moi, il m'achetait des cadeaux et me demandait parfois d'assister à des réunions où ma présence n'était pas vraiment nécessaire. J'étais flattée.

Feng cependant considérait cela sous un autre angle. Même si elle n'avait qu'un an de plus que moi, elle était dotée de beaucoup plus de jugeote en ce qui concernait les comportements humains. « Rappelle-toi qu'on ne donne jamais rien pour rien, me prévint-elle. Un jour, il te fera sentir que tu lui dois quelque chose. »

Je trouvais qu'elle réagissait de manière excessive. Peut-être était-elle jalouse ? « Regarde-moi dans les yeux, Feng. Il a dépassé la quarantaine et je n'ai que 17 ans. Il a une femme et des enfants. Il est mon supérieur et, de plus, il est membre du parti. Que crois-tu qu'il puisse me faire ? » Selon moi, l'argument massue était son appartenance au parti. Cela garantissait qu'il était altruiste, droit, plein de noblesse et qu'on pouvait avoir en lui une confiance absolue.

« Fais donc ce que tu veux, mais rappelle-toi mes paroles, dit Feng. Je n'aime pas te voir trotter partout avec ces deux-là. »

Un samedi soir, je tombai sur Shen dans le corridor.

« Zhimei, apporte-moi les dossiers sur lesquels tu as travaillé plus tôt aujourd'hui. Je serai dans ma chambre. » Bien que cette requête fût tout à fait inhabituelle, je fis comme il m'était demandé.

La porte de sa suite était ouverte lorsque j'arrivai.

« Ferme la porte », dit-il. Il était assis sur le divan en pyjama. Dans la faible lumière du corridor, je n'avais pas remarqué que son visage était empourpré par l'alcool.

« Ce sont bien là les documents que vous vouliez ? dis-je.

– Laisse-les sur le bureau. Je veux te parler. » Il me fit alors signe de m'asseoir sur le divan. Je m'assis aussi loin de lui que possible et je commençai à tortiller un mouchoir nerveusement.

«Tu es une fille intelligente, Zhimei, dit-il, et je vois en toi beaucoup de potentiel. Je désire que tu sois ma secrétaire particulière. Je te formerai moi-même.»

Je restai bouche bée. Le «rappelle-toi mes paroles» de Feng résonnait dans ma tête. Shen s'allongea subitement vers moi sur le divan.

«Je t'aime tellement. Je t'ai appréciée dès le premier jour où tu es entrée dans mon bureau.» Il empoigna ma main avec vigueur. «Ma femme et moi ne nous entendons plus très bien. De toute façon, elle est très loin en Chine et ma vie ici est si difficile. Je me sens très seul. Je pense que tu es le genre de personne qui aime aider les autres.» Il mit ses bras autour de moi et m'attira vers lui. «Je pense que tu pourrais m'aider à me sentir mieux, et toi?

– Non! Non!» J'essayai de m'échapper mais ses bras étaient puissants. Je voulais crier, mais n'osai pas. Dans la lutte, deux boutons de ma blouse sautèrent. Les yeux injectés de sang de Shen étaient terrifiants et son haleine aux relents d'alcool me donnait la nausée. «Non! Je ne peux pas!» continuai-je à répéter, et je le repoussai violemment. C'est alors qu'il se fâcha.

«Qui crois-tu que tu es? Ling est plus jolie que toi. Si je le désire, je peux l'avoir n'importe quand.» Il avait commencé à hurler et j'avais peur qu'on l'entende à l'extérieur de la chambre. Ling était une autre de nos dactylos et elle aussi n'était qu'une adolescente.

«Je n'ai jamais songé que tu étais à ce point entêtée, continua Shen. Je pensais que tu savais répondre à une faveur. Je peux t'aider à monter en grade. Maintenant, tu t'es mise dans une position difficile et tu n'as que toi-même à blâmer.»

J'avais peur. «Puis-je quitter la chambre?

– Oui. Mais ne mentionne jamais tout cela à personne sinon...» Il laissa sa menace en suspens.

Lorsque je tournai le bouton de porte, il aboya: «Arrange-toi un peu.» Je passai la main dans mes cheveux, boutonnai ma blouse tant bien que mal et je partis.

Courant jusqu'à ma chambre, je passai devant un membre de la délégation assis dans le salon. J'eus l'impression qu'ayant deviné d'où je venais, Bao m'avait regardée de travers. À l'intérieur de notre petit cercle, rien ne passait jamais inaperçu. Ce n'était pas seulement la curiosité qui poussait les gens à s'occuper des affaires des autres, mais aussi le sens du devoir. Bao devait désormais présumer que j'avais répondu aux avances du patron. Le bruit commencerait donc à courir. Il pourrait se sentir obligé de rapporter ce qu'il avait vu, même si c'était délicat parce que la réputation du patron était en jeu. Je me sentais salie par toute cette histoire.

À la fin de 1951, Mao lança une campagne qui ciblait les « trois démons » : la corruption, le gaspillage et la bureaucratie dans le parti, le gouvernement et l'armée. Durant cette campagne, qui durerait jusqu'au milieu de 1952, toutes les lettres personnelles que nous recevions de Chine furent ouvertes par Dai, le secrétaire du parti. Certaines personnes devaient lire leurs propres lettres à voix haute devant la délégation. Alors que le but était d'extirper la corruption du pays, des choses de différente nature étaient aussi mises au jour. Un jour, Dai me remit une lettre en anglais qu'il voulait faire traduire. C'était une lettre d'amour adressée à Lu, un homme marié appartenant à la délégation. Elle provenait de sa maîtresse de Shanghai.

Hong, le secrétaire de mon patron, était personnellement impliqué dans des détournements de fonds. Il fut rappelé en Chine lorsque ses activités furent découvertes par des lettres que Dai avaient interceptées. À son arrivée, la police l'attendait pour le menotter. Shen fut aussi rappelé en réprimande pour avoir fait confiance à Hong. Il serait remplacé au bureau par Tan, un homme strict et efficace et qui, je crois, n'était pas porté à s'en prendre aux jeunes femmes qui travaillaient pour lui.

La vie à Berlin était devenue une routine plaisante bien qu'un peu ennuyeuse. Il était agréable de ne pas avoir à faire le ménage ou à se faire à manger, de ne pas avoir à se comprimer pour pénétrer dans les autobus bondés de Pékin et à jouer du coude pour en sortir. Mais plus le temps passait, plus la vie devenait monotone. Les hommes qui avaient été séparés de leur femme durant un an ou deux cherchaient à intéresser les trois jeunes femmes de la délégation à des relations de nature sexuelle. Certains commencèrent à flirter avec les femmes de chambre de l'hôtel, qui entraient dans le jeu. En marchant dans la ville, il était facile de comprendre pourquoi : il y avait très peu d'hommes à Berlin-Est après la guerre.

Lorsque notre délégation fut fractionnée en deux groupes distincts, ma section, qui traitait avec l'Ouest, déménagea de l'hôtel à un immeuble résidentiel situé près de l'ambassade chinoise. Peu de temps après, notre groupe serait amalgamé avec une compagnie est-allemande appelée la Société d'exportation vers la Chine. C'était le seul endroit en dehors de la Chine où des Chinois du continent et des étrangers travaillaient dans un même bureau.

On commença à socialiser avec nos collègues allemands ; on allait nager et danser avec eux. Ainsi, on se sentait beaucoup moins coupés de la vie urbaine. J'appréciais particulièrement Frau Hentze, la directrice de bureau de la section allemande. Elle avait dans la mi-trentaine, soit presque le double de mon âge. J'admirais sa compétence, la douceur de sa prononciation, ses bonnes manières et son anglais impeccable. J'aurais à la connaître davantage deux années plus tard, quand je lui serais attachée comme interprète lorsqu'elle visiterait la Chine en 1955. Mais notre amitié aurait plus tard des conséquences douloureuses.

Je m'entendais également bien avec l'une des interprètes allemandes, Fräulein Hoffmann, une femme séduisante dotée d'une personnalité radieuse. Un jour, le chef de ma section fut rappelé en Chine sans préavis. Ordinairement, les gens qui étaient rappelés recevaient un préavis de quelques semaines. Quoi qu'eût pu faire Yao, ce devait être très sérieux. On sut finalement par la rumeur que Fräulein Hoffmann et lui avaient tenté de s'échapper en Suisse, mais que leur plan avait été découvert. Leur secret avait-il été trahi par un Chinois ou par un Allemand ?

On ordonna à Yao de ne plus mettre les pieds au bureau et de se tenir prêt à partir. Le lendemain matin, je le vis dans l'édifice qui abritait le dortoir. Il passa à côté de moi sans lever la tête. Son arrogance habituelle avait disparu. Un jour, j'avais jeté des dossiers sur le plancher et j'étais sortie en furie du bureau parce que je ne pouvais plus accepter sa fatuité et ses manières condescendantes avec les femmes. Maintenant, mon aversion pour lui faisait place à de la sympathie.

Ce même après-midi, Fräulein Hoffmann m'arrêta dans le corridor. Elle me prit la main et m'attira dans une petite salle de toilette. La superbe jeune femme était devenue affreuse – visage livide, yeux gonflés.

« Je sais que je peux avoir confiance en toi, Zhimei. Peux-tu me rendre un service ? » Alors qu'elle chuchotait sa requête, sa voix se mit à chevroter. « Je n'aurai pas la chance de voir Yao avant son départ. Je dois également partir, tu sais. Ils me transfèrent. Je ne le reverrai plus jamais. »

Elle mit la main dans la poche de sa jupe et en sortit une petite enveloppe. « Peux-tu la lui remettre ? » Elle était proche des larmes. J'étais vraiment désolée pour elle.

« Ne t'en fais pas. Je la lui donnerai. » Espérant que personne ne nous avait vues y entrer ensemble, on quitta la salle de toilette séparément.

Je passai la nuit à me retourner, me débattant avec ma conscience. Devais-je remettre la lettre à Yao ? On nous avait bien dit de rapporter au secrétaire du parti tout ce que nous savions à propos de leur relation pour que le cas soit traité « correctement ». Mais alors, qu'est-ce que je faisais avec la promesse que j'avais faite à Fräulein Hoffmann ? Je regrettai d'avoir accepté cette lettre. Je me sentais prise au piège.

Je me décidai finalement. On nous avait inculqué qu'il fallait placer les intérêts du parti au-dessus de toute autre chose, y compris les amitiés et la vie personnelle. Lorsque les communistes prirent Pékin, j'étais âgée de 13 ans. Maintenant, à 18 ans, je croyais sincèrement qu'il était mal de cacher quoi que ce soit au parti. J'avais peur également d'être perçue comme une complice si on découvrait la lettre entre mes mains. En raison de mes « mauvais » antécédents familiaux, je pensais que la punition serait sévère même pour cet acte de déloyauté relativement mineur.

Le lendemain matin, après une nuit sans sommeil, j'apportai la lettre au secrétaire du parti. Après lui avoir expliqué ce qui était arrivé, je lui demandai de la remettre *lui-même* à Yao. Je ressentis un grand soulagement ainsi qu'une certaine culpabilité. Lorsque j'aperçus Fräulein Hoffmann le lendemain matin, je me sentis honteuse. Son bien-aimé avait sûrement reçu sa lettre d'adieu, pensait-elle. Elle me lança un sourire de gratitude.

Nos collègues allemands ne pouvaient pas comprendre pourquoi les Chinois voulaient mettre un terme à cette union. Pour eux, celle-ci semblait un réconfortant symbole d'internationalisme et de relations fraternelles entre deux pays socialistes, et non pas une violation scandaleuse de la discipline comme on l'avait considérée.

Frau Haupt, une femme dans la soixantaine qui avait perdu son mari et son fils lors de la Seconde Guerre mondiale, était particulièrement bouleversée. Hochant tristement la tête, elle disait : « Pourquoi séparer un si beau couple ? Je ne peux pas comprendre ça. » Membre du Parti communiste est-allemand, elle acceptait toutes nos autres politiques et décisions, mais pas celle-là.

Yao quitta Berlin sans avoir la chance de dire adieu à Fräulein Hoffmann. Il lui fit parvenir une carte postale de Moscou, mais on ne la remit jamais en main propre à sa destinataire. À cause de la tentative de défection de Yao vers la Suisse, Tan, notre supérieur, serait également rappelé en Chine. Les patrons se succédaient au rythme de un par année.

Le nouveau directeur arriva en trombe en lançant une campagne de son invention. Il était déterminé à élever notre niveau de conscience politique. Ainsi, nous dûmes tous faire une « évaluation » publique de notre conduite antérieure en nous mesurant aux standards élevés de discipline établis par le parti.

Tentant sincèrement de donner une juste image de moi-même, avec mes forces et mes faiblesses, je passai deux jours à préparer ma présentation. Je déclarai à mes collègues que je me considérais comme une bonne travailleuse, disciplinée et loyale envers le parti. J'admis d'autre part que je n'avais pas assez pris le temps de lire des ouvrages politiques ni tenté d'adhérer à la Ligue de la jeunesse. Je soulignai que cela faisait désormais partie de mes ambitions les plus chères. J'étais contente de mon laïus, convaincue d'avoir fait une auto-évaluation honnête.

« Je crois qu'il y a quelque chose qu'elle n'a pas mentionné, dit en se levant un camarade plus âgé. Et il est important de le lui faire remarquer. Ses relations avec les collègues allemands sont beaucoup trop familières. Si on avait mis en place des règles plus strictes auparavant, les autres camarades n'auraient pas fait les erreurs qu'ils ont commises. »

Avant que je n'aie eu la chance de me ressaisir, un autre camarade se leva également pour approfondir le sujet.

« Au bal, la semaine dernière, Zhimei a beaucoup trop dansé avec un Allemand. Certains d'entre nous ont remarqué qu'il la tenait si serrée que leurs visages se touchaient presque. C'était fort déplacé. »

Que pouvais-je dire pour ma défense ? L'homme avait dansé plusieurs fois avec moi et il me tenait effectivement serrée contre lui. Mais jamais je n'aurais pensé que les autres étaient si observateurs ou qu'ils y accorderaient autant d'importance.

Cela a été la première mauvaise note de comportement à figurer dans mon dossier qui, avec le temps, allait devenir très volumineux. Berlin fut ma première et ma dernière affectation à l'étranger. J'ai été rappelée à Pékin au début de 1954, et je n'en comprendrais la raison que des années plus tard : mon père venait tout juste d'être rangé du côté des contre-révolutionnaires en raison de son travail dans des bureaux sous contrôle japonais pendant l'Occupation. Lors de mon retour en Chine, je passai par Moscou et retournai visiter la place Rouge, où le cadavre embaumé de Staline reposait désormais à côté de celui de Lénine.

J'arrivai à la maison au moment où mes parents allaient se mettre au lit. Les membres de ma famille avaient le même air que celui qu'ils avaient deux ans auparavant, mais la maison, elle, me paraissait très changée. Le plafond semblait plus bas, l'éclairage plus faible, les murs plus dégoûtants. Et il y faisait très froid. L'unique poêle à charbon ne suffisait pas à chauffer les quatre pièces. J'avais vu un peu du monde extérieur et j'avais vécu dans de meilleures conditions que celles-là. L'ambivalence que j'ai ressentie à mon arrivée ne s'est jamais complètement effacée.

83

Peu de mois après mon retour, une « élection » était organisée où les citoyens étaient invités à endosser les choix du Congrès national du peuple, soit de Mao Zedong comme président du parti et, entre autres dirigeants, de Deng Xiaoping au poste de vice-premier ministre du Conseil d'État. Les reporters couvrant le bureau de vote près de chez mes parents furent frappés par les cheveux argentés de ma mère, et des photographies d'elle furent utilisées dans les journaux pour montrer comme les personnes âgées étaient enthousiastes à aller voter. S'ils avaient su que son mari était un « contre-révolutionnaire » dépossédé de son droit de vote, ils y auraient probablement pensé à deux fois avant de la choisir comme électrice âgée modèle.

Après Berlin, je fus affectée au service de traduction de la Société nationale chinoise d'import-export. J'avais deux projets en tête. L'un était de fréquenter un collège pour acquérir une formation professionnelle, l'autre d'adhérer à la Ligue de la jeunesse. Ne pas en être membre était considéré comme un signe évident d'arriération politique. Je déclarai publiquement ma résolution de devenir membre de la ligue lors d'une assemblée marquant le 33ᵉ anniversaire de fondation du parti, le 1ᵉʳ juillet 1954. Mais cette adhésion n'était pas automatique, vous aviez à prouver votre loyauté.

Je commençai à écrire un texte où je m'examinais de façon critique, parlant à cette fin de mes origines familiales et des attitudes et comportements liés à ces origines. Je concluais en disant que peu de chose dans ma vie ou concernant ma famille était politiquement correct. Même si mon père était au chômage et ma mère couturière, nous étions encore des bourgeois. Il me fallait convenir que c'étaient les idées et les conceptions qui seules comptaient.

J'écrivis à propos de mon père : « Il a travaillé dans des bureaux contrôlés par les Japonais. C'était un rebut de la nation et il était dépourvu de tout honneur patriotique. »

À propos de ma mère : « Elle était dépendante du mah-jong et elle avait adopté un style de vie extravagant. Les classes populaires avaient-elles le temps, elles, de jouer au mah-jong ? Seuls des bourgeois comme ma mère, qui étaient traités aux petits oignons, avaient du temps et de l'argent à y dépenser. »

À mon propos : « J'ai fréquenté une école dirigée par des missionnaires. D'avoir été éduquée par des étrangères a empoisonné mon esprit et mon âme. Mes origines familiales et mon éducation étrangère m'ont habituée à un style de vie bourgeois. Lorsque j'avais 15 ans, j'ai fréquenté les bals et j'aimais chanter des chansons populaires occidentales. J'aimais m'habiller élégamment et avoir des admirateurs. Aujourd'hui, je dois me remodeler complètement. »

Je rendis des pages et des pages de cette sorte d'autocritique, mais ce ne fut pas assez pour que je puisse entrer dans la Ligue de la jeunesse. Je n'avais pas encore prouvé ma loyauté.

En 1955, on déclencha une campagne nationale qui visait à « éliminer les réactionnaires ». La première cible de notre service fut un homme d'un certain âge dénommé Yang. Il avait travaillé pour une compagnie étrangère avant la Libération et sa famille était protestante. On nous demanda de nous rappeler tout ce qu'on avait pu l'entendre dire contre le parti et le système socialiste ou ce qu'il avait pu faire pour essayer de corrompre de jeunes esprits avec ses idées bourgeoises. Je me rappelai un incident. C'était un dimanche. En se rendant à l'église, Yang et sa famille s'étaient arrêtés chez nous. Il tenait un livre à la main et je lui avais demandé ce que c'était.

« Ça, c'est mon marxisme », avait-il dit en riant et en me montrant le Nouveau Testament.

Au travail on organisa un meeting. À tour de rôle, nous devions tous répéter ce que Yang avait pu nous dire. J'étais particulièrement visée parce que lui et moi parlions souvent ensemble pour pratiquer notre anglais. Tout ce dont je pouvais me souvenir était cette blague qu'il avait faite à propos de la Bible, dont la révélation ne me paraissait d'ailleurs pas particulièrement préjudiciable. Après tout, certaines églises avaient encore le droit d'exister à l'époque.

La portée de ce que je venais de révéler ne m'apparut que le jour où une note de service nous informa du sort réservé à Yang.

J'étais à ses côtés lorsqu'on en prit connaissance. Il était expulsé du travail. Dans un système où tout emploi était attribué par l'État, cela signifiait qu'il ne pourrait plus jamais retravailler par la suite.

J'en fus aussi atterrée que lui. S'additionnant à ses fautes passées, de petites anecdotes telles que celle que j'avais relatée servaient à établir la preuve d'un comportement criminel invétéré et à le faire passer pour réactionnaire. Je n'eus pas le courage de le regarder en face. J'imaginais qu'il se disait : « Tu es contente maintenant ? » — mots qu'il n'a jamais prononcés mais qui me hantèrent longtemps après. Sa vie était ruinée et j'obtins ma carte de membre de la Ligue de la jeunesse. J'avais donc passé le test.

Ma trahison envers Yang me donnait des remords. Comme la plupart des jeunes gens dans les premières années suivant la Libération, j'étais impatiente de démontrer mon patriotisme. Pauvre et arriérée, la Chine s'était maintenant levée et nous désirions ardemment faire notre part pour aider à construire un ordre nouveau. Nous avions confiance dans les dirigeants du parti qui avaient fait la révolution et nous faisions donc ce qu'on nous demandait.

J'étais malheureuse du rôle que j'avais joué dans la chute de Yang, mais j'étais cependant loin de comprendre pourquoi cela me mettait si mal à l'aise. C'est avec les années, à travers la succession des campagnes politiques, qu'un fait douloureux m'est apparu plus clairement : les comportements et les relations humaines se détérioraient en Chine. Il était révoltant de voir des femmes dénoncer leur mari, des enfants livrer leurs parents et des étudiants trahir leurs professeurs. Toutes ces campagnes engendraient la peur et la servilité. N'importe qui pouvait du jour au lendemain devenir un délateur.

Dans ce sens, nul n'aurait dû être surpris de voir la nation prise de folie furieuse durant la Révolution culturelle dix ans plus tard. Des millions de personnes furent tuées, la vie de millions d'autres fut détruite. Les graines en avaient été semées des années auparavant par un code de conduite sanctionné par le parti et dans lequel la trahison et la vengeance participaient d'une nouvelle moralité. Ces pratiques étaient déshumanisantes. Avant d'en devenir nous-mêmes les victimes, plusieurs d'entre nous avaient trahi quelqu'un d'autre. Nous étions devenus une nation de victimes et de bourreaux.

CHAPITRE V

# Quatre nuisibles et deux hommes

Peu de temps après que je fus devenue membre de la Ligue de la jeunesse, j'eus la permission de m'inscrire à un cours avancé en commerce international. J'avais maintenant deux badges qui luisaient sur ma poitrine: celui de membre de la ligue et celui d'étudiante au prestigieux Institut du commerce étranger. J'étais sur ma lancée. Après avoir terminé mon cours, j'obtins un emploi à la Société nationale chinoise d'import-export des matières chimiques.

Le Mouvement anti-droitiste qui avait débuté en juin 1957 était en plein essor. Il avait été mis sur pied pour sévir contre ceux qui avaient trop bien répondu à l'appel de la précédente campagne des Cent Fleurs. Pendant environ un an, les intellectuels avaient été encouragés à dire ce qu'ils pensaient. Ils étaient désormais punis pour ce qu'ils avaient dit.

J'avais un petit ami, un jeune ingénieur intelligent qui travaillait dans un bureau gouvernemental. Ses antécédents familiaux étaient encore pires que les miens. Le père de Xian, un capitaliste de Shanghai, avait été exécuté peu après la Libération. Un après-midi, comme j'entrais dans le bureau, mes collègues se turent subitement. Je feignis de n'avoir rien remarqué, mais ce silence était de mauvais augure. À la fin de la journée, une femme dont le mari travaillait au bureau de Xian s'arrangea pour partir du travail en même temps que moi. Durant le trajet jusqu'à l'arrêt d'autobus, elle me dit tranquillement: « Sais-tu ce qui est arrivé à Xian? Mon mari m'a dit, la nuit dernière, qu'il était un extrémiste de droite. Ses erreurs sont sérieuses et il est maintenant ouvertement critiqué. »

Cela expliquait le comportement étrange qu'avait eu Xian récemment. Il était devenu distrait et mélancolique, soupirant plus qu'il ne parlait.

«Quelles sont ses erreurs?

– Un jour que lui et certains collègues discutaient un problème d'ingénierie, le secrétaire du parti est entré et a donné quelques conseils. Après son départ, Xian a grogné: "Mais, qu'est-ce qu'il connaît en ingénierie, celui-là?"»

De fait, le secrétaire du parti n'était pas un ingénieur qualifié. Mais si vous suggériez qu'un cadre du parti ne pouvait vous donner un avis technique dans votre champ de compétence, c'était comme si vous remettiez en question l'autorité du parti à gouverner.

«Une autre fois, dans une réunion où l'on avait présenté un projet d'ingénierie soviétique qui devait servir de modèle, Xian a dit que les conditions chinoises étaient différentes à plusieurs égards: "Doit-on copier aveuglément tout ce qui est soviétique? Ne devrait-on pas adapter les choses à notre situation?"» Une telle suggestion avait été interprétée comme une attaque contre les relations fraternelles privilégiées entre les deux pays.

«Tu dois maintenant décider de ce que tu vas faire», dit-elle. C'était évident. Quiconque avait des liens familiaux ou d'amitié avec un droitiste devait s'en dissocier ou en partager l'infamie. J'ai passé un mauvais moment ce soir-là. Je savais que je devais cesser de voir Xian, et je savais aussi que cela ne suffirait pas. Si je ne dressais pas une barrière étanche entre moi et un ennemi de classe, cela entraînerait ma propre chute.

Un extrémiste de droite était défini comme une personne qui détestait l'État, comme un contre-révolutionnaire jusqu'à la moelle des os. On chercherait des preuves en quantité pour pouvoir lui coller cette étiquette. Je devrais rapporter tout ce que j'avais entendu de la part de Xian à propos du parti ou du système communiste.

J'allai voir un de ses cousins que je connaissais bien. Il me montra une copie de la lettre qu'il avait lui-même déjà transmise: «Xian est devenu un ennemi de classe et je le déteste. Je tracerai une frontière nette entre nous. Les intérêts du parti sont plus importants que tout. » Le ton de la lettre était emprunté, peu crédible même, mais la question n'était pas de savoir s'il pensait cela ou non. Seul le geste comptait.

Conserver une réputation politique correcte était plus important que sa propre vie. Une fois étiqueté négativement par le parti, vous perdiez votre emploi, vos amis vous évitaient et vous deveniez un fardeau pour toute votre parenté. J'essayai de me souvenir de choses que Xian avait dites lors de conversations passées qui auraient pu être « incorrectes ». Il n'y avait rien de très préjudiciable dans le rapport que je rédigeai, mais, une fois encore, c'était le geste qui comptait. Je promettais de cesser de le voir.

Peu après, je pris rendez-vous avec lui. Il ne connaissait encore rien de ma décision et ne savait même pas que j'étais au courant de ses problèmes politiques. Nous nous rencontrâmes au coin d'une rue et il me tendit immédiatement un paquet: « Ma mère t'a fait faire ces souliers à Shanghai. » Les souliers étaient élégants, faits de fin cuir noir. Puis Xian me dit tout de go : « Ma mère m'a demandé si nous allions nous marier.

– Les souliers sont magnifiques. Remercie-la pour moi. » Embarrassée par le cours inattendu que prenait la conversation, j'évitai délibérément d'aborder le second sujet. En silence, nous marchâmes jusqu'à un restaurant tout près.

« J'aime l'atmosphère romantique qu'il y a ici », dit Xian, alors que nous nous glissions sur une banquette. On y servait de la cuisine japonaise et Xian commanda un sukiyaki pour deux et une bouteille de saké.

« Tu n'as pas répondu à ma question », dit-il, après avoir rempli nos coupes de saké. Le silence était lourd tandis que je m'efforçais de trouver les mots.

Finalement, je parlai: « Je ne crois pas pouvoir continuer à te voir. »

C'était sorti tout seul. Il ne dit rien pendant de nombreuses minutes, vidant une coupe de saké, puis une autre. Il dit alors tristement: « Je sais que j'ai détruit ma vie et brisé mes rêves. Mais je pensais qu'au moins je t'aurais encore avec moi. » Il se versa une troisième coupe et tira un cahier assez épais de la poche de sa veste. «Peux-tu faire quelque chose pour moi? Peux-tu lire cela? Il n'y aura peut-être pas d'autre chance de le faire.»

C'était un journal. Je le lus pendant qu'il continuait à boire. Bientôt la bouteille fut vide et il en commanda une autre. Je ne l'avais jamais vu boire autant auparavant.

Son journal contenait un compte rendu émouvant de notre relation jour après jour : le moment où nous nous étions rencontrés, la première soirée où nous avions dansé ensemble, comment il m'avait décrite à sa mère, combien je lui avais manqué lorsqu'il était parti en voyage pour affaires, sa jalousie à l'égard des autres hommes qui tournaient autour de moi. Ce qu'il avait écrit était plein de vie et d'émotion.

Je commençai à pleurer tandis que je tournais les pages. Je l'avais toujours trouvé un peu arrogant, macho, et je m'étais gardée de m'attacher à lui. Je pensais que je comptais aussi peu pour lui, mais j'avais tort. Il chercha ma main et je levai les yeux du cahier.

«Je sais que je n'ai pas le droit de te demander quoi que ce soit.» Le saké commençait à déformer son élocution. «Mais pourrais-tu m'attendre?

— Ne parlons pas de l'avenir, dis-je en retirant ma main. Tout est si incertain. Qui sait où ils vont t'envoyer? Qui sait combien d'années tu auras à croupir dans un camp de travail? Je suis désolée. Je ne peux rien te promettre.»

Une mèche de cheveux tomba librement sur son front. C'était un homme assez grand, beau, avec des traits délicats, mais son visage, embrasé par le saké, avait tourné au rouge vif.

«Arrête de boire. Allons-y.

— Non, laisse-moi boire. Je veux oublier. Je veux mourir.» Il commença à sangloter. J'étais nerveuse. Je demandai à une serveuse une serviette humide pour essuyer son visage.

«Laisse-moi seul», dit-il en écartant ma main alors que je lui passais la serviette. Les autres clients commençaient à nous fixer. Il accepta finalement de partir, mais il n'arrivait déjà plus à se tenir droit. Il chancela vers l'avant et se mit à vomir. La serveuse était gentille et ne protesta pas. Elle m'aida à éponger le gâchis.

Peu après, Xian serait envoyé dans un village isolé, où il passa de nombreuses années à travailler dans les rizières. Nous ne nous sommes plus jamais revus.

L'année d'après, les pratiques de délation et l'anti-intellectualisme qu'avait entretenus le Mouvement anti-droitiste agitaient toujours le pays lorsque Mao déclencha le Grand Bond en avant. Son but était de venir à bout du retard économique par la force de la volonté. Si tous joignaient leurs efforts, la Chine pourrait se développer à un rythme effréné. Chacun devait aider à construire et à faire fonctionner des fourneaux pour la production d'acier dans les arrière-cours. Ces hauts fourneaux primitifs étaient censés produire de l'acier en quantité suffisante pour que la production de la Chine dépasse celle de la Grande-Bretagne et rattrape celle des États-Unis en moins de vingt ans.

Agitant des bannières et faisant résonner des cymbales, les paysans marchaient au pas dans les campagnes, produisant de la fonte de piètre qualité et négligeant leurs champs. Malgré une récolte réduite, on augmenta les exportations de céréales vers l'Union soviétique en 1959, pour obtenir des machines-outils et développer l'industrie lourde. Ce fut le prélude à une famine dévastatrice qui tua, selon les estimations, 20 millions de personnes, peut-être plus.

Dans les zones urbaines, les entreprises, les écoles, les ménages répondirent à l'appel qui leur était lancé à se défaire de tout ce qui pouvait se fondre et produire de l'acier : chaudrons et woks, poêles à charbon, boutons de porte, n'importe quoi en fait, tout ce qui était en fer ou en acier, que ce fût utilitaire ou décoratif. La plupart des gens fournirent des chaudrons et des casseroles. Très vite, ces articles disparurent des cuisines et rejoignirent la liste des objets rationnés. On était aussi encouragé à céder tout ce qui pouvait aider à alimenter les flammes des hauts fourneaux. Ma mère se débarrassa de sa planche à découper, une précieuse pièce de bois d'une sorte qui n'était plus disponible dans les magasins.

Des campagnes secondaires furent également lancées contre les effets négatifs de la lutte pour l'accélération de l'industrialisation.

Une campagne pour nettoyer les villes infestées de vermine devint une véritable passion nationale durant l'été 1958. Puisqu'elle était la capitale, on s'attendait à ce que Pékin fût un exemple pour le pays. «À bas les quatre nuisibles!» disait le slogan du jour. Les moineaux, les rats, les mouches et les moustiques m'aidèrent à naviguer vers le prochain test de loyauté demandé par le parti. Mon point fort était la tapette à mouches. J'y obtins et surpassai des scores personnels étonnants. Les vermines étaient nombreuses; elles mangeaient notre nourriture et suçaient notre sang. Il n'était donc pas difficile de mobiliser une armée d'exterminateurs de bonne volonté. Sacrifier du temps de loisir et aller jusqu'à passer outre la sieste du midi semblait un prix minime à payer pour éliminer ces vecteurs de maladies.

Les moineaux étaient ciblés parce qu'ils consommaient les précieuses céréales. Non seulement on empoisonnait ces oiseaux ou on leur tirait dessus, mais on les torturait à mort. Des gens escaladaient les toits des maisons et y restaient des heures et des heures avec des tambours et des cymbales, en hurlant et en agitant des bannières. Terrifiés par ce chahut, les moineaux n'osaient se poser. Ils tournaient dans les airs tant qu'ils le pouvaient pour finalement s'écraser au sol, complètement exténués. On trouva soudainement des moineaux au menu des restaurants comme jamais auparavant. Frits, la tête croustillante et tout, ils étaient très savoureux.

Un après-midi, la réunion avec un attaché commercial tchécoslovaque serait interrompue par un tintamarre de cymbales provenant du toit. À travers ce tohu-bohu, on ne pouvait presque pas se comprendre. Le diplomate se pencha de côté et me cria à l'oreille: «Est-ce un jour de fête?

– Ils chassent seulement les moineaux», hurlai-je.

Il eut l'air sceptique:

«Croyez-vous vraiment vous débarrasser de tous les moineaux de cette manière?

– Les gens ne le feraient pas si cela ne fonctionnait pas», dis-je avec, je l'espérais, une certaine conviction. Je n'étais pas du tout sûre que ce fût là la vérité, mais à cette époque, j'avais peur de chuchoter, à plus forte raison de crier, le moindre avis qui se serait écarté de la ligne du parti.

« Et d'abord, est-ce une si bonne idée de tuer les oiseaux ? » cria le diplomate en cherchant à se faire entendre.

Il avait raison. La population de moineaux en Chine piquait du nez et les insectes qu'ils mangeaient normalement retournaient festoyer dans les récoltes. Après que l'on eut reconnu le problème en 1960, les moineaux seraient retirés de la liste des quatre nuisibles. Ils seraient remplacés par les punaises.

Alors que ma propre expertise dans la chasse aux moineaux était plutôt moyenne, c'était une tout autre affaire pour ce qui était des mouches. Au travail, on avait lancé un concours à qui en tuerait le plus. Le décompte journalier était affiché bien en vue sur le mur du bureau. Le secrétaire du parti convoqua des réunions de suivi.

« C'est Kang qui a tué le plus de mouches cette semaine – 3256. (Il fit une pause pour permettre les applaudissements.) Le sérieux de son implication dans la campagne mérite des éloges. J'espère que vous suivrez son exemple et essaierez de dépasser les records établis. »

« Comment fait-elle pour y arriver ? me demandais-je. Même en ne faisant rien d'autre que de les chasser à longueur de journée, je ne crois pas que je pourrais écraser autant de mouches. » Je lui demandai son secret.

« Viens avec moi après le déjeuner », chuchota-t-elle.

C'était une journée humide de juillet, mais je sautai ma sieste et suivis Kang dans la ruelle arrière. Avant même que je puisse le voir de mes yeux, mon nez avait détecté son secret. Un gros monticule de légumes était en train de pourrir dans la chaleur de l'été. L'odeur était épouvantable – et les mouches ! Je ne pouvais croire à la chance que nous avions. C'étaient d'énormes mouches, des mouches à viande rendues léthargiques sous l'ardeur du soleil. Vous n'aviez qu'à balancer votre tapette à mouches d'avant en arrière et elles tombaient à vos pieds.

« Une, deux, trois… 50… 100… Je ne peux pas suivre ! criai-je de plaisir. Combien en as-tu tué ? »

Je me tournai vers Kang qui se tenait à l'autre bout du tas d'ordures. Elle était totalement concentrée. Sa petite silhouette constamment en mouvement se détachait à contre-jour. Je m'arrêtai pour contempler sa gigue experte. Elle tenait, d'une main, la tapette à mouches et, de l'autre, un mouchoir devant son nez. Sa jupe se balançait d'un côté et de l'autre pendant qu'elle dansait d'un pas frénétique, irrégulier. Elle essayait d'éviter de frapper sur les tomates pourries pour ne pas en éclabousser sa jupe. La mienne, blanche, était maintenant complètement couverte de taches rouges.

Kang et moi allâmes régulièrement dans la ruelle arrière durant nos deux heures de pause du midi. Parce que nous sautions la sieste, plusieurs d'entre nous trouvaient difficile de se concentrer l'après-midi, et tout spécialement de rester éveillés lors des réunions politiques.

Mes résultats à la tapette à mouches montaient en flèche. Nous devions faire nous-mêmes le décompte de nos chasses et nous étions si disciplinées qu'il ne nous serait jamais venu à l'esprit de modifier notre pointage. De toute façon, je n'aurais pas eu le culot de gonfler les chiffres impressionnants que j'atteignais depuis que Kang partageait son tas d'ordures avec moi.

Un jour, toute cette affaire commença à me déranger. Pourquoi laissait-on les déchets s'accumuler un peu partout, leur permettant de devenir de tels foyers d'infection ? On arrivait à tuer un grand nombre de mouches et à établir des records. On épandait alors plus de détritus, pour engraisser plus de mouches, que nous passions plus d'heures de lunch à tuer. Dans quel cercle vicieux étions-nous engagés ? Pourquoi ne mettions-nous pas plutôt ces efforts à améliorer la collecte des ordures ?

Je partageais une chambre avec une collègue dans le dortoir des femmes de mon unité de travail. Nous n'étions pas ennuyées par les rats parce que c'était un immeuble neuf. La cour de la maison centenaire où logeait ma famille en était cependant terriblement infestée. Au début, après qu'on y eut emménagé, j'étais souvent réveillée par les plaintes des chats en chaleur ou par les rats qui faisaient leur ronde de nuit. Je suivais au cliquètement de leurs pattes leurs promenades sur le parquet.

Durant la campagne d'élimination de la vermine, chaque famille était censée poser des trappes. Les nôtres faisaient plutôt office de distributeurs de nourriture jusqu'à ce qu'un voisin nous dise : « Appâtez-les avec un morceau de couenne de lard ; c'est graisseux, ça sent bon, mais c'est difficile à mâcher. Quoi que vous choisissiez, ne mettez jamais de viande cuite sur l'amorce car il est trop facile pour le rat de partir avec. »

De la mort-aux-rats était distribuée à chaque ménage. On devait en remplir les trous entre les lattes du plancher. Hua avait un esprit pratique : elle avait peur que, si les rats mouraient à l'intérieur de ces trous, l'odeur de pourriture emplisse la maison et, plus grave, qu'il s'ensuive une épidémie. On faisait donc très attention d'étendre la poudre le long des lattes, mais pas dans les trous, en espérant éviter ainsi les mortalités entre les murs. C'est lors de la campagne contre les quatre nuisibles que je rencontrai deux hommes et ce, presque simultanément. L'un était Zhou, un maître de conférences qui avait passé plusieurs années aux États-Unis. Il y avait décroché un diplôme d'architecte avant de revenir en Chine peu d'années auparavant. Sa sœur travaillait dans mon bureau et c'est elle qui nous avait présentés l'un à l'autre. Nous allâmes danser à quelques occasions et nous eûmes beaucoup de plaisir. C'était un compagnon cultivé et intéressant.

L'autre était le vice-secrétaire de la section de la Ligue de la jeunesse à mon unité de travail. Wang s'était enrôlé dans l'armée lorsqu'il se trouvait dans sa ville natale, Tangshan, une ville située au nord-est de Pékin qui fut presque complètement détruite par un tremblement de terre en 1976. S'enrôler dans l'Armée populaire de libération était le rêve de presque tous les garçons. En fait, l'armée représentait le sommet de la respectabilité révolutionnaire. On en faisait l'éloge autant dans les romans, dans les films que dans les pièces de théâtre. Avoir un membre de la famille dans l'armée était très prestigieux. Une bannière rouge où étaient inscrits les mots « famille honorée » pouvait être placée au-dessus de la porte.

Une telle bannière ornait l'entrée de notre logeuse parce que sa fille travaillait pour la Compagnie cinématographique du Premier-Août, qui appartenait à l'armée. Elle ne mentionnait plus le passé de sa famille dont les membres avaient été des propriétaires terriens, ce qui avait jadis été sa fierté. Maintenant, elle rappelait à ses voisins les privilèges dont jouissait une «famille honorée». Elle s'enthousiasmait à propos de n'importe quel passe-droit : «On vient tout juste de me donner trois billets pour aller voir un film de guerre!» Lors des fêtes nationales, des cadres locaux allaient rendre visite à la famille, ce qui était une attention particulière. Durant la Révolution culturelle, la bannière «famille honorée» préserva la maison du pillage lorsque les gardes rouges firent irruption dans notre cour.

Après son engagement, Wang fut envoyé à l'Institut militaire des langues étrangères pour apprendre le japonais. Quatre ans plus tard, l'obtention de son diplôme de l'Institut avait marqué la fin de sa carrière militaire. Retourner à la vie civile n'avait pas été son choix, mais il fut réformé parce qu'avant la Libération, un oncle éloigné avait appartenu à un groupe réactionnaire allié au Guomindang.

«Personne n'aurait rien appris de l'affiliation passée de mon oncle si je ne l'avais moi-même confessée, me raconta Wang. En fait, cet oncle n'a été que nominalement membre de ce groupe, et il n'avait aucune idée de la nature de ses activités. Les temps étaient difficiles et il désespérait de trouver du travail. Avant que le groupe n'ait la chance de l'entraîner à faire quoi que ce soit, les communistes ont libéré le pays. Il n'avait rien fait de mal. »

Je lui demandai : «Alors, pourquoi as-tu confessé quelque chose qui n'avait pas de grande signification et qui pouvait seulement te faire du tort à toi, ainsi qu'à ta famille ?

– Rien ne doit être caché au parti», dit-il, en prononçant cette phrase à la manière d'un slogan, comme il le faisait souvent. À cause de sa confession, Wang fut jugé avoir certains «liens sociaux compliqués». Lorsque vous vouliez exercer certains emplois, l'inscription de cette expression dans votre dossier équivalait au baiser de la mort. Jugé trop «compliqué» pour faire partie de l'armée, il serait donc affecté à mon unité de travail.

Wang venait souvent au bureau revêtu de son vieil uniforme militaire. Son style empreint de sobriété m'attirait. Il était grand et athlétique et, lors des réunions, il parlait de façon éloquente. Mais ce qui m'impressionnait le plus était son écriture. Un jour, il partit avec des milliers d'autres pour aider à construire le réservoir du Tombeau des Ming, juste à l'extérieur de Pékin. Les lettres qu'il m'écrivit de là étaient riches en descriptions, voire poétiques. J'en lisais attentivement chacune des lignes et je cherchais même à y découvrir quelque touche de romantisme, mais il n'y avait rien à y trouver. Alors je me sentais coupable d'y avoir cherché quelque chose, preuve de plus de mon sentimentalisme petit-bourgeois malsain.

Je ne pouvais me décider à choisir entre la disposition pour le plaisir de Zhou et le sens du devoir de Wang. Mais si un homme et une femme étaient souvent vus ensemble en public, on présumait qu'ils allaient se marier. Comment pouvais-je continuer à être aperçue en compagnie de deux hommes ? La situation était intenable. Je devais donc choisir, et ce bien avant d'avoir eu la chance de bien connaître l'un des deux.

Je décidai de demander son avis à Ni, le secrétaire de la Ligue de la jeunesse. Je savais que rien ne pouvait être caché au parti ni à sa branche jeunesse, mais j'eus une grande difficulté à aborder le sujet. Je n'étais pas habituée à parler de choses personnelles, même pas avec mes sœurs. Le bureau de Ni était aussi propre et soigné que l'homme lui-même. Je m'assis devant lui de l'autre côté d'une table de travail impeccable et je commençai à balbutier la raison de ma visite : « Je… J'ai un problème d'ordre pratique. » Je déclarai à Ni que j'avais rencontré deux hommes et que j'avais besoin de l'aide de la ligue pour décider lequel choisir.

Il hésita avant de répondre. « Je suis heureux que tu possèdes un grand sens de la loyauté envers le parti. Mais puisqu'il s'agit d'une question personnelle, je ne peux te dire quoi faire. Je te conseillerais cependant de bien peser les considérations politiques. » Je le remerciai et le quittai, toujours aussi confuse. Comment allais-je faire pour « peser les considérations politiques » en jeu ? Je décidai de dresser une liste de critères pour faciliter la comparaison. Chacun des deux hommes y était représenté par une lettre, « A » pour Zhou et « B » pour Wang.

| *Origine familiale :* | *A : bourgeoise* |
| | *B : paysanne moyenne pauvre* |
| *Affiliation politique :* | *A : non-membre du parti* |
| | *B : membre de la Ligue de la jeunesse et* |
| | *candidat à l'affiliation au parti* |
| *Éducation :* | *A : éducation aux États-Unis* |
| | *B : Institut militaire des langues étrangères* |
| *Statut social :* | *A : intellectuel bourgeois* |
| | *B : intellectuel prolétaire* |

La liste allait ainsi, comparant les différences entre les styles de vie, les intérêts, les goûts et, bien sûr, les attitudes politiques des deux hommes. Maintenant que j'avais organisé tout cela sous forme de liste, je m'apercevais que « B » était le choix sensé. Je pensai que d'épouser quelqu'un ayant de meilleurs antécédents politiques et familiaux que les miens m'aiderait, ainsi que mes enfants plus tard, à échapper à la stigmatisation liée à mes propres origines.

Durant toute la période du Grand Bond en avant, l'activité politique a rempli nos vies. Seul jour de congé, le dimanche était consacré à nettoyer notre bureau et les chambres du dortoir. Wang venait souvent m'aider à laver les vitres, une tâche que je détestais. En soirée, on participait au montage d'expositions consacrées aux réalisations du Grand Bond en avant. Pendant les pauses après les repas, on chassait les mouches.

Il y avait aussi des excursions de masse vers des sites en construction autour de Pékin pour des périodes d'une semaine de travail manuel volontaire. Le travail était volontaire seulement dans le sens où il n'était pas rémunéré. Dans une large mesure, le réservoir du Tombeau des Ming et les « dix grands édifices » de Pékin, parmi lesquels le Grand Hall du Peuple de la place Tiananmen, ont tous été construits à cette époque, largement grâce à ce travail de volontaires non qualifiés. Participer à la construction d'ouvrages aussi importants, en particulier à celle des édifices qui se dressent autour de la place Tiananmen, était considéré comme un grand honneur. Si vous aviez assez de veine pour être ainsi enrôlé,

c'était le signe qu'on avait réellement confiance en vous. Les ennemis de classe, de potentiels saboteurs, n'obtenaient jamais de telles
affectations.

Wang brillait dans toutes ces activités. Il me montra les lettres
de félicitations qu'il avait reçues des cadres responsables de ces
chantiers ; j'étais très fière de lui. Je le voyais comme l'incarnation
même du nouvel homme révolutionnaire. Par association, pour-
rais-je devenir moi aussi une nouvelle femme révolutionnaire ?

Je me distanciai poliment du professeur d'architecture et continuai à fréquenter Wang. On allait au cinéma et on marchait
ensemble après le travail. Il était attentif et prévenant. Dans ce
contexte de pénurie alimentaire pendant le Grand Bond en avant,
Wang se levait à l'aurore pour me ramener ce qu'il y avait de
meilleur à la cantine. Nous vivions dans les dortoirs pour hommes
et femmes célibataires et chaque matin en arrivant au travail, je
trouvais mon petit-déjeuner qui m'attendait sur mon bureau. À
midi, il était de nouveau le premier à faire la queue à la cantine
pour m'en rapporter les meilleurs plats. Il prenait bien soin de
moi.

« Tu en as de la chance ! » me disait ma camarade de chambre,
qui travaillait dans un jardin d'enfants. Elle pensait que j'avais
décroché le meilleur parti. Une de mes collègues émettait cependant des réserves. « Wang est effectivement très gentil et il a de
grandes qualités. Mais tout gentil qu'il soit, tu verras qu'avec le
temps, il n'est pas nécessairement fait pour toi. Vous avez des origines complètement différentes. Tôt ou tard, cela finira par compter. Si j'étais toi, je me fierais plus à ma tête qu'à mes sentiments. »

Je savais qu'il y avait quelque chose de vrai dans ses propos.
J'avais déjà constaté des divergences entre nous dans presque tous
les domaines autres que ceux de la politique et du travail : quant à
la fréquentation des salles de danse, par exemple. Elles étaient
populaires en Chine avant la Libération ainsi que durant les années cinquante. J'adorais y aller et, pendant des années, je n'ai
manqué aucune des danses hebdomadaires organisées par notre
unité de travail.

Wang ne dansait pas. Il s'asseyait sur le côté et me regardait valser avec d'autres partenaires. Mais maintenant que j'avais en quelque sorte un fiancé, mes anciens partenaires de danse hésitaient à m'inviter. Je faisais donc tapisserie de plus en plus souvent, observant avec envie les autres couples sur la piste de danse. Finalement, je cessai d'y aller. J'aimais aller voir des films et en discuter ensuite. Wang appréciait le cinéma, lui aussi, mais il admettait instantanément tout ce que je disais du film à la sortie et ne risquait jamais une opinion personnelle.

Je trouvais cela décevant ; Wang n'avait-il pas ses propres opinions ? Bien sûr que je voulais être aimée et qu'on s'occupe de moi, mais pas de la façon qui était la sienne – cette façon qu'il avait de faire des pieds et des mains pour me servir, d'être d'accord avec moi sur tout, et de débarquer dans mon bureau si fréquemment que cela en devenait irritant. Et j'aurais souhaité également qu'il eût d'autres sujets de conversation que sa vie dans l'armée. Lorsqu'on sortait avec ses amis militaires, je ne me sentais pas du tout à ma place.

Je savais que ma mère n'aimait pas tellement entendre parler de lui, mais il fallut bien à un moment donné amener Wang à la maison pour une sorte d'examen. Je pris soin de lui donner quelques instructions. Par exemple, lors de sa première visite, il ne devait pas arriver les mains vides. On acheta donc du vin et des gâteaux avant d'arriver à la maison.

Lorsque je le présentai à mes parents, Wang était nerveux, faisant tout son possible pour être poli. Il les appela donc oncle et tante, comme le veut la coutume quand on s'adresse aux hommes et aux femmes qui ont l'âge de nos parents. Mais ce fut une véritable catastrophe ! La porte était à peine franchie qu'il se mettait déjà les pieds dans les plats : il avait choisi les termes qu'on utilisait à la campagne pour dire oncle et tante, les termes que les paysans utilisaient entre eux. Les gens éduqués de la ville n'employaient jamais, mais jamais ces expressions. Ça commençait plutôt mal.

C'était un jour torride du milieu de l'été. Même si la porte d'entrée et une fenêtre à l'arrière étaient grandes ouvertes, aucune brise ne traversait. On se serra autour de la table dans le logement exigu de mes parents. Mon père, qui se chargeait le plus souvent de la cuisine, apporta les plats fumants dont la petite table fut complètement couverte.

Soudain, je remarquai avec horreur que Wang avait roulé ses pantalons militaires pour s'aérer. Puis il commença à se gratter les jambes nerveusement, cependant que ma mère le pressait de questions à propos de sa famille. Je m'étais inquiétée durant des semaines de l'impression qu'il allait donner et voilà qu'il se comportait comme s'il s'était trouvé accroupi avec des copains au camp d'entraînement. Je me retins difficilement de sauter de ma chaise pour lui dérouler ses jambes de pantalons.

Quel contraste avec ce qu'avait été la visite chez mes parents de mon ami «de droite» Xian, l'année précédente. Issu d'une famille de la haute société de Shanghai, il avait naturellement des manières raffinées. Il avait appris à ne jamais hausser le ton dans une conversation, à se tenir droit lorsqu'il était en visite, à éviter d'aborder des sujets inappropriés lorsqu'il parlait avec des personnes âgées et à être irréprochable pour tout ce qui était des manières à table. Bien sûr, en matière de comportement, Xian pouvait aussi être casse-pieds. Un jour, après une sortie au cinéma, alors que nous attendions l'autobus tard en soirée, je m'appuyai nonchalamment contre le poteau de l'arrêt. «Les femmes ne doivent pas se tenir ainsi, me reprocha-t-il. Ce n'est pas gracieux.»

Je m'en voulus de surveiller Wang ainsi, tandis qu'il faisait manifestement de grands efforts avec mes parents. C'était un homme bon et certainement un gentil camarade, et je me voyais en train d'accorder de l'importance à des choses qu'une autre partie de moi-même considérait comme tout à fait triviales.

Ma mère l'examinait de la tête aux pieds. «Mangez, mangez», lui disait-elle en s'assurant que son bol fût toujours plein, mais ce disant son visage restait fermé. Mon père, quant à lui, était toujours gentil et accueillant avec les gens que je ramenais à la maison. «Qui que tu choisisses, ça ne me dérange pas, pourvu que tu sois heureuse», disait-il.

Après son départ, ma mère déclara que Wang lui faisait penser aux gens du Nord. Comme je lui dis qu'en effet il venait du Nord, elle grogna: «Je crois que tu devrais choisir un homme du Sud. Ceux du Nord n'ont pas les mêmes habitudes que nous.» C'était une allusion directe aux gaffes de Wang.

Peu après cette visite, Wang et moi nous sommes fait photographier. Presque personne ne possédait d'appareil photo à l'époque. Les citadins aimaient aller dans un studio de photographie pour souligner les événements importants, le mariage en particulier. Le résultat nous plut à tous les deux: nous étions souriants et bien mis dans nos chemises blanches fraîchement empesées. Wang commença à distribuer la photo autour de lui. Il la fit parvenir à sa famille à Tangshan et à ses amis de l'armée. Il en offrit même une à ses collègues de travail. Ce n'était pas un geste anodin, mais une véritable déclaration d'intention. Pour ma part, je n'étais pas aussi sûre d'être prête.

Nous n'avions pas vraiment d'intimité. Nous avions tous deux un compagnon de chambre. Même lorsque ceux-ci étaient absents, n'importe qui pouvait faire irruption dans la chambre avant qu'on ait eu le temps de répondre à un léger coup sur la porte. Nous en étions réduits à ne pouvoir nous tenir la main qu'au cinéma. Une occasion se présenta subitement lorsque ma compagne de chambre m'annonça qu'elle partait pour un week-end. Wang et moi avons apporté des plats dans ma chambre pour manger en tête à tête. C'était la première fois que nous en avions la chance. Nous parlions bas et marchions sur la pointe des pieds. À la tombée du jour, nous avons décidé de ne pas allumer, en espérant que tous croiraient que je n'étais pas là, et nous avons fermé à clé.

Nous avons alors commencé à nous caresser et à nous dévêtir maladroitement l'un l'autre jusqu'à ce que nous soyons complètement nus. Et puis nos yeux se rencontrèrent dans l'ombre et, apeurés tout à coup, nous nous sommes séparés. Nous avons cessé de nous caresser, et avons commencé à parler de choses et d'autres. Restant assis dans le noir quelque temps nous remîmes nos vêtements tranquillement. Est-ce la morale, la peur d'être découverts ou un simple embarras qui nous retint d'aller plus loin? En tout cas, parce que nous nous étions rendus jusque-là, je sentis qu'il n'était plus possible de revenir en arrière.

Quelques jours plus tard, Wang m'annonça qu'il avait parlé à son travail au secrétaire du parti et que notre relation avait reçu l'assentiment officiel. «Je crois que nous devrions unir nos vies», dit-il.

Je ne dis pas un mot, je le regardai seulement en hochant la tête. C'est de cette façon grave et maladroite qu'on s'engagea l'un envers l'autre.

J'étais déçue. Ce n'était pas de cette façon que j'avais imaginé la grande demande. Je pensais que je ressentirais une légère exaltation de mes sentiments pour mon futur époux au moment où celui-ci me demanderait en mariage.

Wang dit alors: «J'ai quelque chose pour toi.» Avec un embarras évident, il me tendit un livre que je déballai pour lire sur la page titre: *Tout sur la sexualité*.

«Il est difficile de se le procurer», chuchota Wang, rougissant. «Tu devrais lire ça, mais fais attention que ta compagne de chambre ne le découvre pas.»

Je ne me doutais pas qu'un tel ouvrage existât. Durant les soirées qui suivirent, tournant le dos à ma camarade de chambre, je le lus avec voracité, ayant bien soin de le cacher sous mon matelas avant de m'endormir. Pas plus que les religieuses de Sacré-Cœur, mes parents et mes sœurs plus âgées ne m'avaient parlé de sexualité.

La description des organes reproducteurs, ainsi que celle de la conception, y tenaient du cours de biologie élémentaire, mais tout le reste n'était que pure morale. Avoir plus d'un orgasme était par exemple déconseillé pour la simple raison que cela pouvait vous fatiguer. La masturbation était considérée comme malsaine tant du point de vue moral que physique, et toute relation sexuelle devait être évitée durant les menstruations. Faire l'amour n'était pas considéré comme une chose spontanée, mais plutôt comme une activité qui devait être guidée par certaines règles. Avoir des relations sexuelles à la fréquence de deux à trois fois par semaine, y lisait-on encore, était bon pour la santé.

Le livre mettait l'accent sur le fait que ce qui unissait les époux dans le mariage n'était pas la sexualité, mais la camaraderie révolutionnaire. Puisque c'était le seul conseil qu'on m'avait jamais donné sur le sujet, je pris cela très au sérieux.

Ma mère ne fut pas transportée de joie à l'idée de mon mariage. Elle ne trouvait rien de particulier à Wang. «Tu as seulement 23 ans. Tu es beaucoup trop jeune pour te marier. Tu ferais mieux d'attendre d'avoir 35 ans. Pour ma part, j'aurais fait plein de choses si je n'avais pas été prisonnière de tant d'enfants.»

Ma mère pensait qu'elle était une femme forte, destinée à avoir une carrière comme un homme, et c'est ce qu'elle pensait de moi aussi. «Quand tu n'étais qu'une enfant, une amie m'a dit à ton propos : "Cette fille-là va devenir une lionne." Je le crois également. Il y a plein de choses que tu pourrais continuer à faire sans un homme, tu sais.»

«Mais… Maman, protestai-je, si je suis encore célibataire à 25 ans, on dira que je suis une vieille fille. Je ne veux pas avoir l'air d'une sorte d'étrange virago.»

En octobre 1958, j'étais mariée. Les préparatifs du mariage étaient simples à l'époque. Toute extravagance était méprisable. On acheta seulement des draps et des articles de cuisine indispensables. Mais ma mère me confectionna deux vestes de brocart, même si elle désapprouvait notre union. «Tu ne peux pas porter de vieux vêtements le jour de ton mariage! Mets la veste rose; ça te portera chance.»

«On a besoin de deux bagues, comme symboles de notre union», suggérai-je à Wang. Quoi que je dise, il ne s'y objectait jamais. Nous nous rendîmes donc sur l'heure dans une bijouterie pour acheter deux anneaux d'or de 14 carats. Je mis le mien tout de suite et il enfonça le sien dans sa poche. Il ne le porta jamais. À ce moment-là, porter une alliance était considéré comme bourgeois.

Nous devions aussi obtenir un certificat de mariage, document portant nos noms et nos âges ainsi que l'inscription «camarades révolutionnaires» gravée en gros caractères. Plusieurs couples faisaient encadrer leur certificat de mariage qui figurait fièrement dans la maison à côté des photographies de noces. Le nôtre n'a jamais été exposé au mur.

La nuit tombait lorsque nous sortîmes du bureau des mariages, tenant nerveusement ce morceau de papier qui faisait de nous des camarades révolutionnaires. Ni l'un ni l'autre ne prononça un mot. Je me sentais misérable et les larmes commencèrent à couler sur mes joues.

« Qu'est-ce qui ne va pas ? » me demanda Wang. Il pensa que c'était une réaction nerveuse et il essaya de me réconforter. « C'est rien, ça va aller. Toutes les femmes sont comme ça. Elles se sentent tristes lorsqu'elles quittent leurs parents. Tu verras, nous allons commencer une vie heureuse ensemble. »

Nous marchâmes jusqu'à un restaurant tout près, où les tables étaient tassées les unes contre les autres. Habituellement nous ne buvions ni lui ni moi, mais pour l'occasion, nous commandâmes deux verres de vin rouge pour trinquer à notre avenir. Lorsque le vin arriva, je choquai mon verre contre le sien. Nos yeux se croisèrent et je ne pus retenir mes larmes. Je n'étais pas amoureuse. Pourquoi nous avais-je fait ça, à moi et à lui ?

## CHAPITRE VI

# Mon premier compagnon révolutionnaire

Bien que légalement enregistrés comme mari et femme, Wang et moi avons continué à vivre séparément dans nos dortoirs respectifs. Pour demander une chambre de couple marié, vous aviez à montrer votre certificat de mariage et ensuite à attendre qu'il y en ait une qui se libère. En janvier 1959, trois mois après notre mariage, une petite chambre devint vacante à l'intérieur d'un appartement de trois pièces; les deux autres pièces étaient occupées par le chef du service des ressources humaines et sa famille.

Le jour où nous devions déménager dans notre petite chambre, une cérémonie de mariage fut organisée dans l'immense cantine exposée à tous les vents de notre lieu de travail. On avait disposé à intervalles réguliers, sur les tables placées en U, des tasses de thé et des plateaux de bonbons, des graines de tournesol et de pastèque. À cause de la pénurie qui sévissait à cette époque du Grand Bond en avant, on avait commencé à acheter des bonbons plusieurs mois à l'avance. Les friandises de bonne qualité étaient rares. Lorsqu'elles apparaissaient, on sautait sur l'occasion pour en faire provision.

La cérémonie concernait deux couples. Les futurs mariés avaient revêtu leurs vestons à col Mao. Je portais ma veste de brocart de soie rose et l'autre mariée en avait une de soie bleu pâle. Officiant comme maître de cérémonie, Zhu, le secrétaire du parti, était assis à la table centrale, juste au-dessous d'un portrait de Mao. Ma mère était le seul parent présent de l'un ou l'autre des « camarades révolutionnaires » honorés, et je peux dire qu'elle regardait la cérémonie d'un œil désapprobateur. Mon père était tout simplement resté à la maison. Lorsque mes sœurs Mei et Hua s'étaient mariées, il les avait données à leurs époux lors de grandes cérémonies à l'occidentale, avec tout le tralala : robe de mariage et bouquetières, champagne et banquet somptueux. Ces événements s'étaient déroulés dans des salles décorées avec goût, louées dans des hôtels de luxe pour l'occasion. Une réunion politique dans la cantine d'une unité de travail n'avait rien à voir avec l'idée que mon père se faisait d'un mariage.

« Vous autres, les jeunes, vous êtes si chanceux, dit le secrétaire Zhu pour commencer. Je me suis marié durant les terribles années de guerre d'avant la Libération, lorsque la vie était si difficile. On ne possédait presque rien et on n'a certainement pas eu la chance d'avoir une belle cérémonie comme celle-ci. Ma femme et moi avons seulement réuni nos deux couchages ensemble et ça y était. »

Zhu suivait le scénario normal d'ouverture et de fermeture de toute réunion – « rappeler les souffrances du passé et réfléchir sur la source du bonheur présent ». Il enchaîna donc :

« Dans des moments comme ceux-là, vous devez vous rappeler la bonté et la gentillesse du parti, sans qui la célébration d'aujourd'hui n'aurait pas été possible. Et vous devez avoir de la gratitude envers le parti qui vous enseigne que ce qui unit le plus fortement deux personnes dans le mariage, c'est de partager un but commun. Le parti vous offre ces objectifs révolutionnaires partagés. Et maintenant, demandons à nos heureux couples de nous dire comment ils se sont rencontrés et comment ils ont décidé d'unir leurs vies. »

Nous en étions maintenant arrivés à la partie que je redoutais. Vous deviez alors vous tenir debout devant une assemblée de 30 invités, pour la plupart des collègues desquels vous n'étiez pas particulièrement proche, à qui vous présentiez votre propre expérience sous la forme d'une fable révolutionnaire destinée à l'édification de tous.

Les gens formant l'autre couple étaient plus âgés que nous. Ils passaient donc en premier. L'auditoire épargna la mariée parce qu'elle venait d'une autre unité de travail et que de parler devant des étrangers l'intimidait. Notre collègue le marié discourut donc pour deux. Il rapporta comment ils s'étaient rencontrés et comment ils avaient été attirés l'un vers l'autre parce qu'ils venaient du Sud. Cette attraction initiale s'était approfondie avec le temps, dit-il, en découvrant qu'ils partageaient beaucoup plus : un désir commun de travailler sans relâche pour la Chine nouvelle.

Lorsqu'il se rassit, tout le monde se leva et applaudit. Le secrétaire du parti en avant était radieux. Le jeune marié était candidat à l'affiliation au parti et son baratin avait été taillé sur mesure.

C'était maintenant à notre tour. Je détestais parler en public, mais cette fois je ne pouvais y échapper. Me tortillant nerveusement les mains, je me levai. Les invités décortiquaient des graines de tournesol, crachant les écales sur la nappe blanche, et me regardaient, attendant que je débute.

« Nous sommes différents de l'autre couple », dis-je en commençant. Je m'arrêtai. Que devais-je dire ensuite ? J'avais un trou de mémoire.

« Parle-nous donc de cette différence », dit quelqu'un dans l'auditoire, se faisant entendre au milieu de mon long silence de plus en plus inconfortable.

« Eh bien, ce que je voulais dire était que Wang et moi travaillons tous les deux ici. Tout le monde sait comment nous nous sommes rencontrés, comme nous nous voyons souvent et toutes sortes de choses comme ça. Je veux dire... vous nous voyez tous les jours ici à la cantine. Il n'y a vraiment rien que je puisse ajouter que vous ne sachiez déjà. »

Je me rassis. Se sentant trompée, l'assemblée n'applaudit pas. Les participants continuèrent à décortiquer des graines de tournesol tout en me regardant de travers. Ils s'attendaient à ce que je leur raconte une histoire et je ne leur avais dit que des choses tenant de la plus banale vérité. Je ne voyais vraiment pas comment leur présenter notre histoire comme quelque chose d'inspirant ou de réconfortant.

Pour sa part, Wang essaya de redresser la situation. « Zhimei et moi nous sommes rencontrés il y a quatorze mois. Cela ne nous a pas pris beaucoup de temps pour nous apercevoir que nous avions beaucoup en commun. C'est une camarade très vaillante. Elle est aussi très sérieuse en ce qui concerne la politique. Je pense que, tous les deux, nous partageons ces qualités et que nous les trouvons attirantes chez l'autre.» C'était un peu mieux. Des têtes commencèrent à hocher en signe d'approbation autour de la table.

«Nous entrons dans une union, continua Wang, établie sur les solides fondations que sont des valeurs progressistes partagées, un optimisme révolutionnaire et le désir fervent de servir le parti. Notre décision de nous marier a été motivée par l'idée que nous apporterons encore plus à la société en tant que mari et femme. Nous désirons tous les deux ardemment travailler pour la Chine nouvelle de quelque façon que ce soit.»

À la fin des applaudissements, le secrétaire Zhu se tourna vers ma mère et lui demanda si elle voulait prononcer quelques mots. Embarrassée, celle-ci baissa la tête et fit un vague signe de la main qui signifiait qu'elle ne voulait pas. Elle aimait parler en public à peu près autant que moi.

Avec l'autre couple, nous nous prosternâmes profondément d'abord devant le portrait de Mao, puis vers Zhu (en tant que représentant du parti) et l'un vers l'autre. Pour terminer la cérémonie de mariage, Zhu entonna un chant intitulé *Le socialisme est bon*:

> Les impérialistes ont fui, la queue entre les jambes
> Le peuple a retrouvé son unité
> L'édification socialiste bat son plein.

Après la cérémonie, la famille et les amis furent invités à visiter notre nouvelle chambre, comme cela se faisait d'habitude. Même si elle était minuscule, nous étions contents de l'avoir obtenue. Nous aurions pu languir encore longtemps sur la liste d'attente. La chambre était tout juste assez grande pour contenir un lit à deux places, une table de travail, une chaise et une commode avec un peu d'espace autour. La seule touche décorative était un buste du président Mao posé sur la table de travail.

Nous dûmes recevoir nos invités par petits groupes parce que seulement six personnes pouvaient y entrer à la fois; un groupe devait sortir pour permettre à un autre d'entrer. Avec son nouvel édredon de soie rouge, le lit était trop joli pour qu'on s'assoie dessus. Les visiteurs se tenaient donc debout tout autour, collés contre les autres meubles. Lorsque le dernier groupe partit, nous étions très fatigués et nous avions raté le dîner.

«J'y avais pensé», dit Wang. Il ouvrit un tiroir de la table de travail et m'offrit quelques biscuits. Ce fut mon dîner de noces.

Notre première nuit ensemble fut traumatisante. Lorsque nous fûmes couchés, Wang éteignit la lumière. J'avais peur. Nous n'échangeâmes pas quelques mots qui auraient pu nous détendre. Nous étions tous les deux totalement inexpérimentés et une fois tout le tripotage terminé, je restai frissonnante de mon côté du lit, en proie à une vive douleur. Mon corps criait: «Plus jamais ça.» Allumés pendant une heure ou deux le matin et le soir, les radiateurs étaient éteints depuis des heures. Frigorifiée et malheureuse, je commençai à pleurer doucement pour ne pas réveiller Wang. C'était donc ça, le mariage.

Le matin suivant, je me rendis à la clinique. Le médecin m'accueillit chaleureusement. «Regardez donc qui est là! C'est notre nouvelle mariée!» Je rougis.

«Que s'est-il passé? Vous n'avez pas l'air bien, dit le médecin.

– Je n'ai pas bien dormi la nuit dernière.» Je n'arrivais pas à prononcer quelque mot que ce fût en relation avec la sexualité. Mon embarras était insoutenable, mais j'avais cependant besoin de quelque chose pour soulager ma douleur.

«Je… J'ai besoin d'aide. C'était très douloureux.»

Il se mit à rire. «Vous vous y habituerez bientôt, camarade. Tout ce dont vous avez besoin tous les deux est d'un peu d'expérience, voilà tout.

– Mais… Je crois que je suis blessée. Pouvez-vous me prescrire quelque chose?

– Alors prenez ça, et il me tendit une bouteille. Ça pourra aider.» À l'intérieur du bureau, j'étais trop embarrassée pour regarder de quoi il s'agissait. De retour à la maison, je lus l'étiquette: Vaseline. Je dis à Wang que je ressentais des brûlures et que j'avais besoin d'une semaine pour guérir. Il respecta ma demande.

Tôt après notre mariage, lors du congé du jour de l'An chinois, nous allâmes à Tangshan rendre visite aux tantes de Wang. Sa mère était morte de tuberculose alors qu'il était enfant et son père vivait dans le sud de la Chine avec sa deuxième femme. Lorsque son père avait déménagé, les tantes de Wang avaient insisté pour le garder avec elles. Elles n'allaient tout de même pas laisser leur neveu devenir un homme du Sud!

«Les sœurs de mon père n'étaient pas vraiment contentes qu'il épouse une femme du Sud, m'expliqua Wang. Lorsqu'une de mes tantes émettait une critique à propos de la femme de mon père, mon autre tante disait: "Mais à quoi d'autre peux-tu t'attendre d'une méridionale?"»

Pendant que Wang me faisait cette confidence, en route vers Tangshan, il était évident qu'il avait oublié que mes parents venaient tous les deux du Sud et que notre mode de vie familial était typique du Sud. Nos habitudes alimentaires, par exemple: les méridionaux mangent généralement du riz à chaque repas et même si nous vivions dans le Nord, c'était encore comme ça à la maison. Ma mère n'aimait pas les plats à base de farine de blé que les gens du Nord substituaient parfois au riz: les petits pains à la vapeur, les nouilles et les raviolis appelés *jiaozi*.

Les tantes de Wang considéraient les gens du Sud comme rusés et sournois. C'étaient peut-être de bons commerçants, mais ils manquaient tout à fait d'esprit de famille. Pour leur part, beaucoup de méridionaux voyaient les gens du Nord comme des culs-terreux, des rustres, des impolis, des ignorants, et se voyaient eux-mêmes comme des gens raffinés et cultivés. Cette conversation entre nous sur les mérites respectifs du Nord et du Sud eut lieu alors que nous étions serrés l'un contre l'autre sur les sièges durs d'un train bondé de vacanciers. Des marchands locaux encombraient l'allée avec des paniers de produits de toutes sortes et des poulets vivants. Je portais ma veste de brocart et je ne me sentais vraiment pas à ma place.

La résidence des tantes de Wang, située dans la banlieue de Tangshan, était une belle maison de campagne bien chauffée, grâce à un *kang*, cette large plateforme de briques qui constitue le cœur de la maison dans les campagnes du Nord. Un tuyau depuis un poêle au charbon redistribue l'air chaud dessous le *kang*. Les membres de la famille dorment côte à côte sur ces plateformes chaudes ; ils s'y assoient également pour prendre leurs repas.

Les tantes avaient mis de côté des aliments rationnés afin de pouvoir nous offrir de la viande, du poisson et des œufs. Le repas était bon, mais je n'étais pas habituée à m'asseoir en tailleur et cette position était pour moi assez inconfortable. Je n'étais pas non plus habituée à dormir sur un *kang*. Même si les tantes de Wang l'avaient judicieusement rembourré, ce n'était décidément pas aussi moelleux qu'un lit. Je remuai et me retournai presque toute la nuit.

Le lendemain, on fit la tournée des autres parents de Wang. Partout on me posait les trois mêmes questions : « Quel âge as-tu ? Combien de frères et de sœurs as-tu ? Combien gagnes-tu ? » Ils étaient surpris d'apprendre qu'une femme pouvait gagner 78 yuans par mois. J'étais fière de toucher un salaire au-dessus de la moyenne. Je me sentais cependant mal à l'aise de l'afficher parce que Wang gagnait moins. Ses 56 yuans par mois étaient ni plus ni moins que le salaire de base des diplômés universitaires. L'opinion commune était que les hommes devaient gagner plus que les femmes. La seule raison de notre différence de salaire était que j'avais une longueur d'avance : au moment où Wang avait commencé à travailler en 1957, je travaillais déjà depuis six ans et j'avais eu plusieurs augmentations de salaire. Celles-ci étaient plus fréquentes avant le Grand Bond en avant ; après le lancement de ce mouvement en 1958, les hausses sont devenues rarissimes. Ainsi, mon salaire qui était de 78 yuans en 1956 resta le même durant vingt-trois ans.

De retour à Pékin, Wang et moi avons eu exactement encore deux semaines de vie de couple normale avant une première perturbation majeure. Pendant ces deux semaines, la même dynamique qu'au moment de nos fréquentations a repris : il faisait des pieds et des mains pour me servir. Chaque matin, je trouvais à mon réveil de l'eau chaude dans un bassin pour me laver le visage. Levé une heure plus tôt, Wang avait même mis du dentifrice sur ma brosse à dents.

Un mois après notre mariage, on m'envoya à la campagne pendant un an pour être idéologiquement « rééduquée » auprès des paysans qui trimaient dur. On désignait pour la rééducation les personnes issues d'une famille non prolétaire qui démontraient un besoin de redressement idéologique. J'étais la candidate idéale.

La perspective d'une séparation d'un an a été ressentie comme un coup dur par Wang plus que par moi. Ma peur de la sexualité avait commencé à s'atténuer, mais cela ne me faisait rien d'être seule pour quelque temps. Wang fit mes bagages et ressortit pour moi ses vieux vêtements de l'armée afin que je les porte pour travailler dans les champs. Lorsqu'il me dit au revoir à la gare, il avait l'air démoralisé.

Nous étions une quarantaine à être envoyés dans le district de Xingtai, situé au sud-ouest de la province du Hebei. Nous étions de tous âges et venions de différentes unités de travail ; certains d'entre nous étaient membres du parti, d'autres non. Les six personnes venant de mon unité de travail furent affectées dans des villages rapprochés les uns des autres afin que nous puissions nous rencontrer pour des sessions d'étude politique les jours de congé.

Avec l'autre femme du groupe, j'ai été envoyée au village de Dongjing'an, d'une population de 300 habitants. Hui était membre du parti. On lui avait dit qu'elle avait besoin d'un peu d'ajustement idéologique. Elle et moi nous retrouvâmes également dans la même équipe de production.

Sauf dans certaines régions éloignées et peu peuplées, l'ensemble de la campagne chinoise était maintenant organisé en équipes de production, en brigades de production et en communes populaires. Chaque village comprenait plusieurs équipes de production qui ensemble formaient une brigade de production. Plusieurs brigades ou villages formaient une commune.

Hui et moi avions une petite chambre dans la maison du secrétaire du parti du village. Nous mangions avec la famille qui comptait trois jeunes enfants. Nous leur donnions de l'argent ainsi que notre petite ration mensuelle de céréales et d'huile de coton. Il n'y avait pas de viande, sauf quand des porcs étaient abattus le jour de la fête nationale, le $1^{er}$ octobre. Chaque famille recevait sa part, selon le nombre de personnes qu'elle comprenait. On suivait la même méthode de distribution lorsque mourait une vache, un âne ou un cheval. Nous pouvions constater cependant que la famille du secrétaire du parti recevait plus que sa part, le boucher venant après le coucher du soleil porter des abats et du saindoux.

Une semaine après notre arrivée, nos collègues des autres villages vinrent dans le nôtre pour la première de plusieurs sessions d'étude politique. Hui la présidait.

« D'abord, je dois faire une autocritique, commença-t-elle. J'ai pleuré en quittant Pékin. Mon mari a été critiqué pour ses idées déviationnistes de droite et j'étais préoccupée par sa situation. » Elle inclina la tête et baissa la voix. « Je me suis moi-même laissé prendre au sentimentalisme petit-bourgeois. Je n'aurais pas dû pleurer. »

Un silence suivit. Les gens se demandaient quoi répondre. Je ne dis rien, mais je me sentais heureuse d'être plus forte que Hui. Après tout, je n'avais pas pleuré en quittant mon mari.

« Comme membre du parti, tu ne dois pas laisser tes émotions prendre le dessus, dit un homme. C'est la raison pour laquelle nous sommes ici : pour nous endurcir, pour apprendre des paysans leurs valeurs prolétariennes et pour acquérir leur solidité. »

Tôt le matin suivant, je fus réveillée par la voix perçante d'un homme. « Au travail ! Au travail ! » Je jetai un coup d'œil à ma montre. Il était seulement cinq heures et demie et il faisait encore nuit.

« Les hommes du village commencent à travailler maintenant, expliqua Hui. Les femmes commencent un peu plus tard parce qu'il leur faut nourrir les enfants. Mais comme nous sommes des cadres, nous devons aller avec les hommes. »

Se lever au cri du chef de l'équipe de production ferait bientôt partie de la routine. Mais en ce premier matin mordant de février, sortir du lit dans une chambre non chauffée fut difficile. J'enfilai mes vêtements froids aussi vite que possible. Je n'avais pas encore appris à les garder au chaud sous l'édredon pendant la nuit. Il fallut briser la glace qui s'était formée dans le bassin de porcelaine. Après nous être rapidement passé de l'eau sur le visage et brossé les dents, nous sortîmes en vitesse. Nous étions les premières. Le chef d'équipe continua à crier pendant que, accroupies sur les talons, nous frissonnions, regardant tous ces visages endormis qui émergeaient de l'ombre pour nous rejoindre. Il fallut trois quarts d'heure pour rassembler tout le monde.

«Ce matin, annonça le chef d'équipe, nous allons retourner le sol dans l'étang à lotus. Ce sera dur; il est à moitié gelé.» Et en effet ce fut vraiment dur. Le sol était boueux à la surface et complètement gelé en dessous. J'arrivais à y planter ma pelle, mais j'étais incapable de l'en retirer.

«Ne creuse pas si profondément, me dit un vieux paysan. Tiens, prends ma pelle. Elle est plus tranchante que la tienne.» Je fus touchée par son geste.

Puis l'homme regarda autour de lui pour s'assurer que le chef d'équipe ne l'entendait pas. «Je ne comprends pas pourquoi vous êtes ici, les gens de la ville, dit-il. En plus, ce n'est pas un travail de femme. Regarde comme tes mains sont délicates. Elles sont faites pour tenir la plume, pas la pelle.

– On est ici pour apprendre de vous, grand-père, lui expliquai-je.

– Apprendre de nous?» Il hocha la tête et recommença à pelleter. Il allait plus vite avec ma pelle émoussée que moi avec la sienne qui était coupante.

«Que pouvez-vous apprendre de nous? Comment faire pour avoir les mains et les pieds boueux?»

La sueur coulait du front de Hui. Elle s'arrêta pour essuyer la buée qui s'était formée sur ses lunettes. Pauvre femme. Dans la quarantaine, un peu grassouillette, elle était encore plus maladroite avec une pelle que je pouvais l'être.

Des semailles jusqu'aux moissons, on fit toutes sortes de travaux dans les champs. La plupart du temps, les hommes et les femmes travaillaient ensemble, mais il y avait certaines tâches auxquelles les hommes tentaient d'échapper. Entre autres, ils n'aimaient pas sarcler les champs de millet parce que cela devait se faire avec une houe à manche court et les hommes n'aimaient pas travailler penchés ou accroupis. La région de Xingtai est une grande productrice de coton. Les hommes n'aimaient pas non plus en faire la cueillette parce que ce travail n'était pas assez «dur». C'était considéré comme un travail délicat, un travail de femmes, et seuls les handicapés ou les vieux travaillaient avec les femmes dans les champs de coton. En d'autres mots, pour que les hommes fassent leur part, le travail devait être ni trop dur, ni trop délicat.

La moisson était le travail le plus éreintant. Nous devions apprendre d'abord à utiliser la faucille et à la manier rapidement et efficacement parce que tout le groupe devait aller au même rythme. Travaillant côte à côte, nous devions avancer à la même cadence et dans la même direction, sinon nous risquions de nous blesser entre nous. Nous coupions du blé pendant plus de douze heures d'affilée, du lever jusqu'au coucher du soleil.

Pendant la récolte, on nous apportait à manger dans les champs. C'était seulement à ce moment-là que nous prenions un vrai repas: des petits pains cuits à la vapeur et du potage aux légumes. Bien que les petits pains de blé nouveau fussent très appétissants, j'étais souvent trop fatiguée pour les apprécier.

À mesure qu'avançait l'année 1959, les pénuries de nourriture s'aggravèrent. Lorsque l'hiver arriva et que les jours raccourcirent, notre régime alimentaire se réduisit à deux repas par jour. Le repas du midi était composé de gruau de farine de maïs et d'un quignon de pain de maïs; le repas du soir se limitait au gruau. Plus tard, le pain de maïs fut remplacé par du pain de farine de patate douce. Ce pain était brun foncé. Quand il était chaud, il était collant tandis qu'il devenait dur comme de la roche une fois refroidi. Parfois des feuilles d'orme étaient mélangées à la pâte pour que cela en fasse plus.

La femme du chef d'équipe travaillait à la cantine, et elle inventait constamment de nouvelles façons d'allonger les ingrédients. Elle aimait nous ragaillardir en introduisant un peu de variété dans notre maigre diète.

«Viens chez moi ce soir, me dit-elle un jour. Je vais te faire des nouilles.»

Je ne pouvais y croire. «Peux-tu me dire où tu as pu dénicher assez de farine pour en fabriquer?

– Tu verras», me dit-elle en souriant, puis elle partit.

Les nouilles qu'elle avait préparées avaient la même apparence que des nouilles ordinaires mais elles avaient un goût différent. Leur texture était également plus glissante. Mais je les trouvai délicieuses. Elle finit par me divulguer son ingrédient secret: la partie intérieure de l'écorce d'orme, pulvérisée et mélangée avec de la farine de maïs.

Wang m'écrivait trois fois par semaine. Ses lettres étaient rédigées comme s'il s'agissait d'un journal de bord. Il alignait tout ce qu'il faisait du matin jusqu'au soir dans un ordre chronologique rigoureux. Il m'écrivait également que je lui manquais. Au lieu de m'émouvoir, ses paroles nostalgiques me laissaient de glace. Pour moi, certaines choses, lorsqu'elles étaient exprimées en chinois ne sonnaient jamais juste. Par exemple, je pouvais dire «je t'aime» en anglais, mais pas en chinois. C'était quelque chose qu'on ne disait simplement jamais.

Les lettres que je lui écrivais étaient plus courtes et moins fréquentes. Après une journée de travail, j'étais trop fatiguée pour écrire quoi que ce soit à la lumière vacillante de la lampe à huile. Bientôt, le nombre de lettres que je recevais devint un sujet de cancans au village et cela ressortit lors de l'une de nos sessions d'étude politique.

«Camarade Zhang, je pense que tu devrais dire à ton mari de ne pas t'écrire autant, disait Hui. Tu sais combien ce genre d'attachement sentimental est malsain. Le temps que tu prends pour lire et écrire des lettres devrait plutôt être consacré à l'étude politique et à t'intégrer aux paysans.

«De plus, que crois-tu que les paysans pensent lorsque tu reçois des lettres tous les deux jours? De leur point de vue, ça semble très extravagant. La plupart d'entre eux n'en recevront jamais de leur vie. C'est comme si tu leur disais: "Même si je suis bloquée de façon temporaire dans votre trou perdu, je vais garder le contact avec ma vie en ville qui est beaucoup plus intéressante."»

Je transmis à Wang l'essentiel de ce que m'avait dit Hui lors de sa réprimande et il réduisit le flot de ses lettres à une seule par semaine.

Wang décida de me rendre visite lors de la fête des Travailleurs. Les villageois, surtout les femmes, étaient excités à l'idée de voir mon mari, celui qui écrivait tant de lettres. Il arriva que Hui avait à assister à une réunion dans un autre village durant la fête. Je pus donc avoir la chambre pour nous tout seuls.

Tout au long des trois jours que dura le séjour de Wang, des femmes et des filles de tous âges se tinrent par deux ou trois dans l'embrasure de ma porte en plaisantant et en pouffant de rire. La journée, je gardais la porte ouverte parce que la fermer aurait été interprété comme une façon de les mettre dehors, ce qui m'aurait certainement valu une autre réprimande.

Je n'avais pas vu Wang depuis trois mois, mais il ne m'avait pas vraiment manqué. Je ne me sentais pas à l'aise au lit avec lui, comme si rien de ce qu'il faisait n'allait. Il n'arrêtait pas de me demander ce qui n'allait pas, mais je n'avais aucune réponse. J'étais fâchée contre moi-même d'être insatisfaite.

Même durant sa visite, je ne pus prendre de temps libre supplémentaire. Je l'amenai donc aux champs avec moi. Lorsque je m'étendais sur l'herbe pour me reposer durant les pauses, les paysans taquinaient Wang:

«Regarde comme elle est fatiguée! Combien de temps l'as-tu tenue éveillée la nuit dernière? disait l'un d'entre eux.

– Si je n'avais pas vu ma femme depuis trois mois, je l'aurais tenue éveillée toute la nuit», disait l'autre.

Wang riait, mais j'étais embarrassée. Les paysans blaguaient toujours à propos de sexe et de leurs corps. Ce genre d'humour grossier me mettait mal à l'aise.

Wang repartit après trois jours. Il avait l'air triste.

Les paysans n'avaient aucun jour de congé. S'ils voulaient un peu de temps pour faire des courses, ils devaient demander la permission de s'absenter à l'équipe de production. Ce qui les en dissuadait, c'est qu'ils n'accumulaient aucun point de travail pendant ce temps libre. Ces points étaient attribués en fonction de la quantité et de la qualité du travail effectué, et les paysans étaient payés en conséquence. Dix points étaient octroyés pour semer, 12 pour creuser, 14 pour repiquer le riz, etc. Les femmes recevaient habituellement moins de points que les hommes pour le même travail parce que, expliquait le chef d'équipe, « les femmes sont moins productives ».

Ceux qui avaient été envoyés de la ville étaient soumis à des règles différentes. Nous travaillions six jours aux champs et avions droit à un jour de repos. Cependant, lors de ce « jour de congé », on nous demandait d'assister la commune d'autres façons, par exemple en aidant un paysan à écrire une lettre ou en lui enseignant à compter. Nous faisions également de ce genre de travail le soir, après une journée aux champs. Ainsi j'enseignais à un groupe à lire et à compter. Durant nos jours de congé, nous travaillions aussi très fort pour nous « intégrer aux paysans ». Nous pouvions leur rendre visite, leur demander de nous parler de leur vie et répondre à leurs questions à notre propos. On nous avait ordonné de n'accepter aucune nourriture d'un paysan mais la chose allait de soi en cette année où la famine s'était abattue sur la campagne. Si quelqu'un insistait pour m'offrir quelque chose à manger, j'en goûtais une petite bouchée, je disais comme c'est bon et je rendais le reste.

Une fois toutes les deux semaines, nous avions un « jour de congé » de plus consacré aux sessions d'étude politique. On étudiait les œuvres du président Mao ainsi que les derniers documents en provenance de Pékin. Une fois par mois, une marche de trois heures nous conduisait jusqu'au siège administratif du district de Xingtai où nous pouvions nous laver au bain public. La plupart des villageois n'y allaient jamais. Quant à nous, les gens de la ville, nous attendions ce moment avec impatience.

Une fois en ville, on se choyait un peu en allant prendre un repas au restaurant. Je commandais toujours des raviolis aux légumes, en essayant de ne pas regarder de trop près l'étalage de saucisses. Je savais qu'elles étaient faites avec du porc infesté par la trichine. Le marché du porc était un monopole d'État et, en théorie, de la viande impropre à la consommation n'aurait pas dû circuler. Mais dans les faits, beaucoup du porc que l'on trouvait était infesté par ce parasite et de nombreux paysans tombaient malades après en avoir consommé.

Chaque famille paysanne devait élever au moins un porc pour le revendre à l'État. Si les inspecteurs de l'État décelaient la présence de trichines, ils n'achetaient pas l'animal. Engraisser un porc représentait cependant un gros investissement pour une famille paysanne, aussi les bêtes malades étaient rarement jetées. Les paysans croyaient que faire cuire la viande contaminée sous pression et plus longtemps que la normale éliminait les risques. Ils la faisaient donc cuire de cette manière et la vendaient localement.

Sur les étals des marchés, on pouvait voir des larves de trichines sur la viande de porc crue : c'étaient des petits points blancs qui, lorsqu'on appuyait dessus, déchargeaient comme du pus. C'était encore plus dangereux lorsque la viande était congelée, parce qu'alors vous ne pouviez pas voir les points blancs en question. Le porc infesté était beaucoup moins cher et les paysans l'achetaient parce que, parfois, c'était tout ce qu'il y avait.

La maladie était parvenue à un stade endémique parce que les porcs élevés par des particuliers étaient souvent engraissés avec des excréments humains. Ainsi, le trou des latrines de la famille Ren ouvrait directement sur une porcherie en contrebas. Je ne m'habituai jamais à entendre un cochon se goinfrer au-dessous de moi alors que j'étais accroupie sur les latrines. En regardant en bas, je pouvais même voir son groin.

Le village essaya de mettre sur pied une cantine communale et un jardin d'enfants, tout comme les villes en possédaient. Ni l'une ni l'autre ne fonctionna. Faisant toutes sortes de travaux dans les champs, les gens retournaient à la maison à des heures différentes, ce qui rendait impossible les repas communs à heure fixe. Il n'y avait pas non plus de salle assez vaste pour contenir tout le monde. Pour ce qui était du jardin d'enfants, qui était censé libérer les femmes afin qu'elles puissent travailler aux champs, la garde des enfants fut confiée à deux jeunes femmes inexpérimentées ; quand les mères rentraient du travail, elles retrouvaient leurs enfants dans des culottes souillées, le visage sale et égratigné. De plus, les enfants ne recevaient pas les soins affectueux que leur auraient donnés leurs mères ou leurs grands-parents. Les deux projets firent long feu.

Le village enregistrait un taux élevé de mortalité infantile et beaucoup de mères mouraient en couches. Les instruments des sages-femmes n'étaient pas toujours bien stérilisés et les infections faisaient partie des complications fréquentes. Avec tant de bébés qui mouraient, les parents s'étaient mis à donner des noms affreux à leur progéniture. Ils croyaient que plus le nom était raffiné, plus la constitution de l'enfant allait être délicate; que plus le nom était joli, plus l'enfant allait attirer l'attention des esprits malfaisants. Mais même le diable serait incapable d'aimer un enfant appelé Chien Stupide ou Petit Puant.

Après dix mois à la campagne, on nous autorisa à retourner à Pékin pour les fêtes de la nouvelle année de 1960. Un homme de notre groupe, un jeune marié, avait quitté le village quelques mois plus tôt. « Ma femme s'ennuie tellement de moi qu'elle en devient folle, m'avait-il dit avant de partir. Je dois y aller. » Tout juste après son retour à Pékin, il se fit prendre et fut renvoyé à la campagne, pour de bon cette fois.

Nous étions tous heureux de retourner chez nous. Plus le temps passait, plus se multipliaient les récriminations dans notre groupe, souvent pour des choses insignifiantes: qui avait eu le plus d'attention de la part des paysans; qui avait reçu un peu plus de nourriture lors d'un repas. Je mettais cela sur le compte du mal du pays; des choses triviales prennent une grande importance aux yeux des gens malheureux.

Comme le train entrait en gare de Pékin, j'aperçus Wang sur le quai. L'idée même d'avoir un mari et que ce fût Wang me semblait des plus étranges. Après presque un an de séparation, lui aussi semblait mal à l'aise. Pendant le long trajet de bus vers la maison, nous restâmes assis sans rien nous dire.

J'appris bientôt que j'étais enceinte. Ce moment marqua la fin de nos relations sexuelles. Nous cessâmes alors complètement de nous toucher. Je ne savais pas ce qui n'allait pas; je savais seulement que je n'en avais plus envie. Nous n'en parlâmes jamais. Nous étions comme deux étrangers, emmitouflés chacun dans sa couverture.

## CHAPITRE VII

# Petite Hirondelle

Durant ma grossesse, la nourriture devint plus rare que jamais. En 1960, tout de suite après le désastreux Grand Bond en avant, plusieurs catastrophes naturelles causèrent de sévères dégâts dans les cultures. Après que les relations fraternelles eurent commencé à s'aigrir avec l'Union soviétique, la pression exercée par celle-ci pour que soit remboursée la dette chargea l'ensemble de l'économie d'un fardeau imprévu.

À Pékin, les fruits étaient devenus des denrées de luxe. Je n'en aurais jamais vu la couleur si je n'avais pas eu accès à des surplus provenant d'une salle à manger destinée aux étrangers. Notre bureau d'import-export tenait ce service pour les hommes d'affaires venus négocier en Chine. S'il y avait des restes, ils étaient revendus une fois par semaine et on nous permettait d'en acheter pour deux kilos. Wang gérait nos réserves de façon à ce que je puisse avoir une portion quotidienne de fruits.

Nous pouvions prévoir qu'à la naissance de notre bébé, la situation aurait encore empiré. À l'instar de plusieurs familles, nous nous mîmes à élever des poulets. J'achetai quatre poussins qu'on gardait dans une boîte tapissée de ouate. Malgré nos efforts pour les protéger du temps froid d'avril, deux poussins seulement survécurent après la fermeture du chauffage central, le 15 mars, comme chaque année.

Le marchand nous avait assuré que les poussins allaient pondre avant longtemps. «Vous voyez? Ce sont toutes des femelles!», avait-il dit en tournant les poussins pour que je puisse leur voir le derrière.

« Mais comment pouvez-vous l'affirmer ?

– Ne vous en faites pas, camarade, j'ai fait ça toute ma vie. Je vous assure que ces poussins vont devenir des poules. »

Soit que cet homme fût un charlatan, soit qu'il fût dans un mauvais jour, les deux poussins qui survécurent étaient des coqs.

Un soir, à la fin d'octobre, je sentis que l'accouchement était proche. Dans les unités de travail gouvernementales, vous aviez accès à une voiture et à un chauffeur en cas d'urgence. Wang fit les démarches pour obtenir ce service et il m'accompagna à l'hôpital. Les gardes-malades lui conseillèrent de ne pas attendre parce qu'on ne pouvait savoir combien de temps le travail allait durer.

Peu après minuit, on m'emmena sur une civière dans une grande salle d'accouchement où attendaient déjà cinq femmes gémissantes. Notre fille est née deux heures et demie plus tard. Heureusement que c'était une naissance facile ; l'anesthésie n'est toujours pas utilisée pour les accouchements en Chine, même quand le travail dure plus de vingt-quatre heures.

Lorsque la femme médecin souleva les jambes du bébé pour me montrer que c'était une fille, je ne pus m'arrêter de rire sottement. Son geste m'avait fait penser au marchand de poussins cherchant à me convaincre que mes coqs étaient des poules.

« Difficile de croire que c'est votre premier enfant, dit le docteur. Vous avez de la chance que ça ait été aussi rapide. » Cette délivrance facile semblait en effet n'être qu'une question de chance : on ne nous dispensait aucun cours prénatal sur la façon de respirer et de pousser.

Quand Wang revint au matin, sa fille avait déjà plusieurs heures. Nous regardâmes avec envie un nouveau père qui entrait avec un appareil photo. Ça aurait été si merveilleux de pouvoir photographier notre petite.

Wang m'apportait mon premier repas après l'accouchement, préparé par ma mère : du gruau de millet saupoudré de sucre brun. « Ta mère dit que le millet réchauffera ton ventre et que le sucre te débarrassera du poison resté dans ton corps », dit-il.

On appela le bébé Yan, qui veut dire hirondelle. Elle avait de grands yeux avec de longs cils, et toute la famille l'adorait. Wang et moi étions tous les deux heureux d'avoir une fille. J'avais toujours voulu en avoir une et le sexe de l'enfant importait peu à Wang. Il pensait qu'on pourrait toujours avoir un garçon quelques années plus tard.

Lors de mon séjour de cinq jours à l'hôpital, j'essayai de l'allaiter, mais je ne produisais pas assez de lait, ce qui mettait l'infirmière en colère : « Je ne sais pas à quoi cela vous sert d'avoir d'aussi gros seins : ils sont bien gras, mais d'aucune utilité pour nourrir votre bébé. »

Le lait était sévèrement rationné. Je pouvais seulement m'en procurer en présentant une lettre de l'hôpital certifiant que j'avais des problèmes d'allaitement. Jusqu'à ce qu'elle atteigne un mois, Yan n'eut droit qu'à une petite bouteille de lait par jour, soit environ un quart de litre. La ration quotidienne augmenta ensuite progressivement pour atteindre un maximum de un litre. On lui coupa le lait dès l'âge de deux ans. À la campagne, il n'y avait pas de lait du tout, sauf si vous aviez une chèvre et que cela ne vous dérangeait pas de boire son lait, non pasteurisé.

À l'époque, toute nourriture était rationnée, même le chou commun. Sur présentation du certificat de naissance du bébé, on donnait aux nouvelles mamans un coupon de rations supplémentaires. Ce supplément n'était offert qu'une fois et vous aviez à acheter toute la nourriture d'un coup. Ma ration spéciale post-accouchement consistait en un kilo de viande, quatre fois plus que la ration mensuelle habituelle ; deux poulets (normalement disponibles seulement lors des grandes fêtes et à raison d'un seul par ménage) ; et deux douzaines d'œufs (la ration habituelle par ménage, indépendamment du nombre de personnes, était d'un demi-kilo, soit environ huit œufs, par mois). On tua également nos deux coqs afin d'enrichir ma diète. Chaque soir avant le coucher, Wang me faisait de la bouillie de maïs pour m'aider à produire un peu de lait pour Yan.

J'ai passé la plupart de mes cinquante-six jours de congé de maternité réglementaires chez mes parents où ma mère m'aida à nourrir la fillette et à laver les couches. Wang nous rejoignait après le travail et on mangeait tous ensemble. C'était cependant une situation inconfortable puisque le seul plat de viande sur la table m'était réservé. Tous les deux dans la soixantaine, mes parents mangeaient du chou bouilli, repas après repas.

« Ne fais pas cela, Zhimei », disait ma mère lorsque je prenais de petits morceaux de viande pour les placer dans leurs bols. « Il n'y en a pas beaucoup, mais si tu la manges toute, Petite Hirondelle et toi en bénéficierez. Si chacun de nous en mange une petite portion, cela ne profitera à personne. » Le partage des rations devint un problème dans plusieurs ménages. Cela causa même l'éclatement de certaines familles.

De nombreux appartements ressemblaient à des dortoirs d'étudiants ; chaque famille y avait une pièce et on faisait la cuisine dans le corridor. Certains attachaient avec une chaîne la casserole à la cuisinière : de pauvres affamés seraient entrés et auraient volé le repas qui cuisait et la casserole avec. Pour en acheter une nouvelle, vous deviez vous procurer un coupon de rationnement, et pour cela attendre votre tour, ce qui pouvait prendre des mois. Les coupons valaient plus que de l'argent.

À mon retour au travail, après mon congé de maternité, on nous rassemblait fréquemment pour nous annoncer qu'un nouvel article avait été ajouté à la liste des articles rationnés. Le secrétaire du parti nous livrait alors un discours sur à propos des temps difficiles et nous demandait de faire preuve de solidarité. Lorsque le savon vint à manquer, on nous donna un préavis d'une journée.

« Le rationnement du savon commence demain, annonça le secrétaire du parti. Bien que les magasins soient toujours ouverts, je m'attends à ce qu'aucun d'entre vous ne se précipite pour en faire provision. Cela serait un geste immoral parce que le pays fait face à une sérieuse pénurie. »

Même si la plupart d'entre nous avons respecté le mot d'ordre, un homme dans la soixantaine se mit à paniquer. En retournant chez lui, il entra dans un magasin et acheta plusieurs barres de savon. Un autre collègue l'aperçut et le dénonça. Le jour suivant, on nous convoqua à une autre réunion. Le vieil homme se leva, tête baissée.

«Camarades, j'ai commis une erreur. J'ai été égoïste, dit-il doucement. Je dois lutter plus fort à l'avenir pour surmonter mes comportements individualistes dépassés.»

Pour ceux d'entre nous qui n'avaient pas d'argent de côté, la vie était devenue très difficile. Une des réponses du gouvernement au problème du décalage entre l'offre et la demande fut d'expérimenter une politique de prix à deux niveaux. On pouvait parfois trouver des biens qui n'étaient généralement pas disponibles sur le marché, mais à un prix cinq à six fois supérieur au prix normal.

On commença à ouvrir des restaurants «à prix élevés». Vous preniez un numéro, vous attendiez des heures et vous dépensiez 10 yuans pour un repas qui vous en aurait normalement coûté 2. Mais au moins, le plat était disponible!

Mis à part les constantes préoccupations à propos de l'alimentation, la vie était assez paisible, jusqu'à ce que Petite Hirondelle atteigne l'âge de huit mois. En juin 1961, dans un effort pour juguler la croissance de la bureaucratie, les administrations gouvernementales commencèrent à mettre à pied du personnel. Après les «Trois Années difficiles» de pénurie et de famine qui avaient suivi le Grand bond en avant, les autorités avaient décidé de réduire la population de Pékin afin d'alléger la pression sur les ressources de la capitale. Le ministère du Commerce extérieur réduisit son effectif de près de 40%. Les premiers à partir furent ceux qui avaient de mauvais antécédents familiaux ou qui entretenaient des «relations sociales compliquées».

Ma sœur Wen, qui travaillait dans le même édifice que moi, me téléphona un jour sur la ligne du bureau: «Je dois te voir tout de suite.» Quelque chose n'allait pas. Je me ruai à sa rencontre.

«Je suis transférée dans la province d'Anhui», dit-elle l'air abattu, les larmes aux yeux. Tout allait si vite. Seulement deux semaines plus tôt, mon amie Feng, ma compagne de chambre à Berlin, avait été transférée au Xinjiang, dans le lointain Nord-Ouest. C'était maintenant au tour de ma sœur de partir pour l'Anhui, une province pauvre de la Chine centrale.

Quand ce fut mon tour de recevoir un avis de transfert une semaine plus tard, j'en fus assommée. Je croyais être de ceux à qui on faisait confiance, ayant été suffisamment active sur le plan politique et ayant démontré ma loyauté envers le parti durant les campagnes politiques. On nous informa, Wang et moi, qu'on avait besoin de nous à Harbin, la capitale du Heilongjiang, une province du Nord-Est voisine de l'Union soviétique. Les affectations du parti n'étaient sujettes à aucune négociation. Nous avons alors emballé nos affaires, vendu les quelques meubles que nous possédions et décidé de confier Petite Hirondelle à ma mère jusqu'à ce que nous connaissions mieux les conditions de vie à Harbin.

Ma mère prépara un dîner d'adieu pour notre dernière soirée à Pékin. Je laissai tout le monde un moment pour aller réaliser un rêve. Hua m'accompagna jusqu'à un studio de photographie où vous pouviez louer une robe de mariée à l'occidentale. L'image que j'avais de la mariée idéale provenait des films occidentaux que j'avais vus à la fin des années quarante. Mes sœurs avaient eu droit à des mariages de style occidental avant la Libération tandis que j'avais détesté la cérémonie politique dans la cantine de notre bureau qui nous avait tenu lieu de mariage à Wang et moi. Le mariage tape-à-l'œil et vieux jeu n'était plus socialement acceptable, mais je sentais que quelque chose me manquait et je voulais me l'offrir. Hua m'aida à me maquiller pour la photo, qui fut prise de moi seule dans une étincelante robe blanche.

Même si j'avais embrassé beaucoup des idées nouvelles de la Chine de Mao, j'en avais tout de même conservé certaines de mes années de formation d'avant la Libération. Dans ma vie adulte, j'ai mené une lutte constante pour me défaire de ces idées enracinées. C'était habituellement lorsque, à l'occasion, mon vieux moi réémergeait que je commettais ce qui constituait des erreurs aux yeux de la société et que j'étais critiquée.

J'étais en retard pour notre dîner d'adieu, mais j'étais heureuse. Plus tard, lorsque notre train quitta la gare de Pékin, je pus voir ma mère s'essuyer les yeux d'une main tremblante. Des larmes glissaient sur mes joues également. Je ne voulais pas laisser Pékin ni mes parents. Je savais qu'une fois qu'on vous avait transféré hors de la ville, il était très difficile d'y revenir. Je n'avais jamais mis les pieds à Harbin. Je n'avais aucune idée de ce à quoi cette ville ressemblait, du travail que j'allais y faire, de l'endroit où nous allions vivre, ni encore du temps qui s'écoulerait avant que nous puissions reprendre notre fille avec nous.

J'étais malheureuse, mais je pensais qu'il ne m'était pas permis de le montrer. Suivre les ordres du parti était un devoir pour un membre de la ligue. J'avais la conviction qu'il n'était pas bien d'avoir à part soi un avis différent, et il était encore plus exclu de se plaindre ou de demander un traitement de faveur.

Nous arrivâmes à Harbin pour découvrir qu'on ne nous y attendait pas : il n'y avait pas de travail pour nous ni d'endroit où habiter. Nous restâmes dans une auberge durant un mois avant qu'on nous dise que l'on n'avait pas besoin de nos connaissances en langues étrangères, ni du japonais de Wang ni de mon anglais.

Je devins morose. Les gens de Pékin me manquaient, tout spécialement ma fille. Rien ne me plaisait à Harbin – ni la manière dont les gens étaient vêtus, ni leur accent, ni la nourriture. Et vous aviez à attendre si longtemps que le beau temps revienne ; le printemps avait au moins un mois de retard sur celui de Pékin et il faisait un froid de canard en hiver.

On nous affecta tous les deux au Bureau provincial des céréales. Je travaillais à classer des études scientifiques toute la journée au service de la recherche. Lorsqu'on demanda une chambre où demeurer, on nous répondit qu'aucune n'était disponible. « J'espère que pour quelque temps cela ne vous dérange pas de vivre séparément dans les dortoirs des hommes et des femmes, dit le chef du service des ressources humaines. C'est une difficulté passagère que vous aurez à accepter. »

Je ne voulais pas vivre dans un dortoir avec de totales étrangères. Je furetai alors dans les différents immeubles de notre unité de travail et trouvai finalement une pièce vide. Il n'y avait ni meubles, ni toilette, ni installations pour faire le lavage ou la cuisine. On y déménagea des dortoirs deux lits à une place, on trouva une vieille armoire abandonnée sur le terrain de jeu et on empila nos valises pour en faire une table. Cette section de l'édifice n'était pas chauffée et on y vécut jusqu'à ce que le froid devienne insupportable. On nous donna finalement une chambre dans une résidence située pas très loin du fleuve Songhua.

Après le travail, Wang restait souvent au bureau. Même si je me sentais seule, je n'avais pas l'énergie de chercher à me faire de nouveaux amis. Nous parlions de moins en moins; ni l'un ni l'autre ne voulait se donner la peine d'en prendre l'initiative. Lui et moi n'osions pas franchir le fossé qui s'élargissait entre nous.

Un jour, j'allai finalement droit au but : « Je suis malheureuse. Je déteste tout ici. De plus, je trouve que nous avons si peu en commun. »

Wang se fâcha. « Il est si difficile de te plaire. Je fais tout pour toi et tu n'es jamais contente. Je fais la cuisine, le lavage, je rentre le charbon, je vide les cendres, je tue les mouches pour toi pendant que tu fais la sieste, je fais tout pour te rendre la vie aussi facile que possible. Que veux-tu de plus ?

– T'ai-je déjà demandé de te fendre en quatre pour moi ? Non ! Alors n'essaie pas de me faire sentir coupable. Regarde, dis-je en adoucissant le ton, je veux seulement trouver ce qui ne va pas entre nous.

– Je sais à partir des lettres que tes amis de Pékin t'écrivent que tu t'es plainte amèrement à eux de la vie que nous menons ici. Penses-tu vraiment que ce soit la bonne façon de réagir quand on a des difficultés ? Pourquoi ne pas résoudre ces problèmes ensemble ?

– Comment oses-tu lire mes lettres ! N'ai-je pas le droit de dire à mes amis comment je me sens ?

– Je suis déçu de voir comme tu as changé depuis que nous sommes à Harbin, dit Wang, en évitant la question. Sais-tu ce que les gens disent dans ton dos ?

– Je m'en fous. Tu ne peux pas me demander d'afficher un large sourire stupide alors que je ne suis pas heureuse.

– Bon, eh bien, si tu es si malheureuse, demande le divorce ! » Il sortit en claquant la porte derrière lui.

Je lançai son couchage et ses oreillers dehors dans le corridor et fermai la porte à clé. Il revint plus tard et frappa à la porte mais je n'ouvris pas. Il alla alors voir Chen, un ingénieur qui était le chef de mon service, et lui demanda de l'aider.

Chen frappa doucement. « Ouvre camarade Zhang. Parlons un peu toi et moi. » Je ne répondis pas.

« Ne fais pas l'enfant ! Ouvre la porte ! ».

Je gardai le silence. « Alors écoute, dit-il, sur un ton irrité, je te demande d'ouvrir la porte. Tu n'es pas fâchée contre moi, n'est-ce pas ? Tu pourrais au moins me montrer un peu de respect. »

J'ouvris la porte. Le couchage et les oreillers à la main, Wang se tenait derrière Chen.

« Il est tard. Ne parlons pas de cela maintenant, dit Chen, nous en discuterons plutôt demain. »

Wang et moi n'échangeâmes pas un mot cette nuit-là. Nous dormîmes chacun dans notre lit, comme nous le faisions depuis notre installation à Harbin. Cela faisait maintenant plus de deux ans que nous dormions dans la même chambre sans nous toucher. Nous n'en avions jamais parlé, aussi ne savais-je pas ce qu'il ressentait. Peut-être avions-nous tous les deux peur d'avoir un autre bébé. La vie était devenue si difficile. L'abstinence était la seule méthode contraceptive que nous connaissions.

Au matin, j'allai voir Chen.

« Ton comportement ne m'a pas tellement plu hier soir, camarade Zhang, dit-il. En fait cela m'a beaucoup surpris, de la part d'une personne éduquée comme toi. Dis-moi ce qui ne va pas.

— Je veux divorcer.

— Attends une minute. Penses-y bien avant d'affirmer cela. C'est une question grave.

— J'y ai beaucoup songé déjà et je suis décidée. Je veux divorcer.

— Mais vous semblez tous les deux faits l'un pour l'autre. Tu fais encore l'enfant. Regarde, camarade, prends un jour de congé et pense à ta situation. Réfléchis à ce que cela représente d'être une femme divorcée. Et pense à l'humiliation que ton mari ressentirait. »

Wang devint nerveux lorsqu'il apprit ce que j'avais dit à Chen. Il ne s'attendait pas à ce que j'aie le courage d'aborder la question du divorce. En tant que membre important de la Ligue de la jeunesse, il pensait qu'il devait s'en remettre au parti même pour résoudre des questions d'ordre personnel. Il rapporta tout au service des ressources humaines.

Li, qui travaillait dans ce service, vint chez nous un soir alors que j'étais seule.

« Vous avez une belle chambre », dit-il. Que voulait-il dire par là, je ne le savais pas. Admirait-il les deux lits de camp, l'armoire chancelante ou la table fabriquée avec des valises ?

« J'ai entendu dire que vous songez à vous séparer de Wang, dit-il. Parlez-m'en. Existe-t-il quelque conflit sur les principes de base ? » Il parlait là des principes politiques.

« On ne s'entend pas bien.

– Que voulez-vous dire ? Vous êtes tous deux membres de la ligue et vous travaillez à un but commun. Il vous respecte et il tient à vous. Il est droit et politiquement actif. Est-ce que ce ne sont pas là, selon vous, les qualités qui font un bon mari ? »

Cela commençait à ressembler à un interrogatoire, et cela m'irritait.

« Ce n'est sûrement pas à une tierce personne de dire si un couple s'entend bien. Le fait est que ce n'est pas notre cas. Nous n'avons pas d'intérêts communs. Je ne ressens pas d'affection pour lui. Nous nous parlons rarement. »

Le sermon politique commença alors pour de bon. « Comme membre de la ligue, camarade Zhang, vous savez très bien que nous devons subordonner nos intérêts personnels à ceux de l'État et du peuple. Il y a des intérêts prolétariens et des intérêts bourgeois. Vous devez considérer avec attention à quels intérêts votre comportement répond avant de prendre une décision irrévocable. »

Pendant une minute, je restai à le regarder fixement, ne sachant que dire. Il y avait eu un temps où je pouvais discuter de ma vie personnelle en termes politiques, mais là je ne pouvais pas le faire. L'enjeu était trop considérable.

« Savez-vous que nous ne sommes mari et femme que de nom ? Je me sens désespérément seule dans ce mariage. Nous discutons rarement et nous n'avons pas couché ensemble depuis deux ans, depuis que je suis tombée enceinte. »

La crudité de mon propos le saisit. « Je ne peux pas vraiment dire grand-chose à ce sujet », dit-il, visiblement embarrassé, et il partit rapidement.

Le divorce était rare en Chine au début des années soixante et faisait une large place aux considérations politiques. Si votre mari s'était retourné contre l'État ou le parti, ou s'il avait été la cible d'une campagne politique, le divorce était considéré comme justifié. L'incompatibilité des caractères n'était tout simplement pas une raison acceptable pour se séparer. Les sentiments étaient perçus comme des préoccupations abstraites, bourgeoises. Une femme qui divorçait pour des motifs personnels aurait tout aussi bien pu porter une grande lettre rouge autour du cou – B, peut-être, pour bourgeoise, ou alors I, pour immorale. Je n'ai plus souvenir du nombre de fois où on m'a dit que nos problèmes matrimoniaux n'étaient pas réels, qu'ils existaient seulement dans ma tête.

Il n'y avait aucune femme divorcée à mon travail. Je n'avais pas d'amis à Harbin, pas d'alliés, personne avec qui parler ouvertement et qui aurait pu me comprendre. Ce ne fut bientôt plus un secret pour personne que je voulais divorcer et tout à coup tout le monde prit ses distances. Souvent le soir j'allais me promener le long du Songhua, me sentant seule et isolée, et tourmentée par cette question : est-ce que je prenais la bonne décision ?

Je savais que si je restais avec lui Wang allait être heureux, je regagnerais le respect de mes collègues et Yan n'aurait pas à subir l'infamie d'avoir une mère divorcée. Mais même si j'essayais, je ne pouvais faire taire en moi la voix obstinée qui disait que je ne serais jamais heureuse dans cette union. Je pressentais qu'il y avait mieux dans la vie que ce mariage froid et d'où la communication était absente. Pour découvrir ce qu'il pouvait exister de mieux, je décidai que j'étais prête à payer le prix qu'il faudrait, prête à faire face à l'opprobre qui frappe les femmes divorcées et à assumer les responsabilités d'une mère célibataire.

Ma demande de divorce indigna le service des ressources humaines, qui m'envoya travailler à la bibliothèque d'une école de formation administrée par le Bureau des céréales. Cet emploi me convenait mieux ; travailler avec des livres était plus intéressant que de classer des documents. De plus, j'avais du temps pour lire. Le transfert était cependant destiné à me punir parce que l'école était loin de chez moi. Je devais prendre un autobus puis un tramway, et le temps d'attente aux arrêts, dans le froid rigoureux, était souvent d'une demi-heure ou plus. Parce qu'on n'avait jamais assez à manger, je ressentais le froid jusque dans mes os. Mes vêtements n'étaient pas assez chauds pour les hivers de Harbin.

Je déménageai dans le dortoir des femmes célibataires où je partageai une chambre à quatre. Je dis clairement à Wang que, qu'il fût d'accord ou non avec le divorce, je ne retournerais jamais avec lui.

Lors du jour de l'An chinois, en février 1962, je retournai à Pékin pour voir ma fille et parler avec ma famille. Mon neveu Dong vint à ma rencontre à la gare en compagnie de Yan. Après huit mois de séparation, elle se rappelait à peine de moi. Je fondis en larmes lorsqu'elle s'approcha de moi avec précaution et lança :

« Maman. »

Je suis désolée, Petite Hirondelle, pensai-je. Tu devras grandir sans papa.

Ma mère était encore en bonne forme physique, mais un peu plus voûtée. « Yan est un bébé lourd à porter », dit-elle. Quant à mon père, il était toujours aussi réservé.

J'attendis que ma sœur Hua rentre à la maison pour le week-end pour parler de mes problèmes ; j'avais besoin d'une épaule sur laquelle m'appuyer. Elle avait été envoyée enseigner à l'Institut technique de métallurgie du fer et de l'acier, dans une banlieue éloignée. Le samedi, après dîner, je lui demandai de venir parler avec moi dans la chambre.

« J'ai des problèmes dans mon mariage et je ne sais pas quoi faire. » Je commençai à pleurer. Hua ne savait pas trop quel conseil me donner parce qu'elle-même avait vécu deux mariages malheureux et avait divorcé deux fois.

Hua est une femme douce et gentille, c'est la plus jolie de nous toutes, et elle est dotée d'une vive imagination et d'un grand talent artistique. Elle avait toujours voulu écrire des livres pour enfants, mais n'en avait jamais eu la chance. Elle avait eu une vie difficile ; elle avait même dû abandonner l'un de ses enfants parce qu'elle n'avait plus les moyens de le garder.

Son second mari s'était laissé entraîner à faire de petits larcins et avait été emprisonné après la naissance de son quatrième enfant. Notre mère, préoccupée des charges que représentaient autant d'enfants avec un maigre salaire de 46 yuans par mois, l'avait persuadée de donner son petit dernier à un couple sans enfant. Hua avait eu de la peine à le faire, mais elle avait admis qu'elle n'avait pas le choix. Au début, elle était allée voir le bébé régulièrement, mais cela mettait les parents adoptifs mal à l'aise. Ils ne voulaient pas que l'enfant connaisse sa mère naturelle. Bien qu'à contrecœur, Hua avait dû se faire à l'idée de s'en éloigner.

Maintenant, tandis qu'elle cherchait quels conseils me donner, la voix de Hua était douce et modeste, comme toujours. «Je ne sais vraiment pas quoi te dire, Zhimei. Il y a longtemps que je ne cherche plus l'amour. Même si tu me donnais encore huit chances je ne trouverais pas l'homme qu'il me faut. J'ai été très malheureuse dans mes mariages. J'aimerais que tu sois heureuse, mais je ne veux pas nécessairement que tu suives mon exemple. Penses-y bien avant de faire quoi que ce soit.»

Sans faire savoir à mes parents ce que j'avais en tête, je retournai à Harbin après deux semaines, prête à faire le dernier pas. Wang vit que ma décision était arrêtée et qu'il était inutile d'essayer de me faire changer d'idée.

«Il faut parler de certaines choses, me dit-il peu de temps après mon retour de Pékin.

– Comme quoi? lui demandai-je.

– Comme des dépenses reliées à l'enfant et de la façon dont on va diviser nos biens», dit-il. Cela semblait ridicule d'utiliser le terme de «biens» pour décrire le poste de radio que nous avions acheté pour la somme de 150 yuans après notre mariage. C'était le seul objet ayant quelque valeur que nous possédions.

«J'ai fait une liste de toutes les choses», continua Wang, en me tendant deux feuilles de papier. Quatre couchages, une couverture, quatre draps, quatre oreillers, deux casseroles, une pelle à poussière. Il avait inclus dans la liste la moindre petite chose que comprenait notre ménage. J'étais furieuse.

« Si toute cette camelote signifie beaucoup pour toi, alors garde tout. J'ai seulement besoin d'une paire de draps et d'un couchage.

« Je veux que Yan vive avec moi, continuai-je, et je ne te demande pas d'argent. » Je gagnais plus que Wang et je pensais que de payer une pension alimentaire rendrait son remariage difficile. Je ne réalisai la charge que je venais de prendre sur mes épaules qu'au moment où je commençai à envoyer la moitié de mon salaire à ma mère pour subvenir aux besoins de Yan. Comme j'avais renoncé à toute pension alimentaire de Wang, il me laissa toutefois nos épargnes qui s'élevaient à 200 yuans, soit à environ trois mois de salaire.

Parce qu'il n'y avait aucun litige particulier, la procédure de divorce fut aussi simple que celle du mariage. Nous allâmes au bureau local de l'état civil et nous assîmes dans le corridor pour attendre notre tour. J'étais nerveuse et j'essayai de me calmer en chantonnant *Le Danube bleu*. Je savais que la vie n'allait pas être facile après la séparation, mais je ne voyais aucune autre solution. Wang affichait un air nonchalant. Nous jouions la comédie tous les deux.

On nous appela.

« Quels sont vos problèmes ? demanda l'employé du bureau en nous regardant par-dessus ses lunettes.

— Demandez-lui, dit Wang.

— Incompatibilité, répondis-je.

— Vous voulez dire incompatibilité idéologique ?

— Non, dis-je, émotionnelle.

— Incompatibilité émotionnelle ? C'est plutôt vague. Qu'est-ce que ça veut dire ?

— On ne s'entend pas bien et on a décidé d'un commun accord de divorcer, dis-je, commençant à avoir peur que notre requête soit rejetée.

— C'est vrai ? »

Il se tourna alors vers Wang qui soupira en faisant un signe de tête.

Lorsque le fonctionnaire apprit que je ne demandais aucune pension pour l'enfant, il sembla surpris.

« Êtes-vous sûre que vous savez ce que vous faites, camarade ? Êtes-vous consciente que vous n'aurez plus le droit de demander aucun soutien financier de cet homme aussitôt que vous aurez signé ce papier ?

– Oui, je le sais », répondis-je. Il dut penser que j'étais vraiment stupide pour accepter de telles conditions. Nous signâmes tous les deux le document, scellant ainsi le divorce. Nous n'avions rien à payer, le divorce étant gratuit.

Peu après, Wang tomba malade ; une rechute d'une tuberculose qu'il avait contractée dans l'armée. Par l'intermédiaire du secrétaire de la Ligue de la jeunesse, il essaya de me convaincre que nous devions nous remettre ensemble, mais cela ne me tentait pas. Des années plus tard, je me suis demandé si les choses auraient pu tourner différemment si des services matrimoniaux avaient été offerts, plutôt que les sermons politiques de nos patrons. Un an après, Wang s'était remarié.

Je me sentis seule après le divorce, ne trouvant personne d'autre à blâmer que moi. Pourquoi n'avais-je pas été assez forte pour rompre dès que j'avais vu qu'il ne me convenait pas ? Ma fille me manquait terriblement. Pour me réconforter, je chantonnais souvent une berceuse appelée *Petite Hirondelle*, que je lui chantais lorsqu'elle était bébé.

Je n'aimais pas mon travail et mes amis de Pékin me manquaient. Mais je savais que le retour était impossible. Par deux fois j'essayai de décrocher un emploi dans la capitale ; par deux fois on refusa ma demande. Lorsque je fis une demande d'emploi auprès de mon ancienne unité de travail, la réponse fut : « Une fois qu'on est parti, on est parti. » Quand j'essayai ailleurs, on me répondit : « Certains aspects de vos "relations sociales" nous indiquent que vous êtes inapte à travailler à Pékin. »

## CHAPITRE VIII

# Soudain l'horreur

J'ai été transférée à l'Institut des langues étrangères de Harbin durant l'été de 1964. J'étais heureuse d'avoir la chance de devenir professeur d'anglais. Le jour, j'enseignais. Le soir, je lisais tous les livres sur l'enseignement que je pouvais dénicher.

Âgée de 29 ans, j'étais plus vieille que la plupart des nouveaux diplômés qui avaient été désignés pour travailler à l'institut, qui étaient autour d'une vingtaine. Deng, une femme dans la quarantaine, l'un des doyens du département d'anglais, me nomma à un poste de professeur senior. Ma tâche était d'aider à la sélection des plus compétents, qui seraient nommés professeurs. Les autres deviendraient assistants. J'avais à faire passer un examen pratique à tous les candidats et à les noter sur leurs connaissances de la langue et leurs habiletés à enseigner. Certains favoris du parti n'étaient pas très compétents et je ne proposai pas leurs noms pour les postes de professeurs. Cela enragea le comité du parti de l'école : je n'avais pas placé « la politique au poste de commande » dans ma sélection.

On convoqua une réunion pour « débattre » de l'importance respective des lettres de créance politiques et des compétences professionnelles comme critères d'embauche des professeurs. Fan, le président de l'institut, déclara que le premier de ces critères était prolétarien alors que le second était bourgeois. Voilà ! Le débat était clos et je serais reléguée du côté des perdants.

Les choses devinrent assez désolantes par la suite. Des collègues soumirent des preuves de mes tendances bourgeoises au comité du parti. Un professeur lui révéla que j'avais déclaré que ma fille était ma seule consolation dans la vie. C'était comme si j'avais dit : « Il n'y a pas de place dans mon cœur pour le parti ni pour l'État. » Yan avait alors quatre ans et vivait à Pékin avec mes parents. Je la voyais deux fois par année, lors des vacances, pour un total de trois ou quatre semaines par année.

« Je suis malheureuse, dis-je à Lei, une collègue. Il me faut parler de tout ça avec quelqu'un.

– Pourquoi pas avec le nouveau doyen ? » suggéra-t-elle. Notre département était dirigé par deux doyens ; on en ajoutait maintenant un troisième. « Il semble compréhensif, de type intellectuel. Peut-être sera-t-il capable de t'aider. »

Ce soir-là, elle m'amena rencontrer le doyen Jia dans sa chambre, située au rez-de-chaussée de notre dortoir. Il y demeurait durant la semaine et les week-ends, il rejoignait sa famille dans leur maison du centre-ville. C'était un petit homme à la peau foncée et au regard intelligent.

Jia m'écouta attentivement alors que je déversais sur lui mon histoire. Plus j'en disais, plus j'étais bouleversée. Je commençai à pleurer.

« Soyez courageuse. Je comprends ce que vous ressentez », dit-il en me tendant un mouchoir propre. « Je crois que le président Fan a réagi de manière excessive. Je vais parler aux dirigeants dès demain et je verrai ce qu'on peut faire. »

Je lui étais reconnaissante de ses paroles ; cela faisait si longtemps que je n'avais entendu la moindre parole de réconfort.

« Vous sentez-vous mieux maintenant ? » demanda-t-il avec douceur. J'acquiesçai de la tête et me levai pour partir. Je me rappelai alors le mouchoir que j'avais à la main. « Je suis désolée, il est sale. Je vais le laver pour vous.

– Pas besoin. Je peux le faire moi-même. Venez me voir n'importe quand si vous avez besoin de parler. »

Enfin un dirigeant qui se montrait attentionné et sincère !

Je parlai à Jia à quelques reprises, reprenant courage grâce à son attitude compréhensive. Parce qu'il avait pris ma part dans ce conflit, il se fâcha bientôt avec le président de l'institut. Comment pouvais-je alors deviner que Jia allait bientôt prendre les devants et réclamer une récompense pour sa sollicitude?

C'était un chaud après-midi de printemps et la plupart des membres de l'école se trouvaient sur le terrain devant notre dortoir à l'occasion d'une journée sportive. Je rentrai dans l'édifice pour me rafraîchir, et comme je montais à ma chambre, je me trouvai nez à nez avec Jia sur le palier. « Étrange, pensai-je. Il vit au rez-de-chaussée. Que fait-il donc au premier? »

« Zhimei, je vous cherchais. Viendriez-vous dans ma chambre? dit-il. Un bouton vient de tomber de ma chemise. Je me demandais si vous pouviez le recoudre pour moi. » Étrange requête de la part d'un homme capable de laver lui-même ses mouchoirs; mais après tout, c'était un de mes rares alliés.

Je terminai le raccommodage en quelques minutes. « C'est tout? » demandai-je, en me levant rapidement pour sortir. Je me sentais mal à l'aise.

« Reste avec moi un peu, dit-il. Tu m'attires tellement. Tu as un beau visage. » Il s'avança et saisit mes bras de ses deux mains moites.

« Tu parles un anglais merveilleux. Je n'en peux plus.

– Non! » criai-je.

Son étreinte était ferme.

« Chut, tu ne veux pas qu'on t'entende de dehors, n'est-ce pas? Ça ne serait pas bon pour ta réputation. Je vais être bon pour toi. Je vais t'aider à améliorer ta situation. » Est-ce que je n'avais pas déjà entendu cette réplique auparavant dans un contexte semblable? Mais, contrairement à ce que j'avais fait à Berlin, je ne résistai pas à l'assaut. Oh bon, pensai-je, je n'ai aucun ami au monde et voilà au moins une sorte de consolateur.

Lorsque je retournai voir Yan à Pékin pour les vacances d'été, Jia m'écrivit pour me dire combien je lui manquais. Il me demanda aussi de revenir deux jours plus tôt, ce que je fis. À ma descente du train, je sursautai de le voir m'attendre sur le quai. Pourquoi avait-il pris ainsi le risque de me rencontrer ouvertement? C'était un homme marié. Si notre liaison venait à être connue, nous en partagerions la disgrâce. Les mots « personne immorale » seraient inscrits à nos deux dossiers. Même des années plus tard, on nous priverait peut-être de promotions pour cette raison.

« Ne retourne pas à l'école, chuchota-t-il en me poussant hors de la gare. Je veux t'amener au centre de villégiature pour les cadres.

– Mais ce n'est pas un endroit pour moi ! dis-je. Les gens là-bas vous connaissent. Que vont-ils penser en me voyant ?

– Ne refuse pas, s'il te plaît ! Personne ne se doutera de rien. Je vais te réserver une chambre séparée. Je dirai que tu es ma cousine. »

Je savais que nous prenions un grand risque. Contrairement à ce que me dictait mon instinct, j'acceptai d'y aller : il était mon supérieur et cela m'intimidait. On prit le bus, puis un bac pour traverser le Songhua jusqu'à la station estivale de l'île de Sun. C'était un endroit charmant situé à seulement cinq minutes de marche de la berge. Des bungalows bordaient une cour et Jia vit à ce qu'on m'octroie la chambre voisine de la sienne.

La façon dont les gens me regardaient me rendait mal à l'aise. Était-ce parce que je portais un haut blanc sans manches, une tenue assez légère pour l'époque ? Était-ce plutôt parce que nous avions tous les deux un air coupable ? Je luttai avec ma conscience et décidai de partir. Même si Jia me supplia de rester, j'étais déterminée cette fois. Lorsque nous arrivâmes au quai du bac, le dernier de la journée venait tout juste de partir. Je n'avais donc pas le choix, je devais rester.

Afin d'éviter de rencontrer des cadres de l'école, nous mangeâmes dans un petit restaurant plutôt qu'à la cantine du centre. Nous allâmes ensuite marcher le long du fleuve. Je sentais qu'on nous surveillait. J'étais crispée. Alors que nous nous étions assis au bord de l'eau, un motocycliste s'arrêta à quelques mètres de nous et bricola sur sa moto jusqu'à notre départ.

De retour au centre, nous aperçûmes quatre hommes qui jouaient aux cartes dans le petit bureau du portier. « C'est étrange. Ils n'y étaient pas avant », chuchota Jia en m'accompagnant à la porte de ma chambre. « Je viendrai te rendre visite aussitôt qu'ils seront partis. » Mais le jeu continua jusqu'à tard dans la nuit. Les joueurs de cartes avaient peut-être reçu des instructions pour rester à leur poste jusqu'au matin.

Le deuxième jour fut encore moins romantique que le premier. Où que nous allions, j'étais convaincue que nous étions suivis. Deux jours de cette médecine me suffirent. Lorsque je retournai à l'école, je m'assurai que le train venant de Pékin arriverait à peu près en même temps pour que personne ne puisse suspecter que je venais d'une autre direction. En entrant dans le dortoir avec ma valise, je tombai sur Rong, un doyen suppléant de mon département.

« Ainsi vous êtes de retour de Pékin. Quand êtes-vous arrivée ? demanda-t-il.

– Euh… ce matin. »

J'avais le visage en feu.

« Ce matin même ? »

Je sentais que quelque chose clochait. J'esquissai un léger sourire et me ruai en haut de l'escalier. Le lendemain matin, j'étais sommée de me présenter au bureau du comité du parti pour faire face à trois officiels maussades.

« Où étiez-vous avant-hier ? commença par dire la responsable.

– Je… euh… je… suis revenue de Pékin hier », dis-je d'une voix hésitante.

« Bon sang, pensai-je, pourquoi ne suis-je pas capable de mentir ? Je me trahis toujours moi-même. »

« Vous n'êtes pas honnête. Nous savons tout. Croyez-vous vraiment pouvoir faire de telles choses sans que personne le remarque ? Savez-vous ce qui se passera si vous ne dites pas la vérité ? » Elle me rappela alors la politique du parti qui était « d'être bienveillant avec ceux qui confessent leurs crimes et sévère envers ceux qui refusent de le faire ».

Je gardai le silence et elle continua sa charge contre moi. J'étais déterminée à ne rien dire parce que je savais qu'ils questionneraient Jia ; toute incohérence dans nos aveux nous mettrait tous deux dans une position encore plus fâcheuse.

« Vous n'enseignerez pas cette semaine, dit la femme. Vous êtes consignée à votre chambre pour écrire votre confession.

N'essayez pas de jouer au plus fin. Et n'allez surtout pas vous imaginer que nous ne pourrons pas vous punir plus tard. »

Je savais que j'étais dans de mauvais draps. Une professeure fut affectée à ma surveillance pour la semaine, elle devait s'assurer que je ne parle pas à Jia et que je ne tente pas de me suicider. Le même après-midi, je tombai face à face avec Jia dans le corridor. Par chance, on nous avait accordé en même temps à tous les deux une pause dans la rédaction de notre confession pour aller aux toilettes.

« J'ai tout révélé, siffla-t-il. Dis la vérité. »

C'est ce que je fis.

« C'est une marque d'intelligence de votre part d'admettre que vous avez eu des relations sexuelles avec Jia, dit l'interrogatrice du parti après avoir lu le premier jet de ma confession. Vous devez cependant savoir que ce n'est pas suffisant. Vous devez détailler exactement comment cela a débuté, quand, où et combien de fois vous avez eu des relations sexuelles avec lui. Plus votre confession sera détaillée, plus nous pourrons croire à votre sincérité. »

Pendant que je couchais cela par écrit, mon humiliation s'approfondissait à chaque nouveau détail que j'ajoutais. Cette confession allait sans doute être portée à mon dossier et y demeurer pour le reste de mes jours.

Je ne sais pas de quelle façon la direction expliqua mon absence d'une semaine aux autres enseignants, mais bon nombre d'entre eux me traitèrent comme une étrangère à mon retour au travail. Je subissais maintenant plus de pression qu'au moment où j'avais été confier mes problèmes à Jia la première fois.

Étrangement, Fan, le président de l'école, commença à être assez amical à mon égard. Il m'invita à dîner chez lui. Sa femme, qui auparavant se montrait hostile, devint tout à coup presque aimable avec moi. Je discutai à plusieurs occasions avec Fan. À chacune de nos rencontres, j'en profitais pour faire la critique de mes erreurs. Sa réponse était toujours : « Vous devez élever votre niveau de conscience politique et vous soucier davantage des intérêts du parti. »

« Est-ce que je ne leur en ai pas dit assez ? pensais-je, étonnée. Que faire de plus ? » J'eus bientôt la réponse à cette question.

Je fus un jour convoquée par Rong, le doyen suppléant. « Vous ne devriez pas laisser Jia s'en sortir si aisément, dit-il.

– Que voulez-vous dire ?

– Vous avez été insultée et déshonorée. Vous devriez vous adresser à la cour pour l'accuser. »

J'étais très surprise. « L'accuser ? Mais de quoi ? »

Il marqua une pause.

« De viol. »

J'en fus estomaquée. Je compris finalement qu'on m'utilisait comme un simple pion dans une lutte de pouvoir entre Fan et Jia. Ma relation avec Jia allait donc devenir l'atout de Fan.

Je refusai, et Fan me jeta en pâture aux loups. La direction de l'institut avait promis de garder toute cette affaire secrète, mais mon humiliation personnelle allait se transformer bientôt en affaire d'intérêt public. Ma confession écrite circula parmi les professeurs et les étudiants. Plus tard, une équipe du quartier général du parti pour la province fut appelée à faire enquête là-dessus et à brasser encore tout cela.

Ma mauvaise conduite allait toutefois bientôt être éclipsée et se perdre dans les premiers coups francs de ce qui allait devenir la Grande Révolution culturelle prolétarienne. Dans le pays, nous disait-on, le pouvoir avait été usurpé par des révisionnistes qui se dissimulaient encore du sommet jusqu'à la base de la société. Aucune des campagnes politiques qui avaient ébranlé le pays n'avait réussi à les déraciner. La seule solution était donc de mobiliser les masses afin de démasquer les crimes de ces ennemis de classe.

Les écoles furent fermées et leurs activités ne reprendraient pas avant six ans. Le slogan de l'heure était : « Suspendez les cours et faites la révolution ! » Tout notre temps était consacré à étudier les œuvres de Mao, à rédiger des dazibaos, à assister à des séances de critique et à participer à des rassemblements de masse. Les murs près du campus ont bientôt été tapissés d'épaisses couches de papier. Dans un cycle qui allait se répéter durant des années, de nouveaux dazibaos apparaissaient chaque jour pour être enlevés le lendemain.

Au moins deux groupes ont fait fortune grâce à la Révolution culturelle : les papetières du ministère des Forêts et les éboueurs qui décollaient les affiches des murs pendant la nuit pour en retrouver de nouvelles le jour suivant. La Révolution culturelle a fourni à ces derniers une source de revenu inépuisable puisqu'ils pouvaient vendre au recyclage le papier des anciennes affiches. Ils me semblaient les seules personnes à faire quelque chose d'un peu constructif, alors que des millions d'autres étaient occupées à mettre le pays en pièces.

Plusieurs groupes révolutionnaires s'étaient formés sur le campus. Aucun d'entre eux cependant ne voulait de moi. Je fus flattée quand un groupe me demanda de signer une pétition pour avoir plus de noms. La plupart du temps, je me sentais terriblement isolée.

À la même période, la maison de mes parents à Pékin allait être saccagée. La même chose arriva à des millions de familles partout au pays sous l'action des gardes rouges, ces jeunes qui formaient les troupes de choc de la Révolution culturelle. Un contingent d'adolescentes d'une école de filles du voisinage, portant des uniformes militaires, des brassards rouges et des nattes, débarqua dans la cour de mes parents. Une jeune voisine leur fournit l'information qu'elles cherchaient ; elle pointa le doigt en direction de la demeure de mes parents, et sa propre famille fut épargnée.

Les gardes rouges vidèrent la commode, l'armoire et les malles de leur contenu. Les robes de soie et manteaux coûteux qui m'avaient été offerts par l'État avant mon départ pour Berlin faisaient partie des vêtements éparpillés sur le sol. Mais la plupart de ces habits étaient les vêtements défraîchis de mes neveux et nièces. Ma sœur Hua élevant ses trois enfants toute seule, les vêtements neufs étaient rares.

« Qui tentez-vous de berner en gardant de vieilles fringues rapiécées pour tenter de cacher votre richesse et vos goûts de luxe ? cria l'une des gardes rouges. Croyez-vous vraiment vous en tirer au moyen d'une astuce aussi flagrante ? »

Une autre fille qui sortait des choses d'un placard saisit l'album de photographies de mon père et commença à en scruter chacune des images jaunies. Les plus anciennes dataient de ses années au Japon : l'une d'elles le montrait en compagnie de geishas lors d'une sortie avec des camarades de classe japonais. Et placée négligemment parmi les autres, il y avait la photo de cette femme mystérieuse que mon père refusait d'identifier. À nos questions au sujet de cette beauté en kimono il disait seulement : « Je ne me rappelle pas qui c'était – une femme quelconque. » Des photos plus récentes montraient mes parents posant, l'air guindé, pour des portraits en studio, à l'occasion de leur anniversaire. Lorsque nous étions jeunes, mon père était fier de nous montrer cet album, mais après qu'il eut perdu son emploi, il l'avait relégué au fond d'un placard, où il accumulait la poussière.

« Pourquoi gardes-tu ces photos ? » S'adressant à mon père, totalement abattu, qui se tenait debout dans l'entrée, la fille lui brandissait les images devant les yeux.

« Ce ne sont que de vieilles photos, rien de spécial. J'avais même oublié qu'elles étaient là, répondit-il doucement.

– Ne va pas croire que nous ne savons pas ce qui se passe dans ta tête ! cria la fille. De toute évidence, il est clair que tu rêves au retour du "bon vieux temps", quand les troupes impérialistes contrôlaient la Chine ! Pourquoi autrement aurais-tu conservé des photographies de diables japonais aussi précieusement durant toutes ces années ? »

Mon père ne put que lui jeter un regard triste, comme elle retirait de l'album la photo de la beauté en kimono et la déchirait en morceaux. Une autre garde rouge brûlait des livres dans la cour et l'album fut vite jeté au bûcher.

Mon neveu Dong, alors âgé de 15 ans, se fit arracher l'album de photos qu'il avait dans les mains : « Brûle celui-là aussi ! » J'avais acheté cet album à son intention à Berlin et il contenait toutes les photos qui avaient été prises de lui.

« Bourgeois fini ! » La garde rouge cracha aux pieds de Dong. « Regarde combien de photos on a prises de toi ! Quelle extravagance ! » Dong, qui était timide de nature, resta assis à se mordre les lèvres, au bord des larmes. Il avait conservé précieusement ces souvenirs et ses yeux ne quittèrent pas l'album alors qu'il s'embrasait.

« Où sont tes objets de valeur, tes bijoux ? demanda à ma mère une fille occupée à éventrer un matelas.

– Comme vous pouvez le constater, nous n'avons aucun objet de valeur, dit ma mère.

– On peut voir aussi les vêtements précieux que vous portiez sur ces photos, rétorqua la fille en montrant le feu de joie. On sait jusqu'où vous êtes prêts à aller, vous, les riches, pour dissimuler votre fortune. »

Une fille plaça une chaise sur la table et y grimpa. Elle ouvrit tout grand une trappe au plafond. Se tenant sur la pointe des pieds, elle se mit à examiner le grenier avec une lampe de poche. Elle n'y trouva rien. « Ces gens rusent, dit-elle, frustrée. Il est évident qu'ils ont trouvé une excellente cachette. »

« Enlevez ça ! » La fille qui avait brûlé les albums, qui semblait commander au groupe, indiquait les pavés de pierre qui composaient les marches extérieures, près de la porte d'entrée. Ses troupes commencèrent à travailler, creusant et soulevant les lourdes pierres. Mais il n'y avait rien dessous que de la bonne terre jaune.

Les filles étaient déçues et ne voulaient pas partir sans accomplir quelque geste digne d'être noté au rapport. Elles mirent sous clé dans l'armoire les beaux vêtements provenant de mon séjour à Berlin et le vieux jeu de mah-jong en ivoire de ma mère.

« Ces choses ne vous appartiennent plus, dit la chef. Vous les avez achetées avec de l'argent acquis en exploitant d'autres gens. Elles seront confisquées. Attention aux conséquences si vous essayez de desceller cette armoire. »

L'armoire fut emmenée deux mois plus tard. Peu après, ma mère me dit qu'elle avait vu quelqu'un qui portait des vêtements ressemblant énormément aux miens.

« Tu as une mauvaise vue, maman. Ne va jamais répéter ce que tu viens de me dire », l'avais-je mise en garde. J'étais cependant certaine qu'elle avait dit vrai.

Les gardes rouges prirent aussi toutes nos épargnes. Les 200 yuans que Wang m'avait offerts en lieu et place d'une contribution récurrente s'étaient envolés. Mes parents perdirent leurs seules épargnes qui s'élevaient à 100 yuans ; même Dong dut se départir des 10 yuans qu'il avait économisés sur son argent de poche.

Le lendemain du saccage, ma mère se rendit à la maternelle à l'heure habituelle pour aller chercher Yan, alors âgée de cinq ans. Contrairement à son habitude, l'enseignante n'était pas chaleureuse ni gentille, ce jour-là.

« Ne la ramenez pas ici, dit-elle.

– Et pourquoi pas ?

– Votre maison vient d'être fouillée, n'est-ce pas ? Nous ne prenons pas d'enfants provenant de mauvaises familles. »

Ma mère ramassa les découpures de papier que Yan avait faites ce jour-là et marcha silencieusement avec elle, la main dans la main, jusqu'à la maison. Pauvre petite, pensait-elle, quel crime as-tu donc commis ? Tu peux déjà citer par cœur des écrits du président Mao et les seules chansons que tu connaisses sont politiques. Je t'ai entendue chanter quand tu jouais :

> Le noyau dirigeant de notre cause,
> c'est le Parti communiste chinois
> Le fondement théorique sur lequel se guide notre pensée,
> c'est le marxisme-léninisme.

Apeurés qu'ils étaient d'être pris en possession de quoi que ce soit qui fût ancien, d'origine étrangère ou encore eût de la valeur, il n'était pas rare que les gens fassent le travail des gardes rouges à leur place. Ma sœur Wen brûla tous les timbres d'avant la Libération que comportait la précieuse collection de son mari, parmi lesquels des timbres rares de la dynastie Qing. Elle brûla également tous ceux d'origine étrangère, ne conservant que les timbres chinois émis depuis la Libération.

Une vieille amie de ma mère qui recevait régulièrement de l'argent de sa sœur installée aux États-Unis paniqua lorsqu'elle entendit les gardes rouges frapper à sa porte. Elle fit disparaître en toute hâte 1500 $US dans les toilettes. Un autre ami monta sur le toit de sa maison au milieu de la nuit et jeta les bijoux de sa femme aussi loin qu'il le put. «Je me fous bien de qui a pu les trouver, nous dit-il plus tard. Mais qui que ce soit, pouvez-vous me dire s'il a été chanceux ou malchanceux de les avoir découverts?»

Mes parents furent forcés de balayer les rues. Chaque matin avant l'aube, leur groupe de sept «monstres et démons», comme on les appelait, devait se rassembler au bureau du comité de quartier. Le comité, dirigé surtout par de vieilles femmes peu scolarisées mais dotées d'impeccables lettres de créance politiques, était le principal appareil de contrôle au niveau du quartier dans les villes chinoises. «Demandez pardon au président Mao!» aboyait une petite chef du comité. Les monstres et les démons, tous sexagénaires et septuagénaires, devaient s'incliner devant le portrait de Mao en répétant: «Je suis coupable, je suis coupable. Je demande pardon au président Mao.»

On leur donnait des balais trop gros et trop pesants pour certains d'entre eux, tel mon père, alors déjà assez frêle. Il balançait le lourd balai d'avant en arrière tous les jours des heures durant. Ses petits-enfants savaient qu'il était de retour lorsqu'ils l'entendaient taper bruyamment la poussière de ses vêtements et de ses souliers avant d'entrer à la maison. Il balaya les rues durant des années sans se plaindre une seule fois.

Je n'ai jamais entendu mon père proférer une remarque désobligeante à propos du gouvernement communiste. Et il applaudissait toujours aux grandes réalisations d'ingénierie, comme l'édification du pont au-dessus du Yangzi à Nankin ou l'extension du chemin de fer jusqu'à Urumqi dans le lointain Nord-Ouest, en disant: «Tout ça ne serait jamais arrivé sous l'ancien régime.»

Les choses devinrent bien pires pour moi après que mes collègues eurent appris ce qui était arrivé chez mes parents à Pékin. Je fus étiquetée comme l'une des «bâtardes» faisant partie des «cinq catégories noires»: les propriétaires fonciers, les paysans riches, les éléments contre-révolutionnaires, les mauvais éléments et les droitistes. Plus tard, quatre autres catégories s'ajouteraient à la liste: les traîtres, les révisionnistes, les gens du parti engagés sur la voie du capitalisme et les intellectuels. Ce dernier terme recouvrait les enseignants, connus également sous le nom de «neuvième catégorie puante».

On vit apparaître des affiches qui disaient : « Les dragons engendrent des dragons, les phénix engendrent des phénix ; les rejetons des souris peuvent seulement creuser des trous » ; « À père héros, fils prodige ; à père réac, fils pourri ! » Avant de prendre la parole à des assemblées, il fallait divulguer l'origine de sa famille, par exemple : « Mon père est un propriétaire terrien et je suis un bâtard. »

Quant à eux, les gens aux origines familiales prolétaires appartenaient aux « cinq catégories rouges » : les ouvriers, les paysans pauvres et moyens-pauvres, les soldats, les martyrs de la révolution et les cadres révolutionnaires.

Il faut du temps pour s'habituer à lire sur les affiches des attaques vous désignant à l'opprobre populaire. Je fus très embarrassée lorsque, alors que je passais précipitamment devant les premières affiches qui détaillaient mes crimes, un étudiant cria : « Elle n'a pas honte ! Elle a même le culot de venir se montrer. » Plus tard, je pus arriver à accueillir avec un sourire sarcastique les accusations ridicules dont j'étais l'objet :

« Elle corrompt l'esprit de ses étudiants en leur racontant des histoires provenant de la littérature occidentale. Elle préconise un style de vie occidental en enseignant des mots comme couteau et fourchette, beurre et confiture. »

« Elle garde du lait en poudre et des biscuits sur sa tablette et en prend avant d'aller au lit. Quelques jeunes professeurs suivent naïvement son exemple bourgeois. »

« Elle ne met pas la politique au premier rang. Un jour, alors qu'elle enseignait le mot "favori", elle a montré sa veste en disant : "Voici ma veste favorite." Pourquoi n'aurait-elle pas montré plutôt un recueil de citations du président Mao en disant : "Voilà mon livre favori" ? »

« Elle aime les étudiants brillants et ne montre pas assez d'intérêt pour ceux venant d'un bon milieu familial. Cela montre qu'elle n'a pas le sens des classes sociales. »

« Elle porte des vêtements aux couleurs vives ; sa veste est parfois déboutonnée. Elle mène une vie indécente. »

On m'ordonna bientôt de quitter la chambre que j'occupais du côté ensoleillé de l'édifice pour une se trouvant du côté qui demeurait plongé dans l'ombre. Les chambres ensoleillées étaient dorénavant réservées aux enseignants révolutionnaires.

Une nuit froide d'hiver, vers deux heures, le son du gong nous sortit du sommeil : «Tout le monde dehors!» criait un homme.

Lorsque je sortis la tête dans le corridor, Fu, une collègue, était traînée de force hors de sa chambre. D'autres professeurs lui mettaient un bonnet d'âne et la forçaient à tenir un gong. Ils la firent parader de long en large dans le corridor glacial durant une heure en répétant : «Je suis coupable. Je demande pardon au président Mao.» Chaque fois, elle devait frapper le gong, un son que je détestais depuis la première fois que j'avais entendu de l'opéra de Pékin. On a donc tous été forcés de se tenir debout, frissonnants, dans l'embrasure de nos portes pour assister à son humiliation. Il semble que Fu, une jeune femme arrogante qui appartenait à l'un des groupes «révolutionnaires» d'enseignants, avait été prise à partie par un groupe opposé. La guerre des factions débutait.

«C'est ce qui va arriver à n'importe lequel d'entre vous, si vous essayez de résister», cria le chef de la faction gagnante.

«À bas Fu!» clama parmi l'auditoire captif quelqu'un qui s'empressait d'afficher sa loyauté.

On vit apparaître de nouvelles méthodes pour torturer les gens. Et de nouvelles directives du président Mao continuaient d'affluer de toutes parts. À toute heure du jour ou de la nuit, chaque fois que l'une d'elles était émise, nous avions à quitter nos dortoirs et à parader dans les rues pour la célébrer. Des lanternes et des bannières préparées pour l'occasion nous attendaient à la grille de l'école. Même s'il faisait -40° et que le vent hurlait, on manifestait : «Nous avons un cœur ardent et loyal envers le parti! Nous n'avons pas peur du froid!» criait un manifestant convaincu, alors que nos visages commençaient à geler.

«Nous appuyons résolument la nouvelle directive du président Mao!» hurlait-on, tenant bien haut les lanternes et agitant les bannières. «Longue vie à notre Grand Éducateur, Grand Leader, Grand Commandant Suprême et Grand Timonier, le président Mao!» Il était impératif de s'adresser à Mao en utilisant les quatre «grands» et de les prononcer dans le bon ordre.

La procession, qui nous menait de l'école jusqu'à une route principale où nous faisions demi-tour, pouvait prendre au moins une heure et demie. Nos joues étaient gelées, nos mains engourdies et parce qu'on marchait trop lentement, on ne sentait plus nos pieds. Personne n'osait se plaindre cependant.

Lors de la phase suivante, afin de remodeler leurs attitudes, on ordonna aux intellectuels ayant des problèmes idéologiques, comme moi, de faire du travail manuel. Ce processus de renaissance s'appelait «s'affranchir de son vieux moi». Mon travail consistait à nettoyer les corridors et les toilettes du dortoir des étudiants. Pour un temps, je fis cette tâche en compagnie de Deng, la doyenne. Elle aussi était accusée d'être une intellectuelle bourgeoise. Nous travaillions habituellement en silence, effrayées qu'on nous entende nous plaindre ou faire une remarque désobligeante à l'endroit des étudiants. Elle commençait à passer la serpillière à un bout du corridor et moi à l'autre et nous nous rencontrions au milieu.

Pour ce qui était des toilettes, la même scène nous attendait chaque jour: une montagne d'excréments dans chaque cuvette. L'odeur était indescriptible. C'étaient des toilettes à la turque, elles étaient souvent bouchées et personne ne tirait la chasse. Nous avions parfois à travailler si fort avec le siphon que le contenu infect de la cuvette nous éclaboussait. Le nettoyage des latrines devait être plus difficile pour Deng que pour moi parce que c'était une personne toujours méticuleusement propre et bien mise.

«Tu sais ce que c'est? grogna-t-elle une fois, pendant que l'on nettoyait des compartiments voisins. Plusieurs de nos étudiants sont originaires de la campagne et n'ont jamais vu de toilettes modernes auparavant. Ils ne savent pas comment les utiliser.»

«Fais attention! sifflai-je. Ne dis pas des choses comme celles-là.» Si quelqu'un l'avait entendue par hasard, nous aurions été accusées de dire du mal des rejetons des paysans pauvres et moyens-pauvres.

Parce que les ampoules électriques étaient rationnées, les neuves disparaissaient rapidement. À la fin, l'école arrêta de remplacer les ampoules défectueuses ou manquantes. C'est ainsi que les toilettes des garçons finirent par nous donner un problème additionnel. Dans le noir, les garçons se tenaient simplement à la porte pour uriner. Chaque matin, nous devions éponger une véritable mare d'urine à l'intérieur.

En raison du système du travail garanti, nous étions payés même s'il n'y avait pas classe. Les étudiants et les professeurs révolutionnaires pouvaient entrer et sortir librement, mais pour quitter l'école, les gens comme moi devaient en demander la permission. Je m'inquiétais de savoir comment allait Yan à Pékin. À un certain moment, je demandai congé. On m'accorda un mois. Préoccupée de ce qui pourrait arriver à mes affaires durant mon absence, je les passai soigneusement en revue avant mon départ, déchirant plusieurs de mes photos et de mes lettres. Ma compagne de chambre, une enseignante révolutionnaire, faisait de son mieux pour m'éviter, moi qui étais la cible de critiques. Ce soir-là cependant, alors que je triais ainsi mes affaires, elle n'arrêta pas d'entrer dans la chambre, d'abord pour prendre un mouchoir, puis un livre, et plus tard une paire de ciseaux de couture.

Il ne me vint pas à l'esprit à ce moment-là qu'elle rapportait chacun de mes gestes aux étudiants faisant partie des gardes rouges. De retour de voyage, seul mon couchage était à la place où je l'avais laissé. Les étudiants avaient emporté tout le reste, mes vêtements, mes photographies et les rares petites choses de quelque valeur : un stylo Parker, un réveille-matin allemand, des baguettes en ivoire et quelques bons d'épargne émis par l'État.

« On voulait faire une exposition pour montrer à quel point tu es bourgeoise » m'expliqua Hao, un leader étudiant. Mais l'exposition n'eut jamais lieu parce qu'ils s'étaient rendu compte que mes possessions ne suffisaient pas à prouver mon style de vie bourgeois.

Les trains étaient incroyablement bondés cet hiver-là. Chaque jour, des dizaines de milliers d'étudiants, de professeurs et de travailleurs d'usine se déversaient dans Pékin pour être passés en revue par Mao sur la place Tiananmen. On appelait cela « établir des liens révolutionnaires ». Les rebelles révolutionnaires, comme ils s'appelaient eux-mêmes, voyageaient sans frais. Peu d'entre eux avaient eu la chance de voyager auparavant, et encore moins de venir dans la capitale. Un voyage gratuit et des vacances prolongées payées équivalaient à gagner à la loterie. Certains en profitaient donc pour visiter la moitié du pays. Pour monter dans le train, tout ce dont ils avaient besoin c'était d'une lettre de leur comité révolutionnaire local. J'achetai cependant un billet parce que des gens comme moi ne pouvaient prendre de risque. Dans le train, vous deviez présenter un billet ou vos lettres de créance révolutionnaires.

Le voyage vers Pékin durait vingt-trois heures. Lorsque je montai, tous les sièges étaient occupés et l'allée centrale, bondée. Il n'y avait même pas assez de place pour poser mon sac par terre et m'asseoir dessus. L'épaisse fumée de tabac commença à me faire tourner la tête. Essayant de me défaire d'une douleur grandissante au dos, je me balançais d'un pied sur l'autre. J'étais debout depuis quatre heures environ lorsque je remarquai qu'un vieux paysan se glissait sous un banc, où il se pelotonna et poussa un soupir de soulagement. Je ne pourrais pas faire ça, pensai-je. Une autre heure passa, une autre encore. C'est alors que je me dis: «Ne peux-tu pas changer une de tes habitudes de la "neuvième catégorie puante" et voir les choses d'un point de vue plus pratique?» Je me traînai donc moi aussi sous un siège et me mis en boule.

De ne plus avoir à porter mon propre poids me sembla le paradis, même si ce n'était pas un paradis particulièrement agréable. Mon visage était comprimé contre une paire de souliers de coton dégoûtants. Plusieurs personnes assises sur les sièges avaient enlevé leurs souliers et l'odeur était terrible. Des pelures de fruits moisies, des graines de melon d'eau, des graines de tournesol, des coquilles d'œufs et des morceaux de nourritures diverses s'agglutinaient sur le plancher du train. L'odeur d'urine venant des toilettes, dont les chasses d'eau ne contenaient plus d'eau depuis belle lurette, était écœurante. J'avais faim, j'avais soif. J'étais cependant si épuisée qu'en peu de temps je tombai endormie. Des heures plus tard, lorsque j'arrivai à Pékin, ça me piquait partout; ma mère pensa que j'avais attrapé des puces dans le train et elle avait raison.

Les trains surchargés avaient souvent des heures de retard sur leur horaire. Avant la Révolution culturelle, les chemins de fer avaient la réputation d'offrir un service très ponctuel. Par la suite, ces horaires rigides furent critiqués comme étant une preuve même du « contrôle bourgeois ». Il était alors révolutionnaire de déclarer : « J'aime mieux un retard socialiste qu'une ponctualité capitaliste. »

Pour éviter que Yan, maintenant âgée de six ans, puisse être à nouveau témoin de scènes de violence et d'humiliation chez ses grands-parents, je décidai de l'emmener habiter chez ma sœur Wen à Hefei, la capitale de la province d'Anhui. Wen et son mari n'avaient pas encore été pris pour cibles par la Révolution culturelle et cela semblait un endroit assez sûr pour y laisser Yan. En réalité, on n'était en sécurité nulle part. Ce n'était qu'une question de temps.

Une autre raison motivait cette décision : Wen n'avait pas d'enfant et elle semblait heureuse à l'idée d'avoir la compagnie de Yan. Même en temps normal, les enfants chinois vivent souvent auprès de membres de leur famille étendue pour diverses raisons. Ce sens de la responsabilité collective envers les enfants devient spécialement important en période de troubles.

Jusque-là, Wen et moi envoyions une partie de notre salaire mensuel à nos parents. L'argent que leur donnaient leurs enfants était tout ce qu'ils avaient pour vivre. Il n'existe toujours pas de système universel de pension en Chine. Je pris donc sur moi de fournir la part de Wen pour l'entretien de nos parents parce qu'elle aurait dès lors à s'occuper de Yan.

Ma mère, qui avait veillé sur Yan depuis qu'elle avait huit mois, fut chagrinée par ma décision. S'occuper de sa petite-fille était maintenant le centre de sa vie. Leur dernière nuit ensemble, elle resta éveillée en tenant Yan endormie dans ses bras. Son dos de plus en plus voûté empêchait maintenant ma mère de porter Yan, mais elle continuait à la câliner. Alors que le monde autour était devenu fou, sa petite-fille était une grande source de consolation. Cela me faisait mal au cœur de les séparer, mais j'étais sûre que Yan serait plus en sécurité hors de Pékin.

Yan et moi partîmes pour la gare de Yongdingmen deux heures à l'avance parce que celle-ci se trouvait à une bonne distance de la maison de mes parents. Nous ne pûmes trouver de place dans un autobus parce que le flot de gens qui se dirigeaient vers la capitale était constant. À cette époque, on voyait souvent des jeunes gens suspendus à la porte à demi fermée d'un autobus pendant que celui-ci, bondé, continuait sa course.

Nous marchâmes quinze minutes jusqu'à une station de taxis où quatre chauffeurs attendaient leur prochain client. À notre approche, la femme qui se tenait dans le bureau du répartiteur ne prit même pas la peine de nous jeter un regard. Nous tournant le dos, elle se réchauffait les mains au-dessus d'un poêle à charbon.

« Que veux-tu ?

– Un taxi en direction de la gare de Yongdingmen s'il vous plaît.

– De quelle origine familiale êtes-vous ?

– Intellectuelle », dis-je.

J'aurais bien pu mentir, mais elle aurait alors pu vérifier nos permis de résidence.

« Aucune voiture n'est disponible, dit-elle brusquement.

– Mais nous sommes pressées. Nous allons manquer notre train, alléguai-je.

– Oublie ça. Le président Mao nous enseigne de servir le peuple. Nous ne servons que les gens du peuple ici – les travailleurs, les paysans et les soldats. »

J'étais prête à fondre en larmes en quittant la station de taxis. Si nous avions manqué ce train, j'aurais été incapable de me payer de nouveaux tickets. Un cyclopousse déboucha au coin de la rue au même moment et son conducteur se montra sympathique. Il pédala aussi vite qu'il put durant cette course d'une heure. « N'ayez pas peur, dit-il, essoufflé. On va y arriver. Je suis peut-être vieux, mais je suis expérimenté. » Nous arrivâmes juste à temps.

Yan, qui avait l'habitude d'être un peu gâtée par sa grand-mère, dut s'adapter à une nouvelle vie à Hefei. Wen et son mari travaillaient tous les deux ; Yan fut donc mise dans une école maternelle qui gardait les élèves en pension les jours de semaine.

La première journée et la première nuit, elle pleura amèrement. Même si Wen avait chargé le sac de Yan de friandises, cela ne semblait pas la consoler; le changement était trop soudain pour elle. Je restai à Hefei quelques semaines jusqu'à ce que je sente qu'elle commençait à s'adapter. J'aurais voulu rester plus longtemps mais il n'était pas question de risquer d'arriver en retard à Harbin et de voir ainsi s'ajouter un autre délit à ma liste.

Je savais que ce serait un choc pour Yan lorsqu'il lui apparaîtrait pleinement que je n'étais plus là moi non plus. Quand le train quitta Hefei, je sentis mon cœur se déchirer. Peu de chose de ma famille était resté intact, et voilà qu'une fois encore, j'avais à quitter ma Petite Hirondelle, sans savoir quand nous pourrions être réunies de nouveau. En pensée je la revoyais, le visage en larmes, me demandant pourquoi elle avait dû quitter grand-mère et quand je reviendrais. Je n'avais aucune réponse à lui donner.

Peu de temps après mon retour à Harbin, je me rapprochai de Pang, un des professeurs d'anglais de l'école. Il était de quatre ans mon cadet et mesurait trois centimètres de moins que moi. De temps à autre, nous allions manger ensemble à l'extérieur. Plus d'une fois, Pang suggéra qu'il pourrait peut-être y avoir davantage entre nous, mais je pensais que nous n'avions pas assez en commun.

Lui et moi venions de milieux très différents. Son père était mort alors qu'il n'avait que huit ans. Lorsque sa mère s'était remariée, elle avait laissé Pang aux bons soins de son grand-père, un vieux soldat alcoolique peu instruit. Pang avait grandi dans la partie la plus pauvre de Shenyang, un secteur violent et bourré de délinquants. Ayant eu à se débrouiller tout seul à un très jeune âge, il était indépendant et plein de ressources. Il était également ouvert, énergique et attentionné.

Je pensais cependant que, comme Wang, il lui manquait cette culture raffinée dans laquelle ma propre famille avait baigné. Avant la Libération, mes antécédents faisaient que j'étais considérée comme «un bon parti»; après la Libération, je m'étais soudainement trouvée venir d'une «mauvaise famille». J'avais essayé

Palais d'Été, Pékin, 1955. J'accompagne Gertrude Hentze,
mon amie allemande en visite en Chine.

Pékin, 1958. Cette photographie avait été prise en compagnie
de mon futur époux, mais celui-ci n'est plus sur la photo.

Mai 1959. Je travaille dans les champs.

1959, au moment de ma rééducation à la campagne.
J'habite chez le secrétaire du Parti communiste du village.

Pékin, 1961. Deux ans après mon mariage,
la nuit avant mon transfert à Harbin, dans la province du Heilongjiang.

Photo de famille, 1964. Mes parents, ma sœur Hua (à l'arrière, à gauche),
mon neveu et ma nièce ainsi que ma fille Yan.

Ma collection de badges à l'effigie de Mao.

Mes filles Yan et Lulu.

Pékin, 1982. Mes filles et moi dans notre appartement.

Pékin, avril 1985. La dernière photographie prise en compagnie de ma mère.
Elle était à la fois fière et triste de me voir partir.

Avril 1985. Juste avant de partir à l'aéroport pour le Canada.
Adieux à l'allée du Grand Puits d'Eau Douce.

Zhang Zhimei aujourd'hui.

avec force de me conformer aux nouvelles valeurs. J'avais épousé Wang, un révolutionnaire doté de grands idéaux plutôt que de manières raffinées. Cependant, en ce qui concernait le mariage, quelque part en moi, je cherchais encore le type d'homme auquel on m'avait destinée. Ayant consommé quantité de films et de romans occidentaux dans ma jeunesse, j'espérais secrètement qu'un amour romantique allait m'emporter.

Pang n'était pas un Clark Gable, mais je l'aimais beaucoup. Il avait un grand sens de la loyauté et semblait posséder une réserve sans fin de sympathie envers les opprimés. J'étais impressionnée par la façon dont il avait pris soin d'une étudiante qui s'était fait avorter après que son petit ami l'eut laissée tomber. Alors que les autres l'évitaient, l'impulsion de Pang avait été de l'aider.

Les accusations contre moi, qui jusqu'alors étaient restées confinées à des affiches sur les murs, débordaient maintenant au cours des séances de critique de masse. J'étais nerveuse pendant ces assemblées. Une fois, je perdis même connaissance. Je fus très blessée de voir certains de mes étudiants lever le poing et crier des slogans contre moi. C'était bel et bien les mêmes étudiants que ceux avec qui j'avais passé de longues heures, prenant la peine de corriger chacune de leurs erreurs de prononciation. Mais ils avaient tous de bonnes raisons de se joindre à la campagne de salissage. Mes étudiants préférés, ceux qui étaient les plus attentifs en classe, avaient ainsi l'occasion de se dissocier de moi et d'éviter d'être accusés d'avoir cherché à gagner la faveur d'un professeur bourgeois. Et ceux qui travaillaient peu et obtenaient de piètres notes avaient là enfin l'occasion de me remettre la monnaie de ma pièce.

Après l'une de ces séances, je fus emmenée par Lu, un de mes étudiants. Petit garçon, il avait été ébouillanté au visage par accident dans une cuisine. Des greffes de peau avaient été effectuées, mais il gardait encore de profondes cicatrices pourpres au cou et au visage. Lu me conduisit dans une remise où l'on gardait le matériel pédagogique de l'école. Il travaillait à la bibliothèque et cette remise lui servait de chambre à coucher. «Assieds-toi!» me commanda-t-il. Je m'assis, ne sachant pas du tout à quoi m'attendre.

«Allez, bois ça!»

Il me tendit une tasse d'eau.

«Sais-tu quels sont tes crimes?

– Je ne suis pas sûre.» Je n'étais également pas certaine de ce qui se passait dans sa tête.

«Admets-tu que tu es une femme immorale?

– J'ai fait des erreurs, mais je ne suis pas immorale, dis-je.

– Debout!» dit-il en s'approchant de moi. D'aussi près, ses lésions pourpres semblaient d'une couleur plus violente. «Sais-tu que je peux t'aider?» Je le regardai fixement, étonnée et incrédule. Il me saisit, se pressa contre moi et commença à m'embrasser.

«Laisse-moi partir!» criai-je, en luttant pour lui échapper. Je ne pouvais pas croire que mon propre étudiant me fît cela alors que je me trouvais dans une position d'aussi grande vulnérabilité. Je me dégageai brusquement et me dirigeai vers la porte.

«Arrête! cria-t-il. Ne parle de ça à personne. Et même si tu le fais, tu sais très bien que personne ne te croira.»

Plus tard, je révélai cet incident à Pang, qui en fut furieux. Je le priai de n'en parler à personne. J'avais déjà assez de problèmes comme ça.

Pang était la seule personne en qui j'avais confiance sur le campus. Nous nous voyions de plus en plus souvent. Cela excita les commérages, surtout en raison de nos statuts politiques «inégaux». Il était membre d'une des catégories révolutionnaires et j'étais une de leurs cibles.

Un jour, on me demanda de me présenter au local du Groupe de la terreur rouge, une association d'étudiants radicaux connus pour leur violence. J'étais terrorisée.

Quelques mois plus tôt, Mao avait autorisé les gardes rouges à diriger leurs attaques contre les «quatre vieilleries»: anciennes coutumes, anciennes habitudes, ancienne culture, ancienne pensée. La situation échappait cependant à son contrôle. Des jeunes gens qui auparavant n'avaient jamais eu aucun pouvoir, même en ce qui regardait leurs propres vies, se retrouvaient soudain avec un pouvoir considérable. Leur vie avait été étroitement encadrée et profondément frustrante, ils n'avaient besoin que d'un peu d'encouragement pour s'élever contre les figures d'autorité dans leur entourage immédiat – leurs parents et leurs enseignants (Mao lui-même, révéré en tant que leader de la révolution, était à l'abri de tout reproche).

La plupart de ces jeunes activistes ne savaient cependant pas comment utiliser ce pouvoir et l'abus de pouvoir était déjà chose courante autour d'eux. Ils avaient assisté à des arrestations arbitraires, des détentions illégales, des tortures et des confessions forcées, toujours au nom de la révolution. Les communistes avaient perpétué la tradition chinoise de gouvernement par les hommes et non par les lois.

« Qu'est-ce que la loi ? » ai-je déjà entendu dire un membre du Groupe de la terreur rouge. « Je suis la loi. »

J'appréhendais mon rendez-vous avec eux qui débutait à 20 heures.

« J'y vais avec toi, dit Pang. Je suis en assez bons termes avec ces étudiants. »

Nous arrivâmes à l'heure prévue dans la classe où le groupe avait son quartier général. Je fus immédiatement saisie d'horreur. On maintenait la pièce dans une pénombre faiblement éclairée par des ampoules rouges sur lesquelles étaient peints les caractères identifiant le Groupe de la terreur rouge. « Il est juste de se rebeller », disait un slogan écrit à la hâte sur le mur au-dessus du portrait de Mao. À part deux pupitres de bois et quelques chaises, la salle était vide. Dans l'obscurité, je comptai une demi-douzaine de silhouettes.

Un manteau militaire sur les épaules, un homme tirant sur une cigarette était assis à l'un des pupitres. Je reconnus en lui un étudiant de deuxième année qui était, dans cette vie antérieure du moins, très timide. Un étudiant très grand et large d'épaules se tenait debout à côté. Il était bien connu pour la force de ses poings.

« Nous allons l'interroger, dit à Pang l'étudiant au manteau militaire. Pendant ce temps, tiens-toi tranquille. » Il envoya Pang s'asseoir dans une pièce située de l'autre côté du corridor, d'où il pouvait bien voir ce qui se passait. L'étudiant se tourna alors vers moi : « Sais-tu quels sont tes crimes ? » Je bégayai quelque chose à propos du fait que j'avais gardé le contact avec Frau Hentze avec qui j'avais travaillé à Berlin-Est.

«N'y a-t-il pas autre chose? À propos de ta vie privée par exemple?»

J'hésitai. Je n'étais pas très sûre de ce qu'il voulait. Je pensai que peut-être une confession tout usage les satisferait.

«J'ai commis de graves erreurs, dis-je.

– Tu es une femme immorale, une renarde! cria-t-il. Combien d'hommes t'es-tu envoyés? Dis-nous tout! Tu as corrompu des cadres du parti et maintenant tu mets les pattes sur un des professeurs révolutionnaires. Crois-tu vraiment pouvoir t'en tirer ainsi?

– Agenouille-toi! Agenouille-toi devant le président Mao! cria l'étudiant aux fameux poings. Voilà ce que tu mérites», dit-il en détachant sa ceinture d'un coup sec. Un coup de ceinture me fouetta le visage, faisant voler mes lunettes au loin. Quelqu'un me saisit rapidement les mains, alors que je cherchais à m'en couvrir le visage. Je ne sais pas combien de temps ont duré les coups de poing et de ceinture: je ne sais pas non plus combien de personnes y prirent part. Les seules choses dont j'étais consciente étaient la douleur, les grognements de mes attaquants et les cris que je leur adressais pour qu'ils arrêtent.

Ils arrêtèrent soudainement. Je cherchai mes lunettes à tâtons sur le plancher. Quelqu'un cria alors à Pang: «Ramène-la chez elle!»

En retournant à la maison, je demandai à Pang pourquoi la raclée s'était terminée abruptement. Il me dit qu'il avait pris l'un de mes assaillants à part pour lui demander si le groupe savait que Lu avait essayé de m'agresser lors d'un petit interrogatoire en solitaire. «Vous dites qu'elle est immorale? Savez-vous ce que l'un d'entre vous lui a fait l'autre jour?»

L'intervention de Pang les avait surpris et c'est ce qui avait fait cesser la raclée. Si j'avais rapporté le comportement de Lu, personne ne m'aurait crue. La chose venant de Pang, un professeur révolutionnaire, ils devaient l'écouter. Après avoir interrogé Lu le lendemain, ils l'expulsèrent du groupe pour «mauvaise conduite».

Il m'apparaissait incroyable de penser qu'ils respectaient encore un code de conduite quelconque. Pour eux, expulser leur camarade était une façon de montrer qu'ils avaient encore de la discipline. Bien sûr, me battre au sang était également une excellente démonstration de discipline révolutionnaire.

Pang me ramena à ma chambre. Je pouvais à peine marcher. Lorsque j'apparus à la porte, ma compagne de chambre fut si effrayée qu'elle détourna le regard. «Qu'est-ce qu'ils t'ont fait?» chuchota-t-elle. J'étais trop faible pour répondre. «Veux-tu te regarder dans le miroir?» C'était la dernière chose que je voulais. Je désirais seulement m'allonger et essayer de boire une gorgée d'eau. La tête me faisait mal, le visage me faisait mal, chaque partie de mon corps me faisait mal. Ma compagne courut à la clinique pour ramener le médecin, mais il refusa de venir parce que, dit-il, il ne traitait que les patients révolutionnaires.

Le lendemain matin, je me regardai dans le miroir. Mon visage avait enflé du double et était couvert de bleus.

Pang alla à la clinique et trouva une femme médecin ayant une certaine propension à l'insouciance: «Peu m'importe qui elle est. Si elle a besoin d'un traitement, alors j'y vais.» Lorsqu'elle m'examina, elle n'en revint pas que j'eusse été battue aussi sauvagement.

Vers la fin de 1968, pas très longtemps après ce cauchemar, j'épousai Pang. Je lui étais reconnaissante de tout ce qu'il avait fait pour moi, mais je ne l'épousai pas par sentiment que je lui devais quelque chose. Je constatais qu'il était une bonne personne et qu'il avait du cœur au ventre. Nous étions cependant tous les deux conscients que je n'étais pas follement amoureuse de lui et nous en discutions ouvertement.

Il est dans nos traditions en Chine de voir les choses à long terme, de planifier soigneusement notre avenir et celui de nos enfants. Mais, pendant la Révolution culturelle, personne ne pouvait prédire ce qui arriverait par la suite. Nous vivions au jour le jour. Dans ce contexte, je n'avais ni le temps ni la disposition d'esprit pour me demander longuement si Pang et moi étions vraiment faits pour vivre ensemble. Dans ce pays en émoi, la poursuite du bonheur individuel passait au second plan. Notre préoccupation principale était d'essayer d'échapper aux troubles politiques et simplement de rester en vie.

Lorsqu'on m'attaqua, lorsque les murs du campus furent tapissés d'affiches qui me critiquaient et que les gens commencèrent à prendre leurs distances, Pang resta ferme. Malgré les pressions exercées sur lui, il ne dit jamais rien de désagréable à mon sujet, ni ouvertement ni dans mon dos. Dans ces temps difficiles, il m'apparaissait comme un homme fort qui retenait avec ses bras musclés les murs de pierre qui s'effondraient autour. C'est pour cette raison que je l'aimais.

## CHAPITRE IX

# À bas la hooligan internationale!

Durant l'été de 1968, la cible de la Révolution culturelle passa des gens du parti engagés sur la voie du capitalisme à la «neuvième catégorie puante», les intellectuels. Chaque jour, une nouvelle affiche apparaissait sur le campus, sommant un instituteur «bourgeois» de se présenter à un moment déterminé au quartier général du Groupe de la dictature, le noyau du comité révolutionnaire de l'école.

Rien d'étonnant si cela fut bientôt mon tour. Sur l'affiche me convoquant, mon nom était inscrit en caractères gras plutôt qu'à l'envers, comme cela avait été le cas pour les «engagés sur la voie du capitalisme». Je fus terrifiée à la vue du dazibao, mais il était tout à fait inutile de se défiler. Si vous ne vous présentiez pas, ils finissaient tôt ou tard par vous avoir. La plus petite défiance vous causait encore plus de difficultés. Une fois que vous vous présentiez, vous deveniez, comme on disait alors, «l'objet de la dictature», et l'on vous enfermait dans une classe pour vous interroger pendant des mois.

C'était l'été de 1968. Pang et moi n'étions mariés que depuis trois mois. Il m'accompagna jusqu'au QG du Groupe de la dictature, portant mon couchage à travers le campus tandis qu'en chemin les étudiants nous abreuvaient d'injures. Hao, l'un de mes anciens étudiants, était devenu l'un de mes geôliers. Il renvoya Pang, fouilla mes affaires et me confisqua une paire de petits ciseaux. Il me dit ensuite de déballer mes affaires; qu'il reviendrait une ou deux minutes après verrouiller la sombre et minuscule pièce qui me servirait désormais de cellule.

Je déroulai le couchage, fourrai mes vêtements dans une taie d'oreiller et plaçai mes deux bassins de métal sous le lit – un pour me laver le visage, l'autre pour les pieds.

Aucun livre n'était autorisé à l'exception des ouvrages de Mao. Pendant que j'étais à me demander ce que j'allais faire, un autre étudiant apparut à la porte. Il était à bout de souffle. C'était Huang, que les officiels du parti à l'école considéraient comme un fauteur de troubles parce qu'il aimait poser des questions en classe et faire des blagues à l'occasion.

«Je voulais vous voir avant qu'on vous enferme», dit-il.

J'étais bouleversée qu'il soit venu me voir et je luttai pour ne pas pleurer. Durant cette période, la plus petite démonstration de sympathie ou de gentillesse m'émouvait aux larmes.

«Tu dois partir tout de suite, dis-je. Ce que tu fais là ne pourra que te causer des problèmes. Le gardien va repasser d'une minute à l'autre.

– Je m'en fous, dit-il. Je désirais seulement vous dire que je ne voulais pas participer à la séance de critique l'autre jour. Je veux que vous sachiez que lorsque les autres pointaient le doigt dans votre direction, je suis simplement resté assis à regarder.

– Je comprends. Tu n'avais pas le choix, je sais.»

Je me rappelais la séance à laquelle il faisait allusion. Les cours avaient déjà été suspendus, mais j'étais entrée dans mon ancienne classe et j'avais découvert que le plancher était jonché d'affiches à grands caractères. En m'apercevant, certains étudiants avaient commencé à les rouler à la hâte. Comprenant qu'ils préparaient un meeting de critique contre moi, j'étais sortie précipitamment pour ne pas les embarrasser.

Lors de ce meeting, qui eut lieu plus tard ce jour-là, les accusations de mes étudiants me piquèrent au vif, mais je ne trouvai pas l'affaire si insoutenable. Il s'agissait plus ou moins d'une avalanche de slogans insignifiants. Je savais que plusieurs de mes élèves avaient été forcés d'y participer pour prouver leur loyauté.

Quatre autres personnes avaient déjà été mises aux arrêts à l'école: le président Fan, étiqueté «sur la voie du capitalisme» parce qu'il avait démis des membres incompétents du personnel provenant de « bonnes » familles d'ouvriers ou de paysans ; Lian, un sexagénaire, qui avait travaillé comme traducteur pour l'ancien régime ; Ding, un homme dans la quarantaine qui avait fréquenté une université londonienne et travaillé pour une ambassade étrangère à Pékin, et enfin Guan, un cuisinier ayant fait partie des forces policières durant l'occupation japonaise. J'étais la seule femme du groupe et mon crime n'avait pas été précisé.

La cantine était située à environ un pâté de maisons de l'édifice où on nous détenait. Ce soir-là, nous y étions conduits par l'étudiant de service qui portait un brassard où était inscrit « Groupe de la dictature ». Durant notre parcours, nous fûmes accompagnés de sifflements venant de tous bords.

« Regarde maman, viens ici, regarde ! Il y a une femme dans ce groupe de noirs ! » En entendant la voix d'un enfant, je me retournai et je vis un petit garçon me faire des grimaces. Pauvre enfant, pensai-je, tu ne devrais pas participer à tout cela. Si on t'a raconté que tout ce qui arrive est juste, à quoi ressembleras-tu dans dix ou vingt ans ? La Révolution culturelle produisit effectivement toute une génération de gens mal éduqués, égoïstes et indisciplinés n'ayant ni foi ni loi. Ils formaient cette jeunesse « perdue » qui précéda d'une décennie ou deux les étudiants qui ont investi la place Tiananmen en 1989.

« Ne regardez pas ! Baissez la tête ! » aboya le gardien.

Notre groupe de cinq était toujours amené à la cantine après que tout le monde eut mangé et que la meilleure nourriture eut disparu. Avant et après le repas, nous nous alignions devant le portrait de Mao et demandions pardon. Après avoir mangé, nous marchions au pas jusqu'à nos chambres et, une fois de plus, on nous y enfermait.

Mes deux premières semaines de détention, je dus les consacrer à écrire ma confession. Pendant des jours, je regardai fixement les feuilles blanches qu'on m'avait remises sans savoir par où commencer. « J'ai commencé à travailler pour la nouvelle Chine en 1951 avant même d'avoir 16 ans. Sur le plan politique, j'ai toujours essayé de suivre la ligne juste. Sur le plan professionnel, j'ai travaillé très fort et j'étais compétente. »

Parmi les choses qui me venaient à l'esprit, la seule qui m'apparaissait pouvoir être interprétée comme un comportement incorrect était l'amitié que j'avais entretenue avec Frau Hentze, mon amie est-allemande. On s'écrivit jusqu'en 1963, quelques années après que la Chine se fut brouillée avec le bloc soviétique. Sachant que mes lettres seraient soumises à la censure, j'avais cependant toujours fait attention à leur contenu. Malgré tout, j'ai été soupçonnée d'être une espionne.

Je m'acharnai sur ma confession. «Lorsque Frau Hentze retourna en Allemagne après une visite en Chine en 1955, elle commença à correspondre avec moi. Elle m'écrivit qu'elle s'était mariée et que son époux travaillait pour le Service des douanes est-allemandes. Lorsqu'elle devint enceinte, elle m'écrivit qu'elle avait peur d'avoir un accouchement difficile parce qu'elle avait passé 30 ans. Elle essaya alors de se mettre en aussi bonne condition physique que possible en montant et descendant des escaliers plusieurs fois par jour.

«Nous nous sommes expédié des présents aux anniversaires ainsi qu'à Noël. Je lui ai d'abord parlé de mon propre mariage et, plus tard, je lui ai confié comment il se détériorait. Après le divorce, je lui ai écrit que j'avais la garde de notre fille. Elle me répondit qu'elle était surprise que je n'aie pas demandé de pension alimentaire pour l'enfant. Par la suite, elle m'envoya assez souvent des choses pour Yan.»

C'était tout ce que je pouvais me rappeler de notre échange de lettres. Je soumis donc ma première confession.

Le Groupe de la dictature en fut irrité. Cette description n'était pas assez détaillée pour eux et ils me convoquèrent pour m'interroger.

«Nomme chaque article qu'elle t'a fait parvenir, m'ordonnat-on. Lui as-tu jamais demandé quelque chose? Lui as-tu déjà fait des remarques à propos des conditions de vie difficiles en Chine?»

Je leur remis alors une liste.

«Frau Hentze m'a fait parvenir les objets suivants:
• une paire de sous-vêtements de nylon de qualité (roses) après mon mariage
• quatre paires de bas de nylon

- une paire de souliers (blancs)
- des vêtements pour enfant à la naissance de Yan
- encore des vêtements pour enfant après mon divorce
- quatre paquets de lait en poudre (lorsque je lui ai dit que certaines choses étaient rationnées en Chine).

P.-S. : Je n'aurais pas dû lui parler de rationnement en Chine. Je n'aurais pas non plus dû lui dire que j'avais à payer des droits de douane sur tout ce qu'elle m'envoyait. »

Le Groupe de la dictature n'apprécierait pas cette deuxième confession non plus. « Pourquoi t'a-t-elle envoyé des choses ? Connais-tu quelqu'un qui fait cadeau de quoi que ce soit sans attendre rien en retour ? » Mon interrogateur hurla alors « Non ! » avant de citer Mao : « Il n'y a rien dans le monde qui ressemble à de l'amour ou à de la haine sans qu'il y ait une raison ou une cause. »

« Maintenant dis-moi, pourquoi s'occupait-elle autant de toi ? »

Je haussai les épaules. « Nous étions des amies. Elle m'aimait bien et je l'aimais bien.

– Cesse d'essayer de nous fourguer tes sentiments bourgeois puants. Prends garde aux conséquences si tu continues à t'entêter », prévint-il.

Quelques jours plus tard, on me rappela à la salle d'interrogatoire où se trouvaient quatre hommes que je ne connaissais pas. Ils portaient des vestes Mao strictement boutonnées jusqu'au cou.

« Baisse la tête ! » lança l'un des étudiants-gardiens à mon entrée dans la pièce.

« Sors les mains de tes poches. Va au milieu de la pièce », ordonna un autre.

« Demande pardon au président Mao ! » cria un troisième.

Je me tins au garde-à-vous devant son portrait et me prosternai trois fois en répétant : « Je vous demande pardon, président Mao ! »

L'interrogatoire débuta. Il apparut vite que les quatre hommes étaient des membres de la police de sécurité municipale, et qu'ils étaient là parce que je me trouvais impliquée dans une autre affaire.

J'avais connu un bibliothécaire dans un autre collège de Harbin, un homme brillant et érudit qui parlait six langues, dont l'espéranto. En tant que président de la section de Harbin de l'Association d'espéranto, Xia avait entretenu une correspondance avec des gens de partout dans le monde qui écrivaient cette langue. Ces correspondants avaient été soupçonnés de faire partie d'un réseau d'espionnage, et la langue qu'ils utilisaient, que très peu de gens pouvaient comprendre à Harbin, passait pour un code secret. Pour couronner le tout, Xia était né à Taiwan où il avait encore de la parenté. Il avait donc été arrêté pour espionnage.

Comme à chacun d'entre nous, on lui avait ordonné d'écrire les noms de tous ceux qu'il connaissait dans la ville. J'étais sur la liste. Cela provoqua une grande excitation et son cas fut instantanément relié au mien. Quelle gloire ce serait de mettre au jour un grand réseau d'espionnage!

«Trouves-tu quelque chose de suspect dans les sujets que Xia abordait avec toi?

– Non.

– T'a-t-il déjà parlé de faire défection?

– Non.

– Alors de quoi discutiez-vous lors de vos rencontres?

– Il me courait après.

– Sois sérieuse!» répliqua brusquement l'examinateur.

L'interrogatoire dura plusieurs heures, revenant sans cesse sur les mêmes points. Je ne pouvais tout simplement pas leur fournir la preuve après laquelle ils couraient, celle qui aurait établi l'existence de ce réseau d'espionnage.

Ce soir-là, je fus amenée dans une salle de classe pour une séance de critique menée par des collègues. Pang n'avait cependant pas la permission d'y assister. Tous les professeurs avaient un exemplaire du Petit Livre rouge des citations de Mao sur leur pupitre. On m'ordonna de me tenir face à mes accusateurs, debout, au centre du demi-cercle. Je fis mes prosternations et mes excuses usuelles devant le portrait de Mao. Puis le bombardement commença:

«Quelle est ta relation avec Xia?»

« Qui d'autre fait partie de votre groupe ? »

« Quel est votre mode de communication ? »

« Quelle est votre mission ? »

« Pourquoi ton amie allemande t'a-t-elle fait parvenir des choses ? Quelle information lui as-tu fournie ? »

« Qu'as-tu dit contre le système socialiste dans tes lettres ? »

Les questions étaient ridicules et je gardai le silence.

« Entêtée, n'est-ce pas ? cria Su, un costaud parmi les professeurs. Tu crois pouvoir t'en tirer comme ça ? On est dans une lutte de classes. La révolution n'est ni une invitation à dîner, ni de la peinture, ni de la broderie… la révolution est violence… » Il citait un passage de Mao que n'importe qui d'entre nous pouvait réciter par cœur. En parlant, il détacha sa large ceinture militaire. Je savais ce qui s'en venait et je fermai les yeux. Après ça, les seuls bruits qu'on entendit dans la salle furent les coups de ceinture et ses menaces sadiques : « Je veux savoir à quel point ta bouche est solidement fermée ! »

Je savais que toute résistance ne ferait que prolonger le passage à tabac. Je ne dis rien ; n'eus pas de gémissements, pas de larmes. Je ne fis que m'arc-bouter pour résister du mieux possible, sans réagir. Après mon autre correction par le Groupe de la terreur rouge, ma peur s'était considérablement atténuée. Je me disais : que peuvent-ils me faire de pire ?

Je ne sais combien de temps cela a duré. Pendant la rossée, je perdis toute notion du temps. À un moment, un homme vint chuchoter quelque chose à l'oreille de Su. J'appris par la suite qu'on lui avait dit d'éviter que cela laisse des traces. Il remit sa ceinture. Quelques minutes plus tard, on me fit sortir de la pièce sous les cris de « À bas l'espionne Zhang Zhimei ! À bas les monstres et les démons ! »

Pang n'était pas censé être au courant de cette séance ni de ce châtiment, mais il eut vent de quelque chose et il insista pour me voir dès le lendemain. Normalement, les membres de la famille étaient seulement autorisés à venir porter des produits de première nécessité, tels que du savon, du dentifrice et du papier hygiénique ainsi qu'une somme mensuelle pour la nourriture.

Et il n'était pas permis de parler au prisonnier durant la visite. Mais cette fois-là, Pang passa vite devant le garde et entra directement dans ma chambre.

En silence, je soulevai un pan de mon chemisier pour lui montrer les marques de ceinture sur mon corps. « Les bâtards ! chuchotat-il. Je vais m'assurer que personne n'ose plus jamais lever la main sur toi. » Avant que le garde ne le fasse sortir de la pièce, Pang prit mes mains dans les siennes. Terrifiée et me sentant très seule, j'aurais aimé qu'il me serre dans ses bras vigoureux.

Il me dit plus tard qu'il alla directement protester auprès du représentant à l'école de l'Armée populaire de libération. Il rappela à celui-ci que la raclée que j'avais subie violait la directive de Mao : « Lutter verbalement sans recourir à la violence. » Cela fit cesser toute séance de coups, quoique la punition corporelle prendrait bientôt d'autres formes : « tenir compagnie », par exemple, cette forme d'interrogatoire où on force la victime à se tenir debout indéfiniment, jusqu'à ce que les membres enflés, l'esprit et le corps épuisés, on soit alors prêt à confesser n'importe quoi.

Ainsi, lorsque Zhu, un ancien ami de Pang, vola un de mes vieux carnets d'adresses à la maison et l'apporta à mes geôliers, ils me firent « tenir compagnie », cherchant à me faire admettre que les noms contenus dans ce carnet étaient ceux d'espions de mon réseau. Bien qu'épuisée d'être restée debout durant toute une nuit d'interrogatoire, je fus capable de résister et de ne pas donner prise à cette accusation ridicule. En fait, les listes de noms et de numéros dans mon vieux carnet d'adresses ne correspondaient pas à quelque code que ce soit, comme ils le pensaient. C'était simplement le pointage des matches de ping-pong dont j'avais pris note en tant qu'organisatrice d'un tournoi dans mon service au cours des années cinquante.

Mon audacieux mari trouva bientôt le moyen de me rendre visite à nouveau, lors de la fête de la Lune, un congé au début de l'automne normalement consacré aux réunions familiales. On nous amenait à la cantine un peu plus tôt que d'habitude parce que nos gardiens voulaient se rendre à la maison pour célébrer en famille. De retour à ma chambre, laissée ouverte après ma sortie, je sentis immédiatement une odeur de fruits. Mon bassin était recouvert d'un journal qui cachait une petite montagne de poires et de pêches.

« Chut! Zhimei, murmura une voix. Je suis là, sous le lit. » C'était Pang! Mon cœur commença à débattre. Je me couchai et murmurai en direction du petit espace qui se trouvait entre le lit et le mur : « Comment as-tu pu faire une chose pareille? C'est trop risqué! Tu dois t'en aller tout de suite! »

Un doigt se dressa et caressa ma joue. « Non, je reste ici cette nuit. J'attendais cette occasion. Les gardes sont distraits aujourd'hui à cause du congé et je suis certain que personne ne m'a vu entrer.

– Tu ne dois pas rester! Tout peut arriver s'ils te trouvent. S'il te plaît, va-t'en. S'il te plaît. » Une larme roula sur ma joue et il l'essuya avec son doigt. Le silence se fit sous le lit.

« Oh Pang, je sais que je te manque. Mais pas maintenant, pas ici... »

J'étais heureuse rien qu'à entendre sa voix, mais j'étais terrifiée à l'idée de ce qui arriverait si on le découvrait. Je me dirigeai vers la porte, m'assurai qu'il n'y avait personne et le poussai à l'extérieur. Après avoir fermé la porte derrière lui, je m'effondrai sur le lit et je fondis en larmes. Quelle réunion de famille!

Le Groupe de la dictature décida de nous laisser sortir de nos cellules pour faire du travail manuel. J'étais contente. Cela faisait deux mois que je n'avais pas respiré d'air frais ni fait de l'exercice. Le garde criait : « Debout! Debout! » à cinq heures et demie chaque matin en ouvrant la porte. J'emportais mon bassin de métal, celui que j'utilisais pour les pieds et qui devait également servir de pot de chambre la nuit, pour le vider dans les toilettes. Notre groupe de cinq devait alors se mettre en file et suivre le garde dehors.

À l'extérieur, le garde se plantait en face de chacun de nous successivement et beuglait : « Qui es-tu? » Nous devions alors ajouter à notre nom notre « titre de criminel » : « Fan, engagé sur la voie du capitalisme! » répondait le président de l'école. Chaque fois que j'avais à dire le mien, je maudissais Lin, l'auteur de ma vilaine étiquette : « Zhang Zhimei, hooligan internationale! »

En route vers la cantine, nous devions crier : « À bas les monstres et les démons ! », « À bas ceux qui se sont engagés sur la voie du capitalisme ! » Après quelque temps, le garde avait imaginé quelque chose de nouveau.

« À partir d'aujourd'hui, dit-il, vous devrez vous dénoncer vous-mêmes. » Dès lors, lorsqu'il nous faisait défiler au pas jusqu'à la cantine, je devais crier : « À bas la hooligan internationale Zhang Zhimei ! »

Chaque matin, on nous faisait parader en récitant trois textes de Mao : *Servir le peuple*, *À la mémoire de Norman Bethune*, et *Comment Yukong déplaça les montagnes*.

« Toi, Lian, récite *À la mémoire de Norman Bethune !* », hurlait le garde.

« Le camarade Norman Bethune, commençait Lian, un membre du Parti communiste du Canada, était âgé d'environ 50 ans lorsqu'il a été envoyé en Chine par les partis communistes du Canada et des États-Unis… » Il récitait ce texte avec aisance, sans faire d'erreur. Le garde paraissait content.

« Maintenant toi, Guan, récite *Servir le peuple !* » Le cuisinier de l'école était presque illettré et il avait beaucoup de difficulté à lire et à mémoriser les essais de Mao.

« Euh… notre parti communiste… et… euh… la Nouvelle 4e armée… et la 8e armée de route… »

« Ce n'est pas dans le bon ordre ! » criait le garde.

« Pas de problème. Je recommence. Notre parti communiste… euh… et la 8e armée de route et la Nouvelle 4e armée dirigées par notre parti… » C'était douloureux d'entendre les bégaiements de Guan parce que nous savions que tôt ou tard le garde lui donnerait des coups de ceinture.

« Tous les hommes doivent mourir… euh… mais la mort peut varier de signification… mourir pour le peuple pèse plus lourd que… le mont Tang, non, non, je veux dire, le mont Tai… euh… mais travailler pour… euh… les capitalistes… »

Schlack ! Le garde le frappait au visage. « Comment oses-tu déformer les œuvres du président Mao ! C'est "travailler pour les fascistes", et tu le sais. Tu paieras pour ton entêtement ! »

Pauvre Guan! Déformer ce texte sacré était vraiment la dernière chose qu'il voulait faire.

Celui à qui l'on ordonnait de réciter *Comment Yukong déplaça les montagnes* était le moins chanceux parce que ce texte était le plus long des trois. Mon aisance à mémoriser, développée en apprenant des listes de vocabulaire anglais, me facilitait la tâche.

Durant les séances quotidiennes d'étude politique, nous discutions l'un ou l'autre des textes de Mao ou des articles extraits du *Quotidien du Peuple*. Après, nous travaillions durant la matinée et l'après-midi, avec une pause pour le déjeuner suivie d'une heure de repos. Nous avions droit à une sieste après déjeuner parce que sinon, nos gardes auraient également dû sacrifier la leur.

Le travail était dur. On pelletait du charbon dans la chaufferie où l'on suffoquait ou de la neige dehors dans le froid. On déchargeait des camions remplis de briques, de sable ou de charbon. À un moment donné, on travailla à la cuisine jusqu'à ce que quelqu'un se plaigne: «Comment pouvons-nous laisser des ennemis de classe préparer notre nourriture? Et s'ils essayaient de nous empoisonner?»

L'école possédait trois grands celliers pour stocker les légumes durant les mois d'hiver. Travailler aux légumes était ma corvée préférée, parce qu'alors j'avais plus de latitude. Je pouvais fredonner une chanson. À l'occasion, je croquais furtivement dans une carotte ou un navet ou je grignotais une feuille de chou. Pour qu'ils ne pourrissent pas, les choux devaient être retournés au moins deux fois par semaine, et ils perdaient chaque fois quelques feuilles. Le printemps venu, il ne restait souvent que les cœurs.

Décharger le charbon était la pire corvée car nous n'avions aucun endroit pour bien nous laver. Ainsi, je ne pris pas de bain pendant dix mois. Chaque week-end, durant notre journée de repos, j'utilisais mes deux bassins de métal pour me laver à fond: je me lavais d'abord les cheveux et ensuite le corps, utilisant un bassin pour le haut et l'autre pour le bas. S'il restait de l'eau chaude, je lavais mes vêtements. J'ai tout de même réussi à rester assez propre.

Certains des hommes ont cependant trouvé cela difficile. Un jour, durant l'étude politique, mon attention fut attirée par Ding, constamment en train de se gratter.

«Quelque chose ne va pas?» chuchotai-je.

Lorsque l'instructeur politique regarda ailleurs, Ding gribouilla en anglais au dos de son carnet de notes : «J'ai des parasites sur tout le corps. Ils prolifèrent.»

Avant que Ding ait commencé à se gratter durant les séances d'étude politique, il avait déjà l'habitude de faire claquer ses dents. Tout en ouvrant et fermant ses mâchoires, il frottait ses dents les unes contre les autres. Il aimait faire cela surtout après les repas; il disait que c'était un bon exercice pour la bouche et que c'était même excellent pour la digestion. Ding avait ramené des idées bizarres de ses années passées à Londres et nous présumions tout simplement que c'était l'une d'elles.

Le jour où Ding commença à se gratter en plus, notre instructeur politique en eut assez de son grincement de dents : «Que se passe-t-il là-bas? Pourquoi remues-tu tout le temps les mâchoires? Je vais t'amener à l'hôpital cet après-midi et je vais leur demander de t'examiner les dents.»

Nos geôliers commençaient à être fatigués de nous; nos confessions interminables ne leur apportaient rien de nouveau. Ils semblaient aussi fatigués de nous détenir que nous l'étions d'être détenus. Dans leur frustration, ils commencèrent à imaginer des choses extravagantes. Ainsi, un des gardes était convaincu que Ding avait un dispositif radio implanté dans la bouche et qu'il transmettait des messages codés lorsqu'il entrechoquait ses dents. Quant à moi, les gardes avaient appris de mes voisins qu'avant ma détention, j'utilisais souvent une machine à écrire jusqu'à tard dans la nuit. En fait, je préparais mes notes de cours. Mais c'était là une explication beaucoup trop banale pour eux. Ils examinèrent alors ma machine portative Remington 1930, suspectant chacune des pièces d'être du matériel d'espionnage.

Après environ six mois de détention, les choses se corsèrent soudain quand une faction partisane de la ligne dure, l'Équipe de propagande des travailleurs, prit la direction de l'école :

«Ce sont des criminels et vous les laissez dormir dans des lits?»

«Ils mangent la même chose que vous?»

«Ils sont toujours payés?»

La faction réclama des changements. On enleva nos sommiers pour ne laisser que les paillasses. Certains contractèrent des problèmes rénaux à dormir ainsi tout contre le plancher de ciment froid. J'échappai à cette complication parce que l'ingénieux Pang s'était organisé pour se faufiler chez moi à l'insu du garde et me laisser un épais piqué de feutre pour doubler mon matelas trop mince.

Même en détention, nous continuions à toucher nos salaires parce que nous étions toujours considérés comme des employés. Les emplois étaient assignés par l'État et vous étiez engagés pour la vie. À moins d'avoir commis un crime grave et qu'on vous ait mis sous les verrous, vous ne pouviez pas être licencié. De mon salaire mensuel de 78 yuans, on retenait 18 yuans pour ma nourriture et on donnait le reste à Pang. Il en conservait la moitié pour moi et envoyait l'autre moitié à ma mère à Pékin.

On ne nous laissa plus aucun choix à la cantine. La cuisine nous utilisait pour se débarrasser de ses restes, dont certains avaient déjà commencé à se gâter. On nous permettait cependant d'acheter autant de riz et de patates douces qu'on voulait. J'achetais donc des patates douces que je grignotais dans ma chambre. Certains perdirent leurs dents à cause de la malnutrition. Même si je n'avais que 33 ans, mes cheveux grisonnèrent. Ma piètre alimentation était en cause ; l'extrême stress n'aidait sûrement pas. L'Équipe de propagande des travailleurs était très critique vis-à-vis de notre école. Le nombre de détenus s'éleva bientôt à plus de 40 personnes, ce qui représentait environ le tiers du personnel.

« Dans cette école, la majorité des membres du personnel sont de mauvais éléments », déclara le chef de l'Équipe de propagande. Il ne connaissait visiblement pas cette phrase de Mao selon laquelle « 95 % de nos gens sont bons ».

Le nombre de prisonniers grimpa à mesure que s'étendirent les persécutions. On ne se limitait plus à ceux dont l'arbre généalogique recelait une mauvaise branche quelque part ou qui avaient des liens sociaux « compliqués ». Dorénavant, ceux qui avaient « suivi la ligne erronée » au début de la Révolution culturelle devinrent eux aussi des victimes. Dans certains cas, on réglait ainsi de vieux comptes.

Il était interdit aux professeurs en pénitence de communiquer entre eux. La plupart d'entre nous étions contents d'obéir à cette règle car nous avions appris que parler était risqué : les paroles pouvaient être déformées ou mal interprétées. Notre principale source d'information venait maintenant des bavardages de nos gardes à propos de leurs occupations. Il semble que lorsqu'il reçut la convocation du Groupe de la dictature, un homme, membre du parti et chef de département, perdit d'un coup toute dignité. « Je suis coupable ! Je suis coupable ! » cria-t-il en entrant à grandes enjambées dans leur bureau, ponctuant ses aveux exaltés en se giflant sur une joue et sur l'autre. Son autoflagellation ne lui mérita que le dégoût des gardes.

« Arrête ça, veux-tu ! cria l'un d'eux. Quelle créature sans colonne vertébrale ! Tu fais perdre la face au parti ! »

Un professeur d'anglais fut incarcéré parce qu'à la maternelle, son garçon de cinq ans avait été surpris à dire que l'ancien chef d'État Liu Shaoqi était une bonne personne. Il fut accusé d'avoir enseigné à dire cela à son fils.

Un professeur de science politique fut écroué pour une note griffonnée dans un livre à propos du jeune Mao. Le texte disait que Mao était un lecteur vorace. Il avait ajouté dans la marge : « Moi aussi ! » Il fut puni pour avoir osé se comparer au Grand Timonier.

Une autre enseignante fut détenue parce que son père s'était envolé pour Taiwan juste avant la Libération. Elle perdit connaissance lorsqu'elle fut sommée de se présenter au QG du Groupe de la dictature. À ce moment-là, elle était enceinte de huit mois. (Sans cours à préparer, les professeurs avaient beaucoup de temps libre durant cette période, ce qui eut comme conséquence que la taille de nombreuses familles doubla. La population de la Chine monta en flèche.)

Lorsque j'avais été enfermée, j'avais d'abord pensé : « Pourquoi ça m'arrive à moi ? » J'avais ensuite regardé autour de moi et constaté que mes compagnons d'infortune ne faisaient pas seulement partie de la génération de mes parents, qui était la cible habituelle et sans doute inévitable des campagnes politiques précédentes.

Avec la Révolution culturelle, l'angle d'attaque s'était élargi et ma propre génération était désormais ciblée. La brutalité, semblait-il, devait se répéter de génération en génération. À ce constat, j'acceptai mon sort avec un certain fatalisme et mon attitude changea en « Pourquoi pas moi? »

J'eus de la compagnie durant quelque temps. Ma première compagne de chambre était membre du parti et travaillait au service des ressources humaines de l'école. Serrée contre la mienne, sa paillasse prenait tout ce qu'il restait d'espace. C'était une femme désagréable qui ne partageait aucunement le sentiment d'un sort commun et la sympathie mutuelle qui s'étaient développés parmi les autres détenus.

Même en détention, elle ne perdait rien de son arrogance. « Nos problèmes sont d'une nature complètement différente, me dit-elle le premier jour. Mes erreurs tombent dans la catégorie des contradictions au sein du peuple alors que les tiennes sont plutôt des contradictions entre l'ennemi et le peuple. »

Ying, ma deuxième compagne de chambre, était victime d'une erreur sur la personne. Elle était accusée d'avoir appartenu à la Ligue de la jeunesse du Guomindang. Ils l'interrogèrent de façon répétée, mais en vain. Elle ne confessait rien, parce que ce n'était tout simplement pas vrai. Elle revenait à la cellule pour rédiger de nouvelles autocritiques, ce qu'elle faisait en chantonnant doucement à voix basse. Elle était d'une nature joyeuse et plus elle affichait de nonchalance, plus ses interrogateurs manifestaient de la hargne contre elle. Cela dura des mois.

Plus tard, on découvrit que le témoignage sur la foi duquel elle avait été arrêtée concernait plutôt un homme, qui s'appelait Ying lui aussi. Même le chef de l'Équipe de propagande des travailleurs se montra furieux de cette erreur. Il cria à nos gardes : « Vous ne savez même pas faire la différence entre un homme et une femme? »

De nouvelles directives sont finalement arrivées d'en haut et on commença à relâcher les prisonniers. Comme je faisais partie des cinq premières personnes à avoir été détenues, je m'attendais à être libérée incessamment. Je commençai à m'inquiéter lorsque je réalisai qu'une poignée de détenus seulement avaient été relâchés. Allait-on nous envoyer dans un camp de travail?

Un jour, alors que j'étais en train de balayer l'escalier, Pang passa à côté de moi et jeta une boulette de papier à mes pieds. Je la laissai là jusqu'à ce que je sois sûre que personne ne pouvait me voir, puis je la fourrai dans une de mes chaussettes. Je m'enfermai plus tard dans une des toilettes pour lire la note: «Y a-t-il quoi que ce soit que tu n'aies pas encore confessé? Ils n'ont rien pour prouver que tu es une espionne. Ils pensent maintenant te taxer de "mauvais élément" en raison de tes relations personnelles.» Je lus la note une seconde fois avant de la jeter dans la cuvette et de tirer la chasse d'eau.

Qu'y avait-il encore à confesser? Je me creusai la cervelle durant des jours. J'avais absolument tout dit... excepté une brève idylle, juste après mon divorce. Se pouvait-il que ce fût là ce qu'ils cherchaient?

C'était bien ça. L'homme en question, également détenu, avait mentionné cette histoire dans sa confession. Ils voulaient cependant que je l'admette moi aussi pour fermer le dossier.

Je désespérais d'être libérée et je confessai donc la chose, moi aussi, ce qui fit que mon pauvre mari eut à supporter encore plus de commentaires désobligeants. Par chance, nos professeurs n'étaient pas assez vulgaires pour m'exhiber dans les rues avec de vieilles godasses pendues au cou, comme j'avais pu le voir pour d'autres femmes accusées de relations sexuelles hors mariage.

Un jour, on me sortit de ma cellule pour m'amener dans l'an-cienne salle de réunion des professeurs. Tous y étaient. On me dit d'attendre debout à l'extérieur de la salle jusqu'à ce qu'ils soient prêts à me rencontrer. L'attente fut fort longue. Je profitai de ce que personne ne me surveillait pour faire un saut aux toilettes.

C'est là que je rencontrai mon amie Zhen. Pendant dix mois, on ne m'avait permis de parler à personne, sauf à mes collègues détenues. J'étais devenue un peu paranoïaque. Nos yeux se croi-sèrent et je secouai la tête de façon à lui faire comprendre qu'il ne fallait pas qu'elle m'adresse la parole. Elle ouvrit la porte de chaque compartiment pour s'assurer que nous étions seules.

«Ils se proposent de te relâcher aujourd'hui, chuchota-t-elle. Fais attention à ton attitude devant eux. Ça va compter pour beaucoup.» Nous restâmes silencieuses un instant, les yeux dans les yeux. Zhen essuya une larme sur sa joue et sortit précipitamment.

Quelques minutes plus tard, on me fit entrer dans la salle de réunion aux cris de: «À bas Zhang Zhimei!»

Deux longues rangées de pupitres étaient alignées contre les murs et tous étaient occupés. Je remarquai Pang, les yeux baissés, en train de lire ou feignant de lire quelque chose sur le pupitre devant lui. On m'ordonna de m'asseoir derrière le pupitre qui faisait face au portrait de Mao. Avant de le faire, je fis les trois prosternations usuelles et les excuses à Mao. Personne ne me l'avait demandé mais avec le temps c'était devenu un réflexe.

On m'invita à faire une autocritique. Je dis que j'étais une femme immorale qui avait détourné du droit chemin de bons camarades masculins. De plus, j'avais porté atteinte à la réputation nationale en acceptant des présents d'une Allemande de l'Est. Le chef des professeurs révolutionnaires se leva et commença à discourir sur ces thèmes. Il conclut la litanie des faits qui m'étaient reprochés en disant: «À partir de maintenant, tu devras étudier plus à fond les œuvres du président Mao et corriger tes attitudes bourgeoises.»

«Ceux qui sont d'accord pour la libérer, levez la main», dit-il. Tout le monde leva la main, à l'exception de Pang, qui fit mine de gribouiller quelque chose dans un carnet. C'était sa façon à lui de protester contre ma détention et cette dernière parodie.

Je me levai et remerciai Mao, le parti et les professeurs révolutionnaires de me relâcher. C'était conforme au dogme selon lequel tout ce qu'ils faisaient était juste. Un slogan disait: «Il est juste de vous relâcher; il est également juste de vous arrêter.» On me fit sortir aux cris de «À bas les intellectuels bourgeois!».

Quelques jours plus tard, une annonce formelle était faite devant une assemblée de masse du comité révolutionnaire de l'école: les accusations d'espionnage portées contre moi avaient été retirées. On ne dit cependant rien à propos de ma détention injustifiée. Avouer ses erreurs ne faisait pas partie du comportement révolutionnaire. Et de toute façon, les bons n'avaient jamais à admettre leurs erreurs devant les vilains.

On avait laissé tomber les accusations portées contre moi, mais il apparut par la suite qu'il restait encore des traces des « preuves » dans mon dossier. Environ un an après que j'eus été relâchée, l'équipe des travailleurs pétroliers à laquelle mon frère appartenait serait transférée vers un autre gisement. Lui seul cependant ne serait pas autorisé à s'y joindre. Il se rendit au service des ressources humaines pour en demander l'explication. Normalement, on ne lui aurait pas dit la vérité mais il se trouva que la personne à qui il eut affaire était un ancien camarade de classe. Celui-ci apprit ainsi à mon frère que sa sœur était une espionne.

Mon frère m'envoya immédiatement un câble : était-ce la vérité ? J'étais furieuse : il n'était pas capable de démêler le vrai du faux par lui-même. J'étais également désolée parce que je savais que ce mauvais point allait rester dans son dossier pour le reste de sa vie.

De la même façon qu'il avait transporté mon couchage à l'école dix mois auparavant, Pang ramena mon couchage à la maison. Rien n'avait vraiment changé pendant mon absence, excepté que les voisins se montrèrent encore plus froids, plus distants. J'en étais heureuse : les gens allaient me laisser tranquille, et peut-être était-ce là la meilleure manière d'éviter d'être prise dans les luttes entre factions opposées.

À mon premier soir de liberté, Pang m'emmena prendre un repas au dehors. Au restaurant, je l'entendis me demander si je voulais commander. J'étais si hébétée que je ne sus quoi répondre. Je ne faisais que dévisager les gens autour de nous, comme s'ils n'avaient été que des objets, aussi engourdis que je me sentais moi-même. La nappe de plastique graisseuse, les conversations bruyantes des buveurs de bière, la salle remplie de fumée, le plancher jonché de nourriture – je voyais bien tout cela, mais cela me semblait irréel. C'était comme si je regardais un film.

Des plats de poisson et de porc arrivèrent devant moi. En voyant dans quel état j'étais, Pang avait choisi pour nous deux.

Je pris un peu de viande, mais je déposai aussitôt mes baguettes sans rien goûter. C'était comme si j'avais perdu tous mes sens, y compris celui du goût.

«Partons, dis-je. Je crois que j'ai besoin de temps pour revenir tranquillement à la vie.»

CHAPITRE X

## Étrangers et paysans

Durant ma détention, le culte de la personnalité avait gagné en ampleur. En librairie on ne trouvait que les œuvres de Mao; le seul choix que vous aviez, c'était entre le livre de poche ou l'édition de luxe. Les seuls présents qu'on pouvait échanger étaient une collection des œuvres de Mao ou des badges à son effigie. On les recevait en cadeau de noces; on les offrait en cadeau d'anniversaire.

Des hommes et des femmes adultes collectionnaient les badges de Mao avec le même enthousiasme qu'un gamin de huit ans collectionne les timbres. Les badges apparaissaient sous différentes formes et dimensions, montrant le Grand Leader sous différents angles: de profil, en buste, en pied, assis, debout; Mao jeune homme tenant un parapluie; Mao au cours de la Longue Marche; Mao plus âgé dans un uniforme militaire saluant les gardes rouges sur la place Tiananmen. Les badges étaient parfois en porcelaine, parfois en plastique, mais la plupart du temps en aluminium. Ils étaient aussi minuscules qu'un bouton ou aussi grands qu'une assiette. Presque toutes les familles en possédaient une collection substantielle, épinglée sur tissu rouge et encadrée.

«Si les Russes nous envahissent et que nous avons à sauver nos vies, je laisserai tout derrière moi, sauf ma boîte de badges de Mao. Ils me sauveront.» C'était l'une des blagues favorites de Pang; on croyait que Mao était tout-puissant.

On fit fondre tellement d'aluminium pour fabriquer assez de badges pour satisfaire un marché de 800 000 000 d'individus, que Mao lui-même en fut agacé. «Redonnez-moi mes avions», dit-il. On nous ordonna alors de rapporter nos badges pour qu'ils soient recyclés.

La «danse de la loyauté» était une autre activité apparue pendant ma détention; c'était une danse d'allégeance à Mao accompagnée de chants dont le plus populaire était intitulé *Le soleil rouge dans nos cœurs*:

> Bien-aimé président Mao, tu es un soleil rouge dans nos cœurs
> Nous avons tant de choses à te confier
> Nous avons tant de chansons chaleureuses à te chanter
> Des millions de cœurs rouges se tournent vers le soleil rouge.

Les enfants de la maternelle dansaient, les vieilles femmes aux pieds bandés dansaient, tout le pays dansait. On levait les deux bras et on les balançait d'avant en arrière en tapant des pieds en même temps. Ayant appris cette chorégraphie sur le tard, je n'ai jamais réussi à la maîtriser. Je pouvais valser, danser le tango ou le jitterbug, mais j'ai toujours eu l'air gauche en exécutant la danse de la loyauté.

Matin et soir, lors d'un rituel plus rigide que tout ce que j'avais pu expérimenter à l'école catholique pour filles, on parlait directement au Grand Timonier. On appelait cela «les demandes de consignes du matin et les rapports du soir». En rang, debout devant son portrait, on se prosternait, on déclamait certaines de ses citations, puis on lui demandait quoi faire ce jour-là. On chantait un refrain enthousiaste tiré de *L'Orient est rouge* et on concluait en criant: «Longue vie au président Mao!»

Après que Lin Biao eut été désigné comme le successeur de Mao, on ajouta une acclamation. Le souhait de «longue vie» était réservé uniquement à Mao, comme cela l'avait été précédemment pour l'empereur. L'acclamation adressée à Lin Biao était: «Santé éternelle au vice-président Lin Biao!» Mais on la supprima de notre répertoire lorsque Lin Biao fut subitement écarté du pouvoir puis mourut dans un accident d'avion suspect en 1971.

Après tous ces cris enthousiastes, un chef d'équipe donnait ses ordres comme s'ils émanaient du président lui-même. On se rassemblait tous une fois encore devant le portrait de Mao dans la soirée avant de quitter le travail. À tour de rôle, chacun disait ce qu'il avait accompli ce jour-là et quelles pensées « non conformes » lui avaient traversé l'esprit.

Si vous manquiez d'idées pour faire une vraie autocritique, vous inventiez quelque chose. Par exemple : « Plus tôt, j'ai bafouillé lorsque j'ai déclamé une citation du président. Cela démontre que je ne suis pas suffisamment loyal à son égard. » Ou encore : « Cet après-midi, durant la séance de critique contre Fan, le président de l'école, je n'ai pas crié les slogans assez fort. Cela montre que ma compréhension de la lutte des classes est encore faible. À bas l'engagé sur la voie du capitalisme Fan ! »

À Pékin, le rituel devait aussi se répéter à la maison avant le coucher. Tous savaient que les voisins écoutaient ; alors tous criaient les slogans aussi fort que possible. Hua me dit plus tard qu'à chaque fois que la famille criait « Longue vie au président Mao », notre neveu de deux ans, terrorisé par le bruit, fondait en larmes. Un soir, un voisin épia par la fenêtre pour s'assurer que la famille accomplissait bien le rituel. Irritée, Hua ouvrit tout grand les rideaux et courut allumer toutes les lumières pour que le curieux puisse mieux voir.

Les équipes du Mouvement d'éducation socialiste, formées de citadins instruits, furent envoyées dans les campagnes à la fin du printemps de 1969 pour « aider à résoudre les problèmes des paysans ». Dans certaines communes populaires, des responsables, empressés de plaire aux autorités centrales, avaient pris l'habitude d'exagérer les quantités de grain produites sur leur territoire. Puisque les quotas de production étaient alors fixés à partir de ces données gonflées, l'État eut inévitablement du mal à percevoir la quantité de grain promise par les communes. On envoya alors depuis les villes des gens de confiance pour superviser les cadres ruraux trop optimistes.

Un mois après ma libération, Pang fut désigné pour faire partie de l'une de ces équipes et envoyé dans un village situé à quatre heures de train de Harbin. Je restai sur place. Je ne savais pas encore que j'étais enceinte d'un deuxième enfant.

L'Armée rouge venait tout juste d'attaquer l'île Zhen Bao à la frontière sino-soviétique. Nos journaux disaient que les Russes pouvaient nous envahir à tout moment. Mao donna la directive de «creuser de profonds tunnels et faire des provisions». Les caveaux, où l'on gardait les légumes durant l'hiver, furent agrandis et transformés en abris antiaériens de fortune. On nous fit nous exercer à courir aux abris de manière ordonnée. L'hiver arriva, ma grossesse était avancée et, lorsque la sirène sonnait, j'avais de la difficulté à descendre à la course les marches glacées puis à m'engouffrer dans le caveau. J'essayai à quelques reprises, mais j'estimai à la fin qu'il vaudrait mieux mourir à l'air libre que d'être écrasée dans un caveau ou d'y être ensevelie et d'y suffoquer avec un bébé dans le ventre.

Certaines nuits, on nous disait de dormir tout habillés. Je pensais que les Russes étaient à nos portes. Même s'ils ne nous ont jamais envahis, nous avons quand même continué à creuser. Harbin avait un projet ambitieux : consolider les tunnels d'armatures de ciment et d'acier et les relier en un réseau souterrain à la grandeur de la ville. Des millions de yuans allaient être gaspillés dans ce projet, alors que plusieurs personnes n'avaient pas même assez d'espace pour loger leur famille à la surface. Notre école n'allouait que 15 mètres carrés à des familles de trois ou quatre personnes.

Plus ma grossesse avançait, plus la solitude m'angoissait. J'envoyai un câble à Pang pour lui demander de revenir, mais ça lui était impossible. Son retour ne fut autorisé que deux semaines avant l'arrivée du bébé. Je voulais qu'il naisse à Pékin pour que ma mère puisse m'aider après l'accouchement. Pang ne put avoir la permission de m'accompagner au train, mais il le fit tout de même. Cela lui coûta un mois de salaire et il dut faire une autocritique pour insubordination.

Notre fille est née à Pékin le 28 février 1970. On la nomma Lu, qui signifie «jade précieux», et tout le monde l'appela Lulu. Au moment même où je devais retourner à Harbin, après mon congé de maternité de cinquante-six jours, je reçus une note de l'école selon laquelle Pang et moi devions aller habiter à la campagne. Les écoles étaient encore fermées et bon nombre d'intellectuels étaient envoyés chez les paysans pour vivre parmi eux et apprendre d'eux. Nous n'avions aucune idée du temps que durerait cette période de «rééducation». Nous devions nous présenter dix jours plus tard aux autorités du comté de Mulan, à environ quatre heures de route de Harbin.

Six couples de notre école, tous ayant déjà souffert d'une façon ou d'une autre de la Révolution culturelle, étaient ainsi envoyés dans des villages du comté de Mulan. Certains couples emmenaient leurs jeunes enfants avec eux, mais je décidai que c'était trop risqué pour un nouveau-né. Il n'y avait pas de lait pasteurisé pour une petite au biberon. Et que se passerait-il si elle tombait malade ? La mortalité infantile était élevée à la campagne.

Maintenant septuagénaire, ma mère gardait déjà un bébé, le fils de mon frère. Même si ses mouvements devenaient plus gauches et que sa vue baissait, elle croyait encore posséder des ressources illimitées. «Laisse-moi Lulu, insista-t-elle. Je suis capable de prendre soin des deux bambins. J'en mettrai un de chaque côté de moi dans le lit durant la nuit.» Je pensai que ce serait trop pour elle et je trouvai à Pékin une femme qui accepta de s'occuper de Lulu pour 50 yuans par mois, soit une bonne partie de mon salaire de 78 yuans.

Une fois encore, je devais quitter mon enfant au moment où elle commençait à me reconnaître. Dix ans plus tôt, j'avais dû laisser Yan à Pékin lorsque Wang et moi avions été expédiés à Harbin. Laisser Lulu derrière moi me fit revivre les douleurs de cette première séparation. Mais, je trouvai celle-là encore plus déchirante : tout espoir de se fixer et de pouvoir vivre enfin une vie de famille tranquille venait une fois de plus de s'évanouir. À 35 ans, c'était encore plus difficile à accepter qu'à 25.

Me souvenant de ce que c'était que de vivre dans un village, je retournai à Harbin chargée de provisions : aliments secs, nouilles, lard salé, médicaments. Pang avait été libéré de sa précédente affectation et revint à Harbin presque en même temps que moi. Nous avons chargé nos quelques effets sur un camion et sommes partis en direction du comté de Mulan avant l'échéance.

Ce fut un voyage pénible; plus nous avancions, plus la route devenait cahoteuse. En arrivant à destination, j'éprouvai un choc en apercevant les maisons de terre battue; j'avais pensé qu'elles seraient en briques. J'étais assise à ce moment-là en avant à côté du chauffeur. Les gens apparurent soudain de toutes les directions et entourèrent la cabine du camion.

« Regardez! Des étrangers! » cria un jeune garçon.

« Regardez la femme! Elle porte des lunettes », chuchota une femme. Les chuchotements des paysans n'étaient pas discrets du tout.

« Et elle est grosse! » ajouta une autre. Grâce au supplément de victuailles qui m'avait été octroyé après la naissance de Lulu, j'avais pris du poids, environ sept kilos. Les villageois nous examinèrent de la tête aux pieds. Avec nos habits rapiécés et nos souliers de toile boueux, nous avions l'air encore plus déshérités qu'eux. Nous nous étions délibérément vêtus de cette manière, parce qu'on nous avait ordonné de nous « intégrer » à eux. Nous nous rendions compte maintenant que la plupart des paysans étaient mieux vêtus que nous ne l'avions d'abord cru. Plus tard, ils nous dirent qu'ils pensaient que nous ne faisions que prétendre être pauvres. Et ils ne comprirent jamais ce que nous pensions pouvoir apprendre d'eux.

Pang et le chauffeur demandèrent au chef d'équipe de production où nous devions décharger nos affaires. Personne ne semblait le savoir. Notre venue n'avait pas été annoncée aux habitants. « S'ils ne sont pas prêts à nous accueillir, dis-je au chauffeur, pourquoi ne pas retourner là d'où nous sommes venus? » Il me dit de patienter.

Les hommes sortirent pour essayer de résoudre ce cafouillage. Je demeurai dans le camion durant plusieurs heures. La première impression que je fis aux villageois ne dut pas être très agréable: une femme de la ville assise toute seule à bouder dans un gros camion.

Le chef d'équipe finit par revenir pour me dire que nous allions partager une maison avec deux familles. La maison en milieu rural compte habituellement trois pièces. Vous entrez par celle du milieu, où se trouvent les poêles, la jarre d'eau, le combustible et les ustensiles de cuisine. Les deux autres pièces sont situées de chaque côté et chacune est occupée par une famille. Dans la maison où nous allions habiter, une pièce était occupée par une veuve et ses six enfants; l'autre par un veuf dans la soixantaine avancée. Dans chacune des chambres, le long des murs, des lits-plateformes se faisaient face; l'espace entre ces deux *kang* était juste assez grand pour placer une table.

Nous allions partager la pièce avec le veuf. Je tendis un drap le long de notre *kang* pour nous ménager un peu d'intimité. Cela n'empêcha pas que l'on entende chacun des bruits que pouvait faire cet homme durant la nuit: tousser, ronfler, uriner. Les mouches et les moustiques étaient un problème et je montai donc aussi une moustiquaire autour de notre *kang*, ce qui choqua les villageois.

« Regarde combien de gaze fine elle utilise pour faire une aussi grande moustiquaire. Quel gaspillage! » « chuchota » une fille qui épiait par la porte.

Étouffant de chaleur à l'intérieur de la moustiquaire et broyant du noir en pensant à mes filles, je ne pus dormir durant cette première nuit. Combien de temps notre séparation allait-elle durer? Je savais qu'en vivant avec ma sœur, Yan était entre bonnes mains. Mais comment une inconnue traiterait-elle Lulu?

L'effet de la moustiquaire, qui empêchait l'air de circuler autour du lit, n'était déjà pas très heureux dans la chaleur estivale. Mais la chaleur de la cuisson du soir, conduite du poêle au kang, y faisait encore monter la température. C'était un bon moyen pour garder la chaleur en hiver, mais c'était excessivement chaud en été.

À l'aube, je me redressai dans le lit: « Pang, dis-je, es-tu réveillé? Je ne peux pas rester ici.

– Je comprends ce que tu ressens », répondit-il, se tournant vers moi à moitié endormi. « Mais où pouvons-nous aller? Nos permis de résidence, nos carnets de rationnement, tout a été transféré ici. Il n'y a pas de place pour nous en ville. »

Désespérée, je commençai à pleurer. « Je ne peux supporter ça. Nous ne pouvons pas savoir si Lulu va bien.

– Regarde, Zhimei, dit-il doucement. Je sais comme cela est difficile pour toi. Si tu ne peux pas tenir le coup, retourne à Pékin t'occuper du bébé. Je resterai seul ici. »

Je savais qu'il disait cela pour me réconforter. Je savais aussi que je n'avais d'autre choix que de rester. Si je partais je ne serais pas payée et on avait besoin de mon revenu pour joindre les deux bouts.

Le lendemain, j'avais l'air affreux et je ne me sentais pas bien du tout. Pang me dit de me reposer pendant qu'il déballait nos affaires et il alluma le petit poêle à charbon que nous avions apporté. Nous avions même transporté une demi-tonne de charbon. C'était, pensions-nous, un meilleur combustible que les bûches et les fagots qu'utilisaient les villageois. Pang commença à préparer un repas. Plusieurs n'avaient encore jamais vu un homme faire la cuisine, pas pour sa femme en tout cas. Bientôt, la rumeur courut : « La femme de la ville ne sait pas faire la cuisine, son mari doit tout faire pour elle. »

Je devins un objet de grande curiosité. Les gens allaient et venaient à leur guise. Certains jetaient un coup d'œil furtif par la fenêtre ; d'autres s'installaient dans l'embrasure de la porte et me dévisageaient pendant des heures. Les plus hardis me posaient des questions (comme : « Combien d'enfants avez-vous ? ») et repartaient colporter la nouvelle. Lorsqu'ils apprirent que j'avais laissé un bébé à Pékin, ils jugèrent notre situation bien cruelle. J'aurais souhaité que le parti devienne aussi humain que ces paysans pleins de gros bon sens.

Je me tins à part au début, non parce que je n'aimais pas ces gens, mais parce que j'étais malheureuse et obsédée par mes problèmes. Plus tard, dès que je commençai à mieux les connaître, je les aimai beaucoup. Ils étaient authentiques, chaleureux et plus humains malgré leurs manières rustres que ne l'étaient la plupart des gens de la ville. Ils ne discutaient pas de lutte de classes et ne me rejetaient pas en raison de mon milieu familial ou de mon divorce. Pour eux, j'étais seulement une femme de la ville et c'était un véritable soulagement d'être acceptée comme telle.

Je me joignis aux femmes pour les travaux des champs, faisant presque tout ce qu'elles faisaient : planter, sarcler, désherber, moissonner, battre le grain, collecter et épandre le fumier. La vie n'est pas facile pour une paysanne. Elle travaille aux champs, prend soin des enfants, s'occupe de la cuisine, du raccommodage et de la couture, cultive son petit lopin de légumes et nourrit les porcs et les volailles. Elle va aussi tirer l'eau au puits, souvent à une bonne distance, et la ramène à la maison avec une palanche.

Lorsqu'il pleuvait, le village devenait une mer de boue et on aurait dit des égouts à ciel ouvert. Je m'habituai toutefois rapidement à ce mode de vie. J'en vins à apprécier leur humour cru et leur nourriture simple. J'avais cependant la prudence de ne jamais boire de l'eau non bouillie parce que deux affections étaient courantes dans la région : la maladie de Keshan, qui touche le cœur ; et la maladie de Kaschin-Beck, très répandue chez les jeunes gens du nord-est de la Chine, dont les symptômes sont entre autres des articulations douloureuses, souvent enflées et déformées, et une atrophie musculaire. Ceux qui en souffrent demeurent petits, certains ont la taille de nains. Les causes de ces maladies étaient inconnues, mais des médecins suspectaient l'eau de la région d'y être pour quelque chose.

Les six familles provenant de notre école vivaient dans quatre villages voisins. Nous nous rencontrions toutes les deux semaines pour de l'étude politique. D'affronter les mêmes problèmes nous avait rapprochés. Nous ne savions pas s'il nous serait jamais permis de retourner en ville. Nous ne pouvions qu'espérer un changement de politique.

En février 1971, Pang et moi avons obtenu la permission d'aller quelques jours à Pékin pour voir Lulu, maintenant âgée d'un an. Je fondis en larmes lorsque je l'aperçus ; elle était si faible qu'elle ne pouvait rester assise et encore moins se tenir debout. La femme à qui je l'avais confiée avait cherché à tirer plus de profit de l'arrangement que nous avions pris et ne l'avait pas nourrie comme il faut.

« C'est criminel de voler la nourriture de la bouche d'un enfant », s'indigna ma mère. Nous cherchâmes alors une autre gardienne et trouvâmes une femme plus âgée qui adorait les enfants. Même si j'étais assurée que Lulu serait beaucoup mieux traitée, je retournai à la campagne rongée par la culpabilité de ne pas être capable de lui donner l'amour maternel et les soins qu'elle méritait.

Lors de notre deuxième année au village, Pang et moi avons déménagé dans un bâtiment situé à côté du puits. Une fabrique de fromage de soja* se trouvait à l'opposé de notre chambre et la pièce du milieu, où se trouvait notre poêle, était occupée par un grand moulin à fèves de soja. Il était actionné par un âne qui portait des œillères et tournait en rond tout en lâchant du crottin. Lorsque j'étais assise pour attiser le feu de notre poêle, sa queue me frappait parfois au visage. Mais je m'accommodais de la situation : au moins, nous avions maintenant un peu d'intimité.

J'appris beaucoup de choses sur le village d'un vieux bossu qui arrivait avant l'aube pour faire du fromage de soja. Il connaissait tous les potins. Une famille, racontait-il, avait noyé un bébé infirme dans la fosse d'aisance ; dans une autre sévissait l'inceste ; un nain du village (qu'on appelait « Le Grand », bien sûr) s'adonnait au jeu, etc.

Pang assista au dénouement de l'un des événements les plus horribles à survenir au village. Un matin tôt, un voisin bouleversé frappa à la porte : « Pang ! Lève-toi ! Deux personnes viennent tout juste d'être tuées ! »

Pang jeta son manteau sur ses épaules et sortit en toute hâte. Lorsqu'il arriva sur les lieux du drame, des dizaines de personnes étaient rassemblées autour du puits communal. Il se fraya un chemin à travers la foule et vit la tête d'un homme qui dépassait de la surface de l'eau. « Lancez-lui une corde ! » cria Pang.

« Laissez-moi seul ! Je veux mourir, implorait l'homme dans le puits.

– Tu es un lâche ! cria Pang vers le fond du puits. Si tu voulais mourir, pourquoi ne t'y es-tu pas mieux pris, en sautant la tête la première ? »

---

* *Doufu* en chinois, le tofu des Japonais.

Pang lança une corde à l'homme, qui remonta avec difficulté parce que ses vêtements matelassés étaient imbibés d'eau. Il frissonnait de la tête aux pieds. C'était Gui, un homme marié à une veuve qui avait deux adolescentes. Il avait commencé cependant à s'intéresser plus à l'aînée des filles qu'à la mère. L'inceste n'est pas rare à la campagne, où deux ou même trois générations dorment dans la même pièce, sur deux *kang* qui se font face.

Gui avait pris l'habitude de coucher avec la fille. Lorsqu'un garçon du village avait voulu l'épouser, elle avait imploré Gui de cesser leur relation scandaleuse. Devant son refus, elle avait tout dévoilé à sa mère. Le coupable, enragé, avait alors violé et étranglé la fille puis tué la mère avec un couperet. Il avait enveloppé soigneusement les deux cadavres dans des couvertures matelassées, marché jusqu'au puits et s'y était jeté avec. À ce qu'on put savoir, une fois arrêté, il fut sévèrement battu par la police. Six mois plus tard, Gui plaida coupable et fut exécuté.

Alors que les pires agitations de la Révolution culturelle étaient terminées, au printemps 1972, les universités commencèrent à rouvrir. Sur les six couples envoyés par notre école dans le comté de Mulan, six personnes, qui n'étaient pas désignées, avaient l'autorisation de retourner à Harbin pour recommencer à enseigner. On nous demanda de décider entre nous qui partirait et qui resterait. Pang insista pour que je sois parmi les premiers à rentrer ; il aurait lui-même à demeurer encore six mois à la campagne.

Après une absence de six ans, je retournai donc en classe. On m'affecta au département d'anglais de l'Université du Heilongjiang, mieux connue sous le nom de Heida. L'origine des étudiants était désormais fort différente. Des travailleurs, des paysans et des soldats qui avaient été admis sur la recommandation de leurs unités de travail et de leurs communes remplissaient les universités. Les examens d'entrée avaient été abolis parce qu'ils étaient considérés comme un moyen des intellectuels bourgeois pour opprimer le prolétariat. Nous, les professeurs, devions faire attention à la façon dont nous traitions nos étudiants : si nous montrions parfois quelque impatience envers eux ou si nous leur donnions de mauvaises notes, nous pourrions être accusés de vengeance de classe.

Avant de recommencer à enseigner, je retournai à Pékin pour reprendre Lulu. Elle avait deux ans et me connaissait à peine. Il fallut un certain temps avant qu'elle ne m'appelle maman. Il fut plus difficile encore pour elle de s'habituer à un papa. On nous donna une pièce où nous allions vivre durant les sept années suivantes. Au début nous n'avions qu'un lit, ce qui causa un petit drame la première nuit où Pang revint à Harbin. Lulu se réveilla en pleine nuit, vit un homme à ses côtés et commença à hurler. J'essayai de la réconforter, mais elle continua à pousser Pang pour qu'il sorte du lit.

« Pourquoi ne t'assieds-tu pas sur la chaise jusqu'à ce qu'elle s'endorme et que tu puisses te glisser de nouveau dans le lit ? suggérai-je.

– Je ne veux pas la déranger. Je dormirai par terre pour cette fois. » Ainsi, après une séparation familiale de deux ans, c'est en dormant sur le plancher que Pang passa la nuit de nos retrouvailles.

Lorsque Pang et moi avions été envoyés dans le comté de Mulan, ma sœur Wen avait, elle aussi, été envoyée à la campagne. Yan l'avait suivie et fréquenta l'école du village durant ses trois dernières années de primaire. Ayant vécu avec Wen depuis l'âge de six ans, Yan était proche d'elle et nous appelait toutes les deux maman. Elle se sentait autant chez elle chez ma sœur que chez moi.

Nous étions tous d'accord qu'il valait mieux pour Yan qu'elle poursuive son secondaire en ville ; c'est pourquoi elle nous rejoignit en 1973. Les années d'après ont été une période paisible, sans perturbations majeures dans la vie familiale. Pang et moi vivions en bonne harmonie. Yan et Lulu apprirent à se connaître ; étant donné les dix ans de différence qu'il y avait entre elles, leur relation était exempte de rivalité.

Lorsqu'on permit finalement à Wen de quitter la campagne pour retourner à Hefei en 1976, Yan l'y rejoignit. C'était sa décision. Elle savait que sa deuxième mère, qui venait tout juste de divorcer, souffrirait de solitude à vivre toute seule.

CHAPITRE XI

# La vie au temps présent

Jin entra dans la classe à grands pas, le visage sombre, au-dessus d'une veste à col Mao strictement boutonnée. Mes collègues et moi restâmes silencieux, étonnés parce qu'en cette période de l'année, il portait de façon prématurée un pardessus de laine posé sur ses épaules. C'était à la fin d'août 1977. Jin devait crever de chaud avec son manteau dans une pièce si mal aérée et exposée au soleil. Mais il aimait beaucoup ce style jugé des plus chics par de nombreux officiels du parti qui étaient également d'anciens officiers militaires : un pardessus jeté sur les épaules lui donnait, trouvait-il, l'apparence d'un commandant.

En sa qualité de chef du bureau des affaires étrangères de l'école, Jin avait convoqué une réunion obligatoire du personnel pour discuter de l'arrivée imminente d'un professeur étranger. Il s'assit à l'avant de la pièce et se mit à feuilleter les pages d'un épais dossier. Il s'arrêta et fronça les sourcils à un passage précis du dossier, lequel se rapportait, je le supposais, au cas de l'étranger.

L'Université du Heilongjiang avait déjà reçu auparavant des professeurs occidentaux, soit successivement deux couples d'Anglais. Mais le nouvel arrivant éveillait plus que l'intérêt habituel parce que la rumeur voulait qu'il fût juif et canadien et que sa femme fût hispano-américaine. Les étrangers étaient une rareté à Harbin, encore plus des étrangers aussi exotiques. À quoi ressemblaient leurs enfants ? Et pourquoi le dossier de cet homme était-il déjà si volumineux ?

« Le nouvel étranger parle chinois, dit Jin en débutant. Il s'appelle Daniel Levy. Il arrivera dans quelques jours avec sa femme

Marta et leurs deux jeunes enfants, Rosa et Josh. Il a étudié le chinois pendant environ deux ans à Pékin et il se sent donc à l'aise en Chine. » Il tourna une page en s'éclaircissant la voix. Les points importants du discours de Jin étaient toujours précédés d'un raclement de gorge.

« On dit aussi qu'il aime sympathiser avec les Chinois, qu'il se pointe chez vous sans s'annoncer et qu'il entre sans autre formalité. Il faudra bien le surveiller. Nous devrons être très vigilants avec cet invité étranger et faire attention de ne jamais oublier la distinction entre *nei* et *wai*. » En évoquant le principe de « l'intérieur et de l'extérieur », Jin répétait un avertissement que nous avions entendu un nombre incalculable de fois auparavant : « l'information intérieure » doit être cachée aux étrangers, ceux de l'extérieur.

Mon premier contact avec les nouveaux arrivants survint environ une semaine plus tard, au moment où je revenais de donner mon premier cours de la nouvelle année scolaire. Une fillette portant une combinaison bleu marine flânait au bord de la cour poussiéreuse d'une section résidentielle du campus. Ses longs cheveux noirs étaient enroulés avec soin en chignon haut sur sa tête. Elle surveillait timidement un groupe de filles qui sautaient énergiquement à l'élastique.

« Bonjour Rosa », dis-je, et je vis son visage se détendre. Émergeant de l'effort qu'elle faisait pour trouver une signification aux babillages qui fusaient autour d'elle, elle sembla clairement soulagée qu'on s'adresse à elle dans sa langue. « Je suis professeur, comme ton père. Et j'ai une fille un tout petit peu plus vieille que toi. » Ses grands yeux bruns se fixèrent sur moi. « Où habitez-vous ? », demanda-t-elle. Je pointai du doigt l'immeuble opposé au leur.

« Puis-je aller voir les jouets de votre fille ? »

Il était strictement défendu de laisser un étranger entrer chez vous sans la permission des autorités scolaires. D'un autre côté, comment pouvais-je refuser la requête d'une petite fille qui désirait simplement regarder les jouets que ce nouveau et étrange pays avait à offrir ?

Une prudence instinctive prit toutefois le dessus : « Si tu veux, tu peux rencontrer ma fille Lulu lorsqu'elle rentrera de l'école.

– Allons-y tout de suite », dit-elle en me prenant par la main. Je souris de son audace et me laissai fléchir.

Assis à la porte de notre immeuble, les voisins semblèrent surpris de nous voir monter ensemble à la pièce que ma famille occupait au premier étage. Rosa laissait courir sa main le long des murs entourant l'escalier et celle-ci devint rapidement sale. La cuisson se faisait sur des poêles au charbon dans les corridors et les murs étaient couverts en permanence de suie grasse.

Une fois en haut de l'escalier, la première chose qui attira l'attention de Rosa fut nos cinq poules blanches. Pang leur avait construit une cage en bois avec des matériaux récupérés d'un chantier de construction. On gardait la petite porte pivotante cadenassée pour éviter qu'on nous dérobe les poules et les œufs. Ces œufs complétaient l'alimentation de Lulu, c'était là le seul supplément de protéines à notre ration mensuelle de 250 grammes de viande par personne et de huit œufs par famille.

Presque chaque ménage possédait une cage. Une façon de passer les soirées d'hiver était de faire un brin de causette avec les voisins dans le corridor, et à cette occasion, la conversation tournait souvent autour des soins et de l'alimentation à apporter aux poules. Une des découvertes que je fis circuler était que mes poules adoraient manger du papier journal. Je ne dis cependant pas à mes voisins que je les nourrissais aussi avec ma correspondance personnelle. « Maintenant vous connaissez tous mes secrets », chuchotais-je aux poules affamées en regardant mes lettres déchirées disparaître. « Mais je ne pense pas que l'une de vous va me trahir. »

Je leur donnais les lettres que je recevais de Sarah et Bob, un couple de Britanniques qui avaient déjà enseigné à l'école. Il faut dire qu'au moment où leurs lettres me parvenaient, elles avaient déjà été ouvertes par la bande du bureau des affaires étrangères de l'école, gens dépourvus de tout humour, qui lisaient aussi mon courrier sortant. Lorsque Sarah me demanda dans une lettre si j'étais capable de « décoder » une note de Bob, Jin sauta sur ce mot suspect et demanda des explications. Je rétorquai que Sarah faisait évidemment allusion à l'écriture presque illisible de Bob, mais Jin n'en fut pas convaincu.

Dans l'une de mes missives à Sarah, j'avais mentionné une erreur amusante commise par une étrangère qui commençait tout juste à apprendre le chinois. J'étais allée avec cette femme, nouvelle enseignante chez nous, acheter du lait en poudre. Elle était impatiente de mettre à l'épreuve ses premiers rudiments de chinois, mais elle s'était trompée de tons, et avait réclamé plutôt de la «bouse de vache», au grand amusement de l'employé du magasin.

On m'avait convoquée au bureau des affaires étrangères. «Je crois que vous devriez biffer ce passage», avait suggéré Jin, en montrant du doigt l'anecdote de ma lettre. «Ce genre de propos n'est pas sérieux. N'écrivez plus de cette façon frivole à l'avenir.» Après quelque temps, fatiguée de me plier à cette censure, je cessai d'écrire en Angleterre. Les poules retournèrent à la diète plus monotone que constituaient les éditoriaux du *Quotidien du Peuple*.

Rosa ne trouva pas grand-chose d'intéressant dans notre pièce pauvrement meublée. «Va en bas jouer dans le sable», proposai-je, en lui tendant une pelle et un seau de plastique. L'idée lui plut et elle repartit pleine d'un nouvel entrain.

Plus tard, alors que je mettais mon tablier pour préparer le déjeuner, j'entendis frapper à la porte. C'était Rosa tenant la main de sa mère, une femme ravissante au teint mat qui portait un t-shirt et des pantalons à pattes d'éléphant. Ses cheveux étaient remontés dans un fichu. Je ne pouvais deviner son âge; il m'était difficile d'évaluer l'âge des étrangers.

«C'est elle la femme avec qui j'ai parlé, maman!» lança Rosa.

J'avais déjà enfreint les règles en amenant Rosa chez nous, mais les risques ne semblaient pas sérieux puisque l'étrangère en question n'avait qu'un mètre de haut. Devais-je inviter cette adulte à entrer? La femme prit la décision pour moi en se glissant dans la pièce.

«Bonjour, mon nom est Marta. Ma fille m'a dit qu'elle avait rencontré une Chinoise qui parlait anglais. Mon mari a suggéré que j'aille voir où vous habitiez. Alors me voilà! J'espère que je ne vous dérange pas?»

J'étais nerveuse pour deux raisons: parce que j'étais en train de désobéir au règlement et parce que j'étais gênée de l'austère simplicité de notre logement : une armoire, deux lits, une étagère à livres et un bureau. La table pour les repas était pliée et posée contre un mur sous la petite fenêtre. Le tout devait paraître si dénué de confort à des yeux étrangers que je marmonnai une excuse. « Ne dites pas de bêtises, dit-elle. J'ai été élevée dans un milieu pauvre à New York et notre ameublement était très modeste, vous savez. Ma sœur et moi avons partagé un lit à une place durant toutes nos jeunes années. »

Je fus touchée par son ouverture d'esprit et je commençai à me sentir plus à l'aise. Mais je fus encore plus soulagée quand, quelques minutes plus tard, elle m'annonça leur départ.

La première chose que je fis le lendemain matin fut d'aller au bureau des affaires étrangères pour expliquer que je ne l'avais pas du tout invitée. Normalement, les officiels devaient inspecter votre pièce et les corridors de service avant de décider si c'était assez propre pour recevoir des étrangers.

Lorsque j'entrai, Jin était dans le bureau. Il m'attendait. « Je suis content que vous soyez venue m'en informer. Il est de toute première importance d'entretenir de bonnes relations avec nos professeurs étrangers, bien sûr. » Il se racla la gorge. « Mais gardez en mémoire que nous ne savons encore rien sur les attitudes politiques de ce couple. Pour autant que vous sachiez ce que vous pouvez leur dire et ce que vous ne devez pas leur dire, ça ira. »

Le lendemain, le département d'anglais organisait une réception de bienvenue pour Daniel et Marta, la petite Rosa de cinq ans et Josh, âgé de sept ans. La cérémonie se tint dans cette classe où l'on nous avait mis en garde à propos de Daniel une semaine plus tôt. Cette fois-ci, on avait posé des tasses de thé et des bouteilles thermos, des assiettes de graines de tournesol, des arachides et des bonbons sur une longue table à l'avant. Les Levy étaient assis au centre, flanqués des membres du bureau des affaires étrangères et des doyens du département. Jin s'assura que les tasses des nouveaux venus fussent toujours remplies et il plaçait de temps à autre une poignée de graines de tournesol devant eux.

Le directeur du département y alla de son petit laïus habituel pour leur souhaiter la bienvenue : « amitié... collaboration amicale...

amis de la Chine... » L'unique variation se rapportait cette fois-là à Norman Bethune «qui fit lui aussi des milliers de kilomètres pour venir aider le peuple chinois». Daniel regardait fixement sa pipe, mal à l'aise d'être comparé au seul Canadien que la plupart des Chinois connaissaient – le chirurgien montréalais mort en Chine en 1939 alors qu'il œuvrait comme médecin auprès des troupes communistes.

Puis vint le tour de Daniel. J'avais été saisie en le voyant. Je n'avais jamais vu un homme avec les cheveux aussi longs : sa chevelure foncée et frisée lui arrivait aux épaules. Grand, maigre et barbu, il portait une chemise pâle et des jeans. Il tirait sur sa pipe en parlant des profonds sentiments qu'il avait développés envers la Chine durant ses deux années d'études à Pékin.

Il s'arrêta alors, secoua sa pipe pour en vider les cendres et ajouta : «Il y a un mur autour de notre immeuble. Est-il là pour nous garder à l'intérieur ou pour tenir les Chinois à l'extérieur?»

Un silence consterné s'ensuivit. Le décorticage des graines de tournesol cessa. Daniel se rassit, et plutôt que d'y aller des applaudissements polis habituels, les cadres des affaires étrangères demeurèrent à afficher un air embarrassé. La petite réception de bienvenue se termina dans la gêne.

Le travail de Daniel consistait à donner des cours de perfectionnement aux professeurs d'anglais. Je n'étais pas parmi la dizaine de personnes sélectionnées pour la première session de formation, mais je me glissais souvent à l'arrière de sa classe en essayant de ne pas me faire remarquer. Il était évident que Daniel aimait enseigner. En classe, il était vivant et encourageait ses étudiants à poser des questions et à s'exprimer. Il s'habillait de façon décontractée : pantalons noirs en velours côtelé et chemise à carreaux noirs et rouges au col déboutonné. À ses côtés, nous avions l'air si gauches et si neutres, avec nos pantalons en tissu matelassé informes, uniformément bleus ou gris, nos vestes boutonnées jusqu'au cou, que ne venait pas égayer la moindre touche de couleur.

Ses manières étaient aussi décontractées que son habillement. Il s'asseyait sur un pupitre resté libre lorsqu'il donnait ses cours, dont il essuyait la poussière avec sa manche. Il était attentif à ce que tous ses étudiants participent activement. Son style et ses méthodes d'enseignement étaient à des années-lumière de l'apprentissage par cœur auquel nous étions habitués.

J'étais une auditrice sérieuse ; je prenais des notes et je faisais tous les travaux écrits. Le thème de notre première composition était : « Une expérience inhabituelle ». J'écrivis à propos de mes deux années à Berlin-Est au début des années cinquante. Daniel me rendit mon essai avec ces commentaires : « Excellent ! Vos descriptions sont vivantes et communiquent très bien les fortes émotions ressenties. » J'étais aux anges.

À propos de « À quoi pensez-vous lorsque vous regardez les étoiles ? » j'écrivis comment, enfant, je guettais le ciel en attendant la première étoile pour formuler un vœu. « Maintenant je ne regarde plus les étoiles ; et je ne fixe plus mon espoir sur leur pouvoir. Elles ne sont plus maintenant à mes yeux que des corps célestes qui scintillent dans un ciel froid et sans vie. »

Daniel fut manifestement décontenancé par le ton utilisé. « Techniquement, c'est bien écrit, nota-t-il. Émotionnellement, cela devient vers la fin un peu déprimant, un peu morbide, tout spécialement venant d'une personne qui rit si souvent et manifeste du plaisir. Madame Zhang a un côté sombre, n'est-ce pas ? »

Les professeurs inscrits dans la classe de Daniel n'aimaient pas qu'il y eût des auditeurs libres. Ils disaient que même si nous n'étions que quatre, cela les distrayait. Il nous fut alors demandé de ne plus assister au cours, mais je passai outre. J'estimais que le maximum de gens devaient profiter de la présence d'un professeur étranger sur le campus, considérant que l'État payait des milliers de yuans pour faire venir chacun d'eux. Je reçus rapidement une note de Liu, le secrétaire du parti à l'école : « C'est à la suite d'une décision du parti que les auditeurs libres sont désormais interdits dans cette classe. » Cela ne se discutait pas.

La chance d'assister aux cours de Daniel survint à l'automne 1978, à son troisième semestre d'enseignement. En plus de nos dissertations régulières, il nous demandait de rédiger chaque jour une page de journal que l'on devait rendre le vendredi. Il nous les rendait avec ses commentaires le lundi suivant. Notre routine quotidienne se limitait à un circuit triangulaire sur le campus : maison, classe, bureau, maison. Il y avait donc peu de nouveauté dans nos vies, à part les résidants étrangers. C'était le sujet de conversation favori, mais je pouvais difficilement y faire écho dans le journal que Daniel lirait. Comme il n'y avait pas grand-chose autour de moi qui pût constituer un sujet d'écriture intéressant, je remplis mon cahier de pensées et de souvenirs. Les commentaires du correcteur étaient toujours encourageants.

Lorsqu'on aborda la question du divorce en classe, je parlai dans mon journal de mon propre divorce, des attitudes à l'endroit du mariage et de la séparation dans la culture chinoise.

«Dans la plupart des cas, écrivais-je, ce sont les hommes qui quittent les femmes. Mais dans mon cas, j'étais celle qui voulait partir. Si les esprits ne sont pas unis, à quoi bon rester physiquement ensemble? La société a trouvé mon comportement inacceptable: les autorités ont fait pression sur moi, les collègues ricanaient et les amis ont pris leurs distances. J'étais dans une situation de totale insécurité pour faire face à la disgrâce, mais j'ai tenu bon. J'ai pris ma fille de deux ans et mes affaires et je suis partie sans demander de pension pour l'enfant. Redonne-moi seulement ma liberté.»

Lorsque Daniel nous remit nos journaux, j'ouvris le mien pour trouver une seule phrase clairement écrite au bas de la page: «Voilà une histoire importante qui attend d'être contée.» Je relus sa remarque à maintes reprises. Personne auparavant ne m'avait encouragée à écrire.

La rédaction de ce journal était devenue bien plus qu'un exercice d'anglais: c'était un autre monde dans lequel je pouvais pénétrer pour fuir la morne réalité. L'enthousiasme de Daniel pour mon écriture et ses précieux commentaires me donnaient envie de lui en dire plus. Imaginer que je pourrais vraiment un jour écrire mon histoire me paraissait alors une idée fantasque. Je décidai néanmoins d'abandonner les dissertations décousues sur des sujets variés comme j'en avais rédigé jusque-là et je m'exerçai à écrire mon autobiographie.

Je sentais que mon journal devenait quelque chose de spécial pour Daniel également — une sorte de fenêtre sur la Chine et les comportements chinois. L'intérêt qu'il me démontrait me remplissait d'énergie et j'avais hâte de confier à ce sympathique étranger une tranche de la vie d'une femme chinoise.

Vers la fin de la session, il nous demanda de préparer un compte rendu de lecture. La plupart des autres choisirent de discuter de textes pédagogiques ou d'autres travaux universitaires sérieux. Je fus la seule à choisir un roman occidental, *Papillon*, de Henri Charrière, dont « Papillon » était le surnom à cause de celui qu'il s'était fait tatouer sur la poitrine, symbole de son obsession de la liberté. Je voulais ardemment bien faire ; je rédigeai mon compte rendu avec soin en m'assurant de vérifier tous les termes qui dans le récit ne m'étaient pas familiers, tels que « mouchard » et « donjon ».

Je voulais également paraître à mon avantage lors de la présentation, et je pensai qu'une nouvelle coupe de cheveux s'imposait. Cependant, la coiffeuse, un peu distraite, me coupa les cheveux beaucoup plus courts que je ne l'avais demandé. Je trouvais que j'avais l'air ridicule, que je ressemblais à une maîtresse d'école sévère et vieux jeu. Lorsque j'entrai dans la salle de cours le lendemain, j'aurais voulu pouvoir tirer un bon coup sur mes cheveux pour les faire allonger.

Dans la première partie de la présentation, je retraçai l'histoire d'un bagnard qui avait fait huit tentatives audacieuses mais vaines pour s'évader de l'île du Diable et qui ne réussissait qu'à son neuvième essai. Personne ne s'était jamais échappé vivant de cette île de la Guyane française. Dans la deuxième partie, je discutai de ce qui me paraissait être les principaux thèmes du récit. D'une part, l'histoire représentait une mise en accusation du manque de justice dans le système pénal français. C'était également, à mon avis, « un portrait vivant de la façon dont les forces indomptables de l'intégrité et du courage ont permis à un homme victime d'un préjudice de finalement l'emporter ».

« De quelle manière devrions-nous voir les liens entre le passé et le futur d'un être humain ? demandai-je pour aborder la conclusion de mon exposé. N'est-il pas vrai que dans certains lieux, l'opinion selon laquelle "voleur un jour, voleur toujours" ou que "l'enfant d'un voleur est aussi un voleur" domine encore et que plusieurs en souffrent? Jamais personne n'est perdu pour de bon. On doit donner à tous la chance de devenir honnêtes. Il n'est pas facile de vous libérer des chaînes que vous avez traînées durant des années ni d'effacer une étiquette portée toute votre vie.»

«Des questions?» demandai-je. Personne ne dit mot. Le silence était inquiétant. Daniel, qui était assis à mon bureau, les jambes allongées dans l'allée, se contentait de donner de petits coups de stylo sur le bureau et de hocher la tête lentement, perdu dans ses pensées. «Bien fait», jugea-t-il finalement en se levant pour me redonner ma place.

La femme qui était assise à mes côtés souffla: «T'as du cran. Ça me plaît.» Un autre se pencha du pupitre derrière moi en chuchotant: «Tu n'as pas peur d'être dénoncée?» Ça ne m'inquiétait pas. Je n'avais jamais osé dévoiler mes pensées si ouvertement et je trouvais que je l'avais fait habilement à travers un compte rendu de lecture. Je découvrais que c'était un grand soulagement de livrer ainsi le fond de ma pensée.

Le semestre achevait. Parce que nous avions tous tellement apprécié son cours, nous demandâmes une prolongation, mais les doyens refusèrent. Et le secrétaire du parti Liu convoqua une réunion.

«La salle de classe, dit-il, est un champ de bataille pour la lutte de classes. Nous ne devrions jamais y laisser dominer des idées bourgeoises. Dans ce sens, nous devons nous prémunir contre l'influence imperceptible qu'un professeur étranger peut avoir sur notre pensée. Certains n'en sont pas conscients.» Alors qu'il touchait au cœur du problème, Liu éleva la voix. «Mais, plus gravement, je dirais que quelques-uns se sont volontairement permis de se laisser entraîner par un étranger.» Tout le monde sut qui il visait.

Notre session avec Daniel avait pris fin, mon cours avec lui était terminé, mais mes devoirs continuèrent. Je continuais de rédiger plusieurs pages chaque semaine et les lui remettais pour qu'il les commente. J'écrivais dans un cahier à feuilles mobiles, de sorte que je pouvais enlever les pages de la semaine précédente et les conserver en sécurité à la maison. De cette manière, si le journal devait tomber dans de mauvaises mains, seules quelques pages seraient lues.

Semaine après semaine, je racontais des épisodes de mon enfance, de ma formation à Sacré-Cœur, de mes deux mariages, de la Révolution culturelle. Daniel et moi avons communiqué de cette façon durant plusieurs mois. Avec le temps, le contenu et le ton de mes textes et de ses observations devinrent plus personnels. Je m'aperçus lentement que j'étais amoureuse. À 44 ans, mariée pour la deuxième fois, je n'avais jamais ressenti ce sentiment. Même si j'aimais bien Pang et que j'appréciais son appui inconditionnel et son affection, je n'avais jamais été amoureuse de lui.

Dans un contexte où même les contacts occasionnels les plus anodins entre Chinois et étrangers étaient limités et contrôlés, une relation intime avec Daniel était absolument exclue. De plus, nous étions tous les deux mariés et il était de dix ans mon cadet. Toute l'affaire était à la fois impensable et impossible à arrêter.

Nous créions les occasions de nous voir, même si ce n'était que pour échanger un bref regard à distance. Je joggais chaque matin et lui pratiquait le tai chi à l'intérieur de sa cour clôturée. Je passais lentement en courant et le partage d'un sourire furtif devint entre nous un rituel quotidien. Si pour une raison ou pour une autre, l'un de nous ne pouvait se présenter à ce rendez-vous silencieux, nous sentions tous les deux que quelque chose nous manquait le reste de la journée. Une fois, il mit le pied sur un clou et ne fit pas de tai chi pendant plus d'une semaine. Il apparaissait alors sur son balcon pour me voir courir et me saluait de la main s'il voyait que personne ne regardait. Une fois, il me souffla un baiser et je faillis trébucher. Ces choses minuscules nous nourrissaient.

Un soir d'été, en revenant chez moi après avoir donné un cours, je vis de loin Daniel quittant mon immeuble. Je l'appelai, mais il ne sembla pas entendre.

J'étais tout juste rentrée lorsque j'entendis frapper. C'était Daniel. Avant même de repousser la porte, nous étions dans les bras l'un de l'autre. Je donnai un coup de coude pour la refermer et mis le loquet; Pang et Lulu reviendraient bientôt. Je retournai alors dans les bras de Daniel. C'est la première fois que j'ai vraiment aimé être embrassée.

«M'as-tu entendu t'appeler? demandai-je.

– Oui. Mais je ne pouvais pas répondre, ça aurait été trop évident. Il y avait tant de monde assis dehors. J'ai marché un peu, mais je n'ai pas pu m'empêcher de revenir.»

Nous restâmes enlacés un moment encore. Avant de partir, Daniel me chuchota à l'oreille: «Allons-y lentement et prudemment.»

Lorsque j'arrivai au travail le lendemain matin, il discutait avec d'autres collègues. Avec sa chemise rose toute neuve, il était radieux. Apparemment, j'avais l'air différente moi aussi. Un des professeurs s'exclama: «Regardez donc Zhimei. Comme elle a l'air rayonnante aujourd'hui! Que se passe-t-il?

– Eh bien, bégayai-je, j'ai reçu mon bonus hier soir. Génial non?» Je baissai la tête pour tenter de cacher le rouge qui me montait aux joues.

Durant la pause, j'allai au bureau de Daniel chercher un bouquin et pour être seule un moment avec lui.

«Pourquoi as-tu rougi lorsque Fan t'a parlé? dit-il doucement. Tu es en train de te trahir.»

Un de ses étudiants fit irruption dans la pièce pour rendre un travail. Nous étions si absorbés que nous n'avions pas entendu le bruit de ses pas. Le bureau de Daniel était un endroit trop ouvert pour ce que nous avions maintenant à nous dire. Le journal était pour communiquer entre nous le lieu le plus privé que nous puissions trouver. Une fois mes essais autobiographiques abandonnés, nos lettres d'amour commencèrent à en couvrir les pages. La vie au temps présent faisait disparaître le passé. Je n'ai gardé que quelques pages des messages que nous nous écrivîmes durant les deux mois suivants. Le tout premier, daté du 13 juillet 1979, était de Daniel:

*Zhimei chérie,*
*Pour te dire la vérité, je pensais que s'il m'arrivait de toucher une*
*Chinoise à un endroit inconvenant, par accident, à travers cinq couches*

de vêtements d'hiver, je serais arrêté comme un violeur, un briseur de couples, un diable d'étranger lubrique et bourgeois. Je croyais que mes avances seraient repoussées, voilà pourquoi je n'ai fait aucune tentative.

L'amour est une force que trop de gens semblent avoir oubliée, spécialement en Chine. Lorsque l'amour humain devient une forme méprisable de sentimentalité, et c'est ce qu'on en a fait en Chine, il n'est pas surprenant que les gens en aient une idée si confuse. Aimer le parti, aimer l'armée, aimer la dictature prolétarienne, aimer le président Mao, aimer n'importe quoi mais pas une autre personne. Comment le peuple le plus riche en expérience amoureuse en a-t-il été réduit à une situation si stérile? Un jour, les crimes contre l'humanité commis au nom de la révolution seront exposés au grand jour.

Je crois connaître le moment précis où j'ai commencé à te désirer. C'était pendant le semestre où tu assistais à ma classe et où j'ai découvert combien tes idées sont uniques, rafraîchissantes et libres. Tu es différente des autres femmes. Si tu ne l'étais pas, je ne ferais pas ce que je fais avec toi.

Tu es folle. Je suis insensé. La Chine est folle et notre amour est dément. Je ne ressens ni culpabilité ni honte et, si je n'étais pas fou, je ressentirais les deux. On est tous fous à notre manière, dans nos petits retranchements, dans les recoins poussiéreux et oubliés de nos pauvres esprits. Abandonne-toi au plaisir, Zhimei!

Très cher Daniel,
Ma vieille amie Zhen est très sensible aux vibrations qui passent entre les hommes et les femmes. Elle et moi avons également beaucoup en commun. Voilà pourquoi elle ne comprend pas pourquoi les hommes qui m'attirent sont si différents de ceux qui l'attirent elle.

Nous étions assises à trois dans la salle de réunion du personnel aujourd'hui et nous discutions à ton propos. Elles savent que je t'aime bien, mais c'est tout. Zhen a dit qu'elle n'aurait jamais confiance en un homme comme toi, mais moi j'ai plus confiance en toi qu'en n'importe qui d'autre. Lin disait que tu n'es pas le genre d'homme à n'aimer qu'une seule femme. Toutes les deux affirment que tu es un beau parleur et qu'il n'est pas possible de savoir quand tu es sincère.

*Peut-être ont-elles raison. C'est difficile à dire, mais ce n'est pas impossible. Je ne sais.*

*Il y a aussi mon amie Didi qui m'a déclaré une fois: « Tu as été aimée de plusieurs personnes. Tu connais le bonheur d'être aimée, mais tu ne connais pas la douleur qui accompagne l'amour parce que tu n'as jamais vraiment aimé un homme. » Elle avait raison. L'amour que les autres m'ont prodigué n'a pas beaucoup éveillé en moi de sentiment réciproque. Je n'ai pas senti les répercussions de l'amour, je ne me suis pas sentie bouleversée.*

*Mais avec toi c'est différent. Je comprends maintenant ce qu'elle entendait par douleur; peut-être qu'agonie serait un terme plus approprié.*

*Agonie, voilà le mot Zhimei. L'amour est agonie. L'amour est une faim: une brûlure, un démon insatiable qui se tord et blesse et demande satisfaction. Le premier amour est le plus difficile à vivre. N'est-ce pas surprenant de voir comment on peut se sentir si bien et si malheureux à la fois?*

*Il est intéressant de constater que les femmes avec lesquelles tu t'entends bien sont celles que je trouve ici les plus séduisantes. Est-ce à la tristesse de vos vies que je suis si sensible? Peut-être est-ce à ce petit quelque chose de non chinois qu'il y a dans vos attitudes envers la vie.*

*Je comprends tout à fait les sentiments négatifs de Zhen à l'égard des hommes et j'adore nos petites joutes verbales. Je l'aime bien, mais je ne pourrais jamais l'aimer vraiment.*

*Lin est un esprit libre laissant deviner une existence totalement amorale et irresponsable. C'est attirant, mais cela devient vite assez vide. Je l'aime bien, mais je ne pourrais jamais l'aimer vraiment.*

*Il y a aussi Didi, la romantique invétérée; les rêves auxquels elle renonce pourraient remplir l'univers. Elle porte en elle une tristesse qui éveille en moi trop de compassion. Je l'aime bien, mais je ne pourrais jamais l'aimer vraiment.*

*Je fais mon numéro devant elles parce qu'elles sont bon public. Avec toi c'est quelque chose de plus spécial et de plus privé. Tu vois à travers moi; tu sais tellement de choses sans qu'on n'ait rien à dire. Tu dis que tu veux une place dans mon cœur ? Zhimei, tu auras un palace dans mon âme.*

*Mais l'homme d'une seule femme existe-t-il vraiment ? Il y a des femmes à n'aimer qu'un seul homme, pourquoi pas l'inverse ? Voilà peut-être l'une des choses qui distinguent les hommes des femmes. C'est un comportement archaïque, animal. Tu es faite pour moi et je t'aime, mais pas juste toi seule. L'amour ne peut être aussi limité.*

*Cher Daniel,*
*Une chose terrible est arrivée hier. Hou est passé voir comment je me rétablissais de mon rhume. Crois-tu qu'il s'inquiétait pour la santé d'un membre de son personnel ? Pas du tout. Il voulait être seul avec moi : « Tu me manques lorsque tu t'absentes du bureau. Tu es différente des autres femmes. »*

*« Tu ne devrais pas dire cela, lui ai-je dit. Nous sommes mariés tous les deux. » Il m'a répondu que sa femme ne pouvait combler ses besoins émotifs. S'il n'avait pas été mon patron, je lui aurais dit de ficher le camp immédiatement. C'est alors qu'il a montré son côté animal. Il a sauté sur moi et m'a presque arraché mes vêtements. Je me suis débattue et j'ai crié. Tu vois un peu le comportement d'un membre du parti ? Il est parti déçu, mais en gardant son air supérieur. Il savait que je n'allais pas le dénoncer parce que les gens le croiraient lui, pas moi. Ou bien je serais accusée de l'avoir séduit.*

*Très chère Zhimei,*
*Je pense que les hommes ici ont vécu dans un environnement si stérile depuis si longtemps, qu'ils ont faim de femmes qui dégagent quelque chose de bon, de sain, de naturel et de sincère.*

*La faim rend l'odorat plus vif. Les hommes qui approchent de l'andropause ressentent d'intenses montées hormonales et se remémorent leur passé. Je crois que le changement chez toi est évident ; tes amies le sentent également, mais personne ne peut l'expliquer sauf nous deux.*

*Tu dois être plus énergique pour repousser les avances qui pourront survenir, qu'elles soient évidentes ou voilées. Souffrir et ruminer en silence ne fera que te rendre vulnérable à une autre attaque.*

*Daniel,*

*Jin nous a annoncé que tu as prolongé ton contrat d'une année. Je sais cependant que Marta n'est pas intéressée à rester plus longtemps. Elle me dit parfois des choses comme: «J'ai trop laissé tomber de choses pour Daniel. J'ai besoin de penser à moi maintenant.» Elle semble avoir peur que, le temps passant, il vous soit de plus en plus difficile de vous réintégrer à votre propre société. Ne ressens-tu pas cela toi aussi?*

*Il y a plusieurs sujets délicats auxquels j'ai essayé de ne pas trop penser, mais je sais que j'aurai à y faire face tôt ou tard. Il serait malhonnête de ma part de dire que je n'ai rien enlevé à Marta. Mais j'espère ne pas avoir trop pris, je m'en sentirais moins coupable.*

*Ma Zhimei chérie,*

*Ce travail est le premier que j'aie vraiment aimé, spécialement depuis que je sens que je fais quelque chose de constructif de mon temps. Je n'ai jamais ressenti rien de pareil au Canada. La vie semblait être une interminable quête d'accumulation de biens matériels et d'excitations «électroniquement assistées». On devient dépendant de la consommation, une consommation folle qui devient une fin en soi. Ici je suis également un consommateur, mais d'expériences, pas d'objets. La simplicité est ce qu'il y a de meilleur dans la vie et c'est ce qui s'accorde le mieux avec ma nature.*

*Marta dit toujours que la Chine me convient bien, mais pas à elle. J'ai été égoïste, attendant d'elle qu'elle s'adapte au style de vie qui me plaisait à moi. À un moment donné, l'égoïsme de chacun se manifeste d'une façon ou d'une autre. Notre mariage a atteint ce point critique où les compromis semblent raisonnables et pourtant peu souhaitables.*

*L'an dernier, nous avons tous les deux senti que le terrain d'entente entre nous avait rétréci. La Chine fait cela à beaucoup de gens. Je suppose que vivre ici accentue différentes attitudes envers la vie. Marta ne peut comprendre pourquoi j'aime tant la Chine, surtout parce que ce n'est pas son cas. J'ai un ami qui aime me répéter que les Juifs peuvent vivre n'importe où.*

*T'avoir rencontrée a renforcé en moi ce sentiment qu'il devrait être possible de dissoudre un mariage sans ressentiment, mais dans l'amour et la compréhension. Tu vois, les gens peuvent être amoureux tout en souhaitant divorcer. Ne vaut-il pas mieux se rendre compte des désaccords avant que la relation ne devienne destructrice? Un divorce amer peut détruire les deux partenaires et est spécialement dommageable pour les enfants.*

*Marta et moi n'avons pas encore pris clairement la décision de divorcer, mais on en parle davantage maintenant et surtout avec moins d'anxiété. Une des plus grandes résistances à l'égard du divorce tient à ce que les autres vont en penser. C'est généralement considéré comme un échec matrimonial. Il vaut mieux admettre l'échec après treize ans que de tout endurer jusqu'à la mort.*

*Cher Daniel,*
*Tu dis que de vivre en Chine a exacerbé les différences entre toi et Marta. Que serait devenu votre mariage si vous n'étiez pas venus en Chine? Ces différences qu'il y a entre vous disparaîtront-elles tranquillement, de la même manière qu'elles sont apparues?*

*Peut-être que sachant qu'il n'y a aucun moyen de le modifier, ton mariage deviendra semblable au mien. Je n'ai fait que le laisser en plan: sans amélioration et sans détérioration. Mais il y a toujours eu beaucoup de compréhension entre Pang et moi. J'espère que cette fois-ci, alors que le temps est venu de me laisser aller, il sera aussi compréhensif qu'il l'a toujours été. Je dois lui dire la vérité.*

*Zhimei,*
*Ma femme a été très généreuse toute sa vie. Je suis autant donneur que receveur, bien qu'avec elle j'aie surtout pris. À quoi t'attends-tu? Lorsqu'on vit avec un donneur, on prend. Marta pense maintenant que pendant toutes ces années, elle a été idiote. Ses amis et ses parents le lui disent. Même mes propres frères disent qu'elle est idiote. Et elle en est venue à le croire.*

*Je demande une dévotion totale d'une femme. Je ne désire toutefois pas une esclave. Je désire de l'esprit et de l'initiative aussi. Aucune des femmes que j'ai rencontrées n'a suscité en moi autant d'émotion que toi. Peut-être es-tu pleine de la force directement opposée à celle qui m'habite.*

*Alors nous voilà, vingt ans trop tard pour toi et treize ans trop tard pour moi. Le dicton « mieux vaut tard que jamais » s'applique-t-il ici ? Chaque jour, je trouve de nouvelles raisons pour que ce soit le cas. Ayant perçu l'esprit ardent qui brûle toujours en toi, je ne peux souffrir de le laisser s'éteindre. Je ne peux le laisser étouffer dans l'atmosphère oppressive qui règne ici. Mon amour s'est éveillé, un amour pour quelque chose de beau. Parce que j'aime la liberté, la liberté envers la morale, envers la politique, envers la responsabilité… je suis amoral, apolitique, irresponsable.*

*Es-tu certaine de vouloir venir avec moi ? Je suis sûr que je veux t'emmener. Peu importe combien j'ai donné à la Chine (pas tellement), cela n'égalera jamais ce que j'en rapporterai lorsque je partirai. La Chine perd une femme magnifique, créative, enthousiaste et intelligente. Lorsque je prends, je prends beaucoup.*

*L'avenir présente beaucoup d'incertitude pour nous deux. Mais tu as survécu à travers les incertitudes des jours sombres et tu survivras encore. Tu es une survivante.*

## CHAPITRE XII

# Une chance de s'évader

Deux ans après l'arrivée de Daniel à Heida, le sujet du divorce était au programme autant pour Pang et moi que pour Daniel et Marta. Je n'étais pas certaine de pouvoir rompre. Je savais que Pang voulait préserver la famille intacte pour le bien de notre fille. Il adorait Lulu. Lui qui avait été élevé par un grand-père alcoolique, il ne voulait pas qu'elle affronte ne serait-ce qu'un soupçon de ce qu'il avait souffert enfant.

En août 1979, Heida attribua à Pang, Lulu et moi un appartement de deux pièces dans une nouvelle résidence pour les professeurs. C'était à quinze minutes de marche de l'édifice où résidait Daniel. Même durant les trois années où Yan avait vécu à Harbin, nous avions eu tous les quatre à partager la même pièce. Nous n'étions pas fâchés d'en sortir.

La petite pompe du bâtiment neuf n'était pas assez puissante pour acheminer l'eau jusqu'au second étage. On avait donc à la transporter d'en bas pour faire la cuisine, le lavage, ainsi que pour faire fonctionner la toilette. Puisque j'emménageais dans le tout premier appartement de ma vie, c'était là un inconvénient mineur. Je jubilais de disposer enfin d'autant d'espace privé.

Depuis quelque temps, Pang et moi dormions à part. Nous nous mîmes d'accord pour que j'aie ma propre chambre dans le nouvel appartement. À l'époque, Lulu était plus proche de Pang que de moi. La plus grande des deux pièces comportait deux lits à une place, un pour Pang, un pour Lulu. Ma chambre était minuscule, et froide en hiver parce que l'édifice n'était pas bien chauffé. Mais une fois la porte fermée, je m'y sentais bien. Je n'avais jamais eu autant d'intimité pour écrire mon journal.

J'étais follement amoureuse de Daniel. Il incarnait pour moi la quintessence de l'esprit, de la force, du plaisir, de l'intelligence, de la liberté et de l'espoir. Il représentait tout ce que je désirais et que je ne possédais pas : un monde où les gens peuvent vivre leurs émotions et dire ce qu'ils pensent sans avoir peur, où ils peuvent être eux-mêmes et prendre les décisions qui les concernent. Il m'apportait de l'information sur le monde extérieur duquel nous étions coupés en Chine. Il m'encouragea à apprendre et à m'exprimer librement et je gagnai en assurance. Il possédait un sens de l'humour qui, selon moi, manquait aux Chinois. Il me donna un plaisir que je n'avais jamais expérimenté auparavant, autant sur le plan spirituel que sur le plan physique.

En même temps, il me restait mystérieux parce que c'était un Occidental, quelqu'un de si différent de nous. De la même manière, beaucoup d'hommes occidentaux ressentaient un fort attrait pour les femmes asiatiques, et les tentatives des officiels chinois pour empêcher ces relations ne faisaient qu'y ajouter du piquant.

Daniel voyait en moi un esprit libre, semblable au sien, prêt à lui dévoiler les mystères de la Chine et de sa gent féminine, et il fut incapable de résister. Je l'adorais et je lui faisais confiance à un degré qu'il n'avait jamais ressenti auparavant. Ce que nous recevions l'un de l'autre, ce que nous ressentions l'un pour l'autre était comme une puissante drogue, et nous étions sûrs de pouvoir surmonter tous les obstacles qui nous empêchaient de vivre ensemble.

C'était évidemment un sujet douloureux à aborder avec Pang. Mon mari ne m'avait jamais fait le moindre tort ; il m'avait toujours aimée. Mais j'avais à me montrer honnête avec lui. Je lui devais bien ça. Un soir, après que Lulu se fut endormie, nous eûmes une discussion.

« Je ne crois pas qu'on devrait continuer de vivre de cette manière, dis-je. Je ne peux continuer... à te tromper et à me tromper moi-même.

– Je m'attendais à cela, dit Pang tristement. Je me suis rendu compte moi aussi que le fossé se creusait entre nous deux. Qu'est-ce que tu as en tête?

– Je veux divorcer. Je veux vivre ma propre vie. »

Pang luttait pour garder son calme. « Avec qui veux-tu aller? laissa-t-il enfin échapper. Est-ce avec…? » Ses mains s'agrippaient à sa chaise.

« Oui. » Nous savions tous les deux de qui je voulais parler. Plusieurs personnes autour de nous avaient senti qu'il existait un lien entre Daniel et moi. Comment pouvais-je m'attendre à ce que Pang ne l'ait pas remarqué lui aussi?

Il se leva soudain, alla jusqu'à la fenêtre et resta debout, me tournant le dos. J'avais peur qu'il n'explose à tout moment. Les minutes durant lesquelles il resta planté là immobile m'apparurent insupportables. Seul le tic-tac de l'horloge brisait le silence. Il se versa une tasse de thé et revint s'asseoir. Je fus saisie par son regard, froid et inexpressif.

Il poussa un profond soupir :

« Quels sont tes plans? Dis-moi.

– Je veux l'épouser.

– Sais-tu à quels risques tu t'exposes? Es-tu consciente que tu enfreins les règles? N'oublie pas que vous êtes déjà tous deux mariés. Contrairement à toi, lui peut s'en tirer, il est étranger. Mais toi, tu pourrais être accusée de n'importe quoi. »

Pang faisait allusion à ce qui, en fait, était ma plus grande appréhension. Il y avait eu certains cas dans le passé où des Chinois avaient été expulsés de leur emploi ou envoyés dans des camps de travail parce qu'ils avaient eu des liaisons avec des étrangers. Mon cas était le premier du genre à Harbin. S'il avait été porté à l'attention des autorités, nous aurions pu, ou plutôt j'aurais pu, avoir de gros problèmes. Je savais cela aussi bien que Pang, mais je me sentais prête à prendre le risque. C'était maintenant à mon tour d'être silencieuse. Je fixai le plancher.

« Pourquoi ne me réponds-tu pas? poursuivit-il. Tu n'as pas peur que je te dénonce? »

Je le regardai fixement dans les yeux: «Je ne crois pas que tu pourrais me faire ça. Tu n'as jamais rien fait pour me blesser. Tout ce que tu as fait a été de m'aimer et de me protéger. Tu penses que je ne l'apprécie pas?»

Pang ne dit rien et je continuai à parler. «Tu ne te rappelles pas ce que tu as déclaré lorsqu'on s'est mariés? Tu as dit que tu espérais que notre mariage nous sauverait tous les deux. Si tu me détruis maintenant, tu vas également te détruire, et Lulu aussi. Tu connais l'adage – *si un poisson sent mauvais, toute la soupe de poisson sent mauvais.* Je ne veux pas te détruire. Je ne désire que ma liberté. Nous le savons tous les deux: ce mariage n'est pas très heureux. Peux-tu m'accorder cette dernière chose? C'est peut-être totalement égoïste de te le demander, mais je veux tellement recouvrer ma liberté.»

Pang paraissait maintenant plus triste que menaçant. «Sais-tu quelle disgrâce j'aurai à subir et à quelle pression je serai soumis si tout cela devient public? Je sais que tu as été malheureuse. Je sais aussi que ça devait arriver tôt ou tard. Mais je n'ai jamais pensé que tu aurais une aventure avec un étranger. Jusqu'où peux-tu faire confiance à un étranger? Crois-tu qu'il est vraiment sérieux?

– Je suis sûre qu'il est sérieux. Il m'aime. Il pense que je suis dotée d'une force complémentaire à la sienne et que nous sommes faits l'un pour l'autre.»

Je citais les propres mots de Daniel. J'étais si amoureuse de lui que je révérais chacune de ses paroles et que je croyais entièrement en lui. Si les déclarations d'amour qu'il avait écrites dans mon journal avaient été écrites en chinois, je ne crois pas que je les aurais trouvées si émouvantes. Mais rédigées dans une langue étrangère, elles avaient pour moi une dimension quasi mystique.

«Avec tous les livres que tu as lus, dit Pang, j'aurais pensé que tu aurais remarqué la plupart des hommes occidentaux ne sont pas fidèles à leurs épouses. Ne sais-tu pas qu'en Occident il n'existe pas d'hommes fidèles? Ne sais-tu pas que tous les hommes, spécialement les Occidentaux, préfèrent les femmes jeunes? Tu veux me faire croire qu'il est prêt à laisser une femme de son âge pour en marier une de dix ans de plus que lui? Sois raisonnable, Zhimei. N'oublie pas non plus que Marta est la personne avec laquelle il a vécu depuis treize ans. Ces liens-là ne sont pas faciles à couper. Tu te trouves en deuxième position. »

Je savais qu'il n'y avait pas de garanties et que notre destin n'était pas vraiment entre nos mains. Daniel et moi avions conclu un engagement verbal qui ne pouvait réussir que si les deux autres intéressés acquiesçaient.

« J'ai survécu aux tortures du passé, dis-je. Je survivrai sans aucun doute aux aléas du futur. » Encore une fois, j'empruntais aux paroles de Daniel.

« J'ai dit tout ce que j'avais à dire et j'ai demandé tout ce que j'avais à demander, dit Pang. Si c'est vraiment ce que tu veux, alors je te donnerai ta liberté. Je pense plus à toi qu'à lui dans tout ça. Je connais ton potentiel et je sais qu'il ne pourra jamais se réaliser si tu restes au pays. À cause de ton passé, tu ne pourras jamais jouir d'un traitement équitable. Je ne peux souffrir de te voir étouffer. »

J'étais en larmes. C'est seulement à ce moment que je mesurai vraiment à quel point Pang m'aimait et était prêt à se sacrifier pour moi. Jamais je n'avais été affectueuse avec lui comme je le fus cette nuit-là. Nous avons dormi toute la nuit ensemble dans mon lit. Nous avons parlé sans fin, nous serrant très fort comme si nous étions un couple d'inséparables. Notre mariage allait se terminer, mais une compréhension plus profonde s'était développée entre nous.

Nous discutâmes du problème le plus douloureux: Lulu. Nous convînmes que les conditions de vie lui seraient plus favorables si elle me suivait, en tenant pour acquis que je partirais bel et bien au Canada avec Daniel. Pang était très attaché à sa fille, mais il savait que mes origines familiales nuiraient à son avenir en Chine. Nous nous mîmes d'accord pour qu'il n'y ait ni pension alimentaire, ni division des biens. Je ne voulais que mes vêtements et mes livres.

Le lendemain, je me confiai à mon amie Zhen. Elle soupçonnait que ma relation avec Daniel était intime, mais je ne le lui avais jamais confirmé. Je lui déballai toute l'histoire.

« Tu es chanceuse d'avoir un mari si compréhensif,. Zhimei. Aucun autre homme que Pang n'aurait fait ce qu'il a fait pour toi, et de façon si inconditionnelle. Dans la même situation, je crois que mon mari préférerait plutôt me voir malheureuse que de me laisser partir. »

Zhen et son mari ne s'entendaient pas. Elle avait eu un petit ami avant qu'ils ne se rencontrent ; cela tracassait son mari et il ne se lassait pas de le lui rappeler. Après avoir été malheureux durant quelques années, ils divorcèrent, mais Zhen accepta de l'épouser de nouveau pendant la Révolution culturelle. Elle considérait désormais cette décision comme la plus grande erreur de sa vie.

« Que penses-tu de Daniel ?

– En toute honnêteté, ce n'est pas mon type, répliqua Zhen. Je n'ai pas confiance en lui. Je sais qu'il apprécie ton intelligence, mais n'oublie pas, les hommes occidentaux attachent une grande importance à l'apparence physique d'une femme et tu es tout de même un peu plus vieille que lui. Dis-moi, Zhimei, es-tu réellement amoureuse de lui ou bien signifie-t-il seulement un billet d'avion pour sortir de la Chine ?

– Je n'ai jamais ressenti cette forme d'amour auparavant. Où qu'il soit, ici ou à l'étranger, je m'en fous, je veux être avec lui.

– Dans ce cas, je t'envie et j'espère qu'il te traitera bien. » Nous nous tînmes dans les bras l'une de l'autre et je remarquai que les yeux de Zhen étaient humides lorsqu'elle recommença à parler.

« Nous sommes vraiment pareilles, Zhimei. Toutes les deux nous avons ressenti le manque d'amour dans nos vies ; c'est seulement que tu es plus courageuse que moi pour aller à sa rencontre. À chaque fois que j'aperçois des couples qui se tiennent par la main dans la rue ou qui s'embrassent au cinéma, le cœur me fait mal et je dois regarder ailleurs. » C'était si injuste que cela puisse arriver à une femme si affectueuse et si passionnée ! Zhen et moi nous étions souvent demandé quel était le nombre de couples qui s'étaient réellement mariés par amour. Autour de nous, nous en voyions très peu.

La prochaine étape consistait à recevoir de l'université la permission pour le divorce ainsi que pour moi celle de retourner à Pékin.

Je voulais quitter Harbin avant que le scandale n'éclate à propos de ma relation avec Daniel. Je demandai d'abord à être transférée – ce qui n'était pas une démarche étrange puisque j'en avais fait la requête à plusieurs reprises. Mon désir de retourner dans ma ville était bien connu, mais la chose m'avait toujours été refusée.

Habituellement glacial, le secrétaire du parti, Liu, souriait lorsqu'il apparut un matin dans le bureau des professeurs. «Camarade Zhang, j'ai lu votre demande. Voulez-vous passer à mon bureau?»

Une fois sur place, il s'assit dans un fauteuil de cuir derrière une énorme table de travail et je pris place de l'autre côté. Je savais que c'était l'heure de vérité.

«Je vois que vous voulez nous quitter, dit Liu, en jetant un coup d'œil aux deux pages de mon formulaire de transfert. Vous avez énormément apporté à l'école et nous serons désolés de vous laisser partir. Si vous pensez qu'il est maintenant temps de partir, nous ne ferons rien pour vous en empêcher cette fois-ci. Mais vous devrez auparavant trouver une unité de travail qui vous acceptera à Pékin.»

J'étais à la fois surprise et excitée que, sans la plus légère hésitation, il ait finalement approuvé ma demande de transfert.

«Ne sois pas naïve, Zhimei, commenta Zhen, lorsque je lui annonçai la bonne nouvelle. Le département a compris qu'il se passait quelque chose entre Daniel et toi. Tout ce qu'ils veulent, c'est se débarrasser de toi avant que ton cas n'éclate officiellement au grand jour et leur cause un problème.»

Peu importaient leurs motifs, je voulais seulement partir. Pour épouser Daniel, j'aurais à laisser mon mari, mon travail et mes amis dans cette ville de Harbin. J'avais maintenant avancé d'un pas.

J'écrivis immédiatement à ma sœur Hua qui enseignait alors dans une école de Pékin et je lui demandai s'il y avait quelque possibilité d'embauche. Sa réponse m'encouragea: «Mon école est à la recherche de professeurs d'anglais. Lorsque j'ai mentionné ton nom et celui de Pang, ils ont montré un grand intérêt. Faites-moi parvenir vos curriculum.» Je lui fis parvenir le mien, accompagné d'une note: «Je cherche un emploi pour moi seule.» Hua ne savait pas qu'une ombre planait sur notre mariage.

Aborder la question du divorce avec ma famille et les responsables de l'école serait difficile. La nouvelle allait choquer tout le monde parce qu'il n'y avait aucun signe de tension entre nous. Je détestais disserter avec le secrétaire du parti à propos de ma vie privée, mais j'avais besoin d'un document officiel m'accordant la permission de demander le divorce. Mais les rumeurs circulaient rapidement et je fus sommée de me présenter devant le camarade Liu plus tôt que prévu.

« Que se passe-t-il ? », s'informa-t-il, en tirant nerveusement sur une cigarette. Cette fois-ci, il ne souriait pas.

Je fis mine de ne pas comprendre :

« Que voulez-vous dire ?

– Je parle de votre divorce, bien sûr. Tout le monde en parle. Je veux connaître la vérité.

– Je veux le divorce. Que puis-je vous dire de plus ? »

Après une longue pause, Liu se leva et commença à arpenter la pièce.

« Nous n'avons remarqué aucun problème dans votre couple. Vous vous êtes disputés ? Ce n'est rien. Tous les couples se querellent mais se réconcilient ensuite.

– Nous sommes tout simplement trop différents.

– Pensez-y et nous en reparlerons en présence de Pang », lança Liu, d'un air très mécontent.

Une semaine passa et Liu semblait avoir oublié notre affaire.

Si je voulais être à Pékin l'année suivante, je ne pouvais me permettre d'attendre ; on était déjà à la mi-novembre. Je retournai le voir.

« Lorsque vous voudrez en parler, amenez Pang avec vous, protesta-t-il. Je veux entendre ce qu'il a à dire. »

Plus tard ce jour-là, comme nous nous dirigions vers le bureau de Liu, je demandai pardon à Pang : « Je ne voulais pas t'entraîner dans tout ça et t'embarrasser encore plus, mais je n'y peux rien. Excuse-moi. »

Une fois assis dans le bureau de Liu, Pang était raide, mais il ne se montra pas désagréable. Il arrivait toujours à garder son calme, même lorsqu'il se sentait attaqué.

« Plus je suis fâché, plus je deviens éloquent », disait-il.

« Maintenant que je vous ai ici tous les deux, je veux entendre toute l'histoire. »

Se tournant vers Pang, le représentant du parti alla droit au but.

« Vous, voulez-*vous* vraiment le divorce ?

– Oui, c'est par consentement mutuel, dit Pang. Et je ne veux pas à avoir à tout expliquer. Il s'agit d'une question d'ordre privé. »

Liu était abasourdi. Il s'attendait à ce que Pang annonce qu'il s'y opposait. Après avoir murmuré quelque chose sur la sagesse d'essayer de traverser la tempête ensemble, il nous renvoya.

Liu décida finalement de ne pas nous mettre de bâtons dans les roues et je reçus les lettres officielles me permettant le transfert et le divorce. Le transfert fut accordé à une condition : je devais trouver un poste à Pékin dans les six mois ou revenir à Harbin. J'avais enfin la chance de m'évader.

Obtenir le certificat de divorce pouvait prendre un an. Je voulais en finir le plus rapidement possible ; plus longtemps nous resterions ensemble après avoir pris la décision de nous séparer, plus cela créerait de colère et de frustration.

Les rumeurs entourant notre séparation allaient bon train. Les autorités se doutaient bien que tout cela était en rapport avec Daniel, mais elles n'en avaient pas la preuve. Les cancans du milieu blessaient Pang et ajoutaient à sa douleur. Un jour, il explosa. Une vétille entraîna une dispute, notre troisième en dix ans de mariage.

« J'en ai assez ! Je ne vais pas te laisser partir aussi facilement ! » Le visage rouge de colère, il se mit alors à me frapper de ses poings. Il me battit si fort que je fus incapable de rentrer au travail le lendemain. Je dus inventer une histoire, à savoir que j'étais tombée d'une table alors que j'accrochais un tableau.

J'étais horrifiée, mais pas à cause de la douleur. J'avais peur que dans sa rage, Pang aille trouver les autorités pour tout leur dévoiler sur Daniel. La vie alors deviendrait vraiment infernale. Mais il n'en fit rien.

Après deux jours sans qu'on se fût adressé la parole, il vint un soir dans ma chambre. J'étais étendue sur mon lit. J'avais encore mal aux seins et mon pouce foulé était enflé.

«Je ne voulais pas te frapper, dit-il tristement. C'est la première fois que je lève la main sur toi et ç'aura aussi été la dernière. Tu dois comprendre mon humiliation. Essayons au moins d'être gentils l'un envers l'autre durant la dernière période de notre vie commune. Pardonne-moi pour cette fois.»

Je me sentais coupable. Pourquoi demandait-il pardon alors que c'était moi qui avais causé tous nos problèmes? Je lui avais rendu la vie malheureuse alors qu'il s'était efforcé d'être bon pour moi.

Je demandai à un ami de nous aider à accélérer le divorce en usant de ses relations. Il avait un ami dans l'administration municipale qui accepta d'écrire une lettre : « En raison d'un transfert de poste, prière d'expédier les papiers de divorce des deux camarades mentionnés ici par retour du courrier.» Une fois la recommandation soumise, nous obtenions le divorce un mois plus tard.

Le jour de mon départ, quelques amis vinrent chez nous pour un repas d'adieu. S'affairant dans la cuisine, Pang faisait comme si rien d'important n'arrivait. C'est là que nous eûmes une dernière brève conversation.

«J'espère que tu trouveras du travail bientôt, dit-il.

– J'essaierai.» Je me souvins que j'avais les clés du logis dans ma poche et les lui rendis.

«C'est un transfert de pouvoir», dit-il en tentant de sourire. Je ne savais pas quoi dire. «Si jamais tu as besoin de quoi que ce soit, écris-moi, ajouta-t-il gentiment. La moitié de tout ce que je possède t'appartiendra toujours. Et si les choses tournent mal, tu peux toujours revenir vers moi.» Il me tuait avec sa générosité. Je me mordis les lèvres et m'échappai de la cuisine en ravalant mes larmes. Je suis réellement désolée, Pang, pensai-je. Tout cela est injuste pour toi, mais je dois partir.

Le train allait partir. Sur le quai, il y avait mon amant, celui qui était désormais mon ex-mari et plusieurs amis chers. Soudain, je ne pus garder la tête droite ; je ne pouvais pas faire face à cette scène. Il y avait là un homme qui m'aimait, puis un autre qui m'avait aimé tout autant et qui se sacrifiait pour moi. Je baissai la tête et me laissai aller aux sanglots que je retenais depuis des mois. Alors que le train sortait de la gare et que disparaissaient les mains qui nous saluaient, Lulu et moi pleurions ensemble, serrées l'une contre l'autre. La petite continua à agiter la main vers son père adoré longtemps après qu'il eut disparu de sa vue.

À Pékin, Lulu et moi nous serrâmes dans le deux-pièces de mes parents qui, outre ma mère et mon père, logeait Hua et ses trois grands enfants. Il n'y avait pas de place pour d'autres meubles que des lits. Ma mère, Lulu et moi partagions un lit à deux places ; les autres couchaient sur des lits de camp.

Ma mère pensait que j'étais seulement en visite pour les vacances d'hiver, comme d'habitude. Hua s'était doutée que quelque chose ne tournait pas rond dans mon mariage. Ne voulant pas contrarier ma mère avec la perspective d'un autre divorce dans la famille, elle resta discrète. Les quatre filles et le garçon de mes parents cumulaient à eux seuls sept divorces : Hua, Wen et moi avions rompu deux fois et mon frère Shen en était à son second mariage. Mei, ma sœur aînée, était l'exception : elle ne prit mari qu'une seule fois et eut cinq enfants.

Le taux de divorce en Chine est moins élevé qu'en Occident, mais peut-être pas aussi bas qu'on peut le penser. De toute façon, à l'intérieur de ma famille, le taux était certainement plus élevé que la moyenne. Hua et moi eûmes une conversation à ce propos lorsque je lui annonçai que mon mariage venait de se terminer.

« Je crois qu'une des raisons de toutes ces ruptures vient du fait que nos parents ne formaient pas un couple amoureux, dis-je, on n'a donc jamais eu l'idée de ce à quoi ça pouvait ressembler. Maman a toujours été si agacée par tout ce que disait ou faisait son mari ; peut-être que ses enfants ont imité ce mécontentement. En plus, ni l'un ni l'autre ne nous a jamais donné quelque conseil à ce sujet. »

« Je crois que l'Histoire a également sa part dans notre situation : elle nous a avalées, dit Hua. Au moment où nous avons atteint l'âge de nous marier, Papa n'avait plus d'emploi et les fils des familles nanties ne voulaient pas se lier avec une famille sur le déclin. Mais c'était le genre d'hommes qu'on aurait voulus comme maris.

« Après la Libération, les hommes d'un milieu semblable au nôtre voulaient améliorer leur sort en s'unissant à une femme d'extraction ouvrière ou paysanne. Une fois encore, la malchance nous poursuivait. Mais on ne s'est jamais senties tout à fait bien d'épouser des hommes moins éduqués et moins sophistiqués. Nos attentes dépassaient ce qui nous était offert et nous n'avons jamais vraiment été satisfaites. »

J'entretenais de grandes attentes par rapport au poste dont Hua m'avait parlé. Peu après mon arrivée à Pékin, on me convoqua à une entrevue qui se passa bien. Avant de me donner une réponse finale, les interrogateurs m'annoncèrent qu'ils devaient attendre mon dossier de Harbin. « Il n'y aura certainement pas de problème, me précisa-t-on. C'est seulement une formalité. »

Après un mois de silence de la part des responsables, je demandai à Hua de se renseigner sur ce qui se passait. J'étais si confiante de décrocher ce poste que sa réponse arriva comme une gifle.

« Tu dois chercher ailleurs, dit-elle. Ils disent que tu ne conviens pas. Je n'ai pas posé plus de questions. »

La nouvelle me laissa abattue et anxieuse. Je fis des démarches dans quelques autres endroits où on me dit que rien n'était disponible. Les mois passaient. Le printemps succéda à l'hiver. J'étais toujours payée par l'Université du Heilongjiang, mais si, après six mois, je ne trouvais pas de travail, je ne recevrais plus aucun salaire, je n'aurais plus de permis de résidence à Pékin et plus de coupons de rationnement pour les céréales. Le permis et les coupons allaient avec l'emploi. Avec un enfant à nourrir, la situation était d'autant plus inquiétante. Avais-je commis une terrible erreur ?

Un jour, dans la rue, peu après les nouvelles décevantes de l'unité de travail de Hua, je tombai sur Ken. Je l'avais rencontré pour la première fois lors d'une fête dans les années cinquante, peu après mon retour d'Allemagne de l'Est. Il semblait avoir tout hérité de sa mère, une Suissesse ; vous pouviez difficilement détecter quoi que ce soit de chinois dans ses traits. Il s'exprimait dans un excellent anglais, jouait convenablement du jazz au piano et pouvait même danser le jitterbug ; c'était à peu près tout ce que je savais sur lui.

Je révélai à Ken que je désespérais de me trouver un gagne-pain. Il me suggéra d'essayer au *China Reconstructs*, le magazine d'expression anglaise où il travaillait. Comme je n'avais jamais travaillé pour une publication auparavant, j'hésitai. «Ne t'en fais pas, dit-il, tu te familiariseras rapidement avec ce genre de travail. Viens au bureau demain et je t'accompagnerai au service des ressources humaines. Si tu n'es pas sûre d'aimer ça, ne t'engages à rien.»

Ne pas m'engager! Quelle idée absurde. Le lendemain, j'allai aux bureaux du magazine, dans la partie ouest de Pékin. Il logeait dans l'immeuble des Éditions en langues étrangères. Comme promis, Ken m'accompagna à l'entrevue, menée par trois rédacteurs chevronnés et un cadre du parti. On me demanda de décrire en anglais ma formation et mon expérience professionnelle. J'étais nerveuse ; l'enjeu était énorme. Un moment plus tard, on me demandait quand j'étais prête à commencer.

«La semaine prochaine si vous voulez», lançai-je, en m'efforçant de garder un ton détaché. S'ils avaient su à quel point j'étais désespérée, ils seraient peut-être devenus méfiants. Deux jours plus tard, Ken m'appela pour m'annoncer que je pourrais commencer ma période de probation pendant que le service des ressources humaines enquêterait sur moi. Ce sacré dossier encore!

Mon dossier fut transféré de l'école de Hua au magazine en question. Pour une raison ou pour une autre, mes origines familiales et toute ma feuille de route ne les dérangèrent pas. Pas mal de personnes embauchées aux diverses publications des Éditions en langues étrangères provenaient de familles non prolétaires. Plusieurs avaient été éduqués à l'étranger ou avaient eu des «liens sociaux compliqués». J'étais de plus arrivée au moment même où le magazine recherchait des gens qualifiés. Je ne pouvais pas mieux tomber et la chance me souriait.

Marta quitta Harbin avec sa fille pour le Canada vers la fin de 1979. Entre-temps, Daniel avait décidé de prolonger son contrat d'une autre année et leur fils Josh, maintenant âgé de neuf ans, demeura avec lui.

Daniel et moi nous écrivions souvent. Il adressait sa correspondance chez ma mère, allée du Grand Puits d'Eau Douce; je lui écrivais chez un ami commun à Harbin. Je savais que si je lui envoyais des lettres directement à Heida, d'autres pourraient les lire avant lui. Je numérotais mes lettres, pour m'aider à en garder la trace. À notre connaissance, aucune preuve de notre relation n'était encore tombée entre les mains des autorités. Ils ne pouvaient que faire des suppositions.

Dans une de ses premières missives, Daniel me confia :

*Je pense à tout ce que tu signifies pour moi et à ce que la vie sera à la même période l'année prochaine. Jusqu'à maintenant, on a dû vivre toi et moi dans l'attente et l'anticipation. L'heure de la réalisation approche. Je suis toujours nerveux lorsque vient le temps de mener à bien quelque chose que j'ai planifié, spécialement quelque chose d'important. Cette nervosité provient de la crainte qu'un obstacle imprévu n'apparaisse et ne vienne tout bousiller. Il y a un principe qui devient populaire en Amérique du Nord. On l'appelle la loi de Murphy. En résumé, ça dit que s'il y a une chance pour que quelque chose tourne mal, c'est ce qui va arriver.*

*Le genre de vie que nous mènerons dans les années futures requerra de la détermination et des sacrifices, étant donné en particulier mes obligations financières envers Marta. Je connais ton opinion à ce propos et je suis heureux que tu veuilles m'accorder ton appui.*

Même si je puisais de la force dans les réflexions de Daniel, je me sentais toujours coupable envers Pang et Marta. Il me rassura : «Pour ce qui est de la culpabilité, arrête de t'en faire avec ça. Je sais que Marta ne t'en tient pas rigueur. La culpabilité est pour ceux qui ont fait quelque chose de mal. As-tu fait quelque chose de mal? Quelque chose de désagréable peut-être mais quelque chose de mal, non!»

Il disait s'attendre à recevoir les documents officialisant son divorce en mai 1980. La certitude qu'il avait à ce propos calmant mon anxiété. Il m'apparut un héraut de la vérité et de la justice lorsqu'il m'écrivit : « si quelque officiel soulève un obstacle, je suis prêt à présenter mon dossier à l'ambassade canadienne et à la presse étrangère. De telles tactiques seront sans doute déplaisantes, mais l'amour que je te voue est assez fort pour que j'accepte les affres nécessaires de la publicité afin de réaliser quelque chose qui relève des droits universels. »

Daniel joignit un télégramme de Marta dans l'enveloppe qu'il m'envoya à la fin du mois de mai : « Papiers signés aujourd'hui. Recevrai attestations fin mai ou début juin. » Il était sûr que tout se déroulait rapidement du côté de Marta et il m'enjoignait de ne pas m'inquiéter.

Sa lettre suivante était encore plus optimiste. Il y disait qu'il avait reçu un premier lot de documents de l'avocat de Marta et qu'il avait annoncé la nouvelle à Jin au bureau des affaires étrangères. Il avait aussi demandé la permission de demeurer en Chine après la fin de son contrat si les papiers du divorce n'étaient pas arrivés à ce moment-là.

Il précisait :

*J'ai évidemment expliqué à Jin pourquoi je voulais rester en Chine. Après des mois d'anonymat, on parlera donc de nouveau de toi sur le campus puisque les rumeurs vont déjà bon train.*

*Josh est maintenant au courant et il est d'accord avec l'idée d'avoir une belle-mère chinoise et une demi-sœur douée. Je crois que nos enfants sont raisonnables pour leur âge et qu'ils pourront s'adapter beaucoup mieux qu'on le pense. Au début, il disait qu'il ne désirait pas d'une autre mère, mais lorsque je lui ai dit que je voulais une autre épouse, sa résistance a fait place à la compréhension. Il fait maintenant la différence entre une mère pour lui et une femme pour son papa.*

Quel soulagement ! La vie prenait le cours qu'elle aurait toujours dû prendre.

Mon boulot au *China Reconstructs* allait bien. Les rédacteurs étaient satisfaits de mon travail et je commençais à me faire des amis au bureau. Après le mois de probation, on décida de me garder. À la fin d'août, le service des ressources humaines me conseilla de retourner à Harbin pour me procurer les derniers documents devant sceller mon transfert d'emploi. Je partis aussitôt. Mon instinct me disait que je devais y aller tout de suite avant que quelqu'un ne change d'avis.

À ce moment-là à Heida, tous savaient que Daniel allait m'épouser. Les gens réagissaient de différentes manières : certains étaient exagérément amicaux, d'autres très distants. Certains sortirent de leur réserve habituelle pour me donner des conseils du genre : « Les étrangers ont des normes morales différentes. Ils tombent vite amoureux et se lassent tout aussi rapidement. J'espère que Daniel n'est pas comme ça. »

Je marchais cependant la tête haute dans le campus, me sentant finalement victorieuse. Je demeurais chez un ami où Daniel et Zhen vinrent dîner.

« Un toast à toi, Daniel, mon beau-frère », dit Zhen, et ils entrechoquèrent leurs verres. Le pensait-elle ou avait-elle toujours des doutes à son sujet ? Je n'étais pas certaine, mais j'étais optimiste. Le jour du départ cependant, Zhen ne se montra pas à la gare. J'en fus très déçue ; nos chances de nous revoir encore étaient minces.

« Elle ne peut pas venir, m'annonça Didi, une autre amie. Elle ne veut pas déclencher la guerre dans son propre ménage. » Je savais ce que Didi voulait dire et je lui étais reconnaissante d'être venue. Le mari de Zhen n'était pas le seul à penser que je donnais le mauvais exemple aux autres femmes.

Le jour où je retournai au travail, le service des ressources humaines me convoqua. Les nouvelles étaient finalement arrivées au magazine.

La directrice du service était furieuse. « Pourquoi ne nous avez-vous rien dit à propos de l'étranger ? D'après ce que l'on sait, il est toujours marié.

– Mais il va obtenir le divorce. Il a reçu les documents préliminaires. Les papiers officiels vont arriver d'un jour à l'autre.

– Et que se passera-t-il si sa femme change d'avis ?

– Elle n'aurait pas envoyé les premiers documents si elle n'avait pas consenti au divorce.

– Planifiez-vous de partir avec lui bientôt?

– Non. Il désire travailler ici encore quelques années. Sa vie et sa carrière seront toujours liées à la Chine. J'irai avec lui là où il décidera d'aller, en Chine ou n'importe où ailleurs. »

Aussitôt après mon départ pour Harbin, le service des ressources humaines avait appris que j'avais une liaison avec un étranger. On avait aussitôt fait parvenir un télégramme à Heida pour leur annoncer l'annulation de l'offre d'emploi. Mais l'université avait insisté: la décision ne pouvait pas être renversée. Aucune des deux places ne voulait de moi, et pour la même raison: ma relation avec Daniel. J'aurais perdu mon emploi au *China Reconstructs* si la nouvelle à propos de Daniel était arrivée plus tôt à Pékin. Pour une fois, la lenteur bureaucratique avait été une vraie bénédiction.

## CHAPITRE XIII

# Comme le yin et le yang

Une fois son contrat terminé dans le nord-est du pays, Daniel vint demeurer à Pékin avec Josh. Il essaya de trouver du travail dans plusieurs écoles, qui se montrèrent enchantées des cours de démonstration qu'il y donna, mais aucune ne lui offrit de contrat. Tous les emplois pour les étrangers devaient recevoir le feu vert du Bureau central des Affaires étrangères à Pékin et l'embauche de Daniel aurait supposé la sanction officielle de notre relation.

Ce fut une période de grande incertitude. Nous attendions les papiers attestant son divorce pour nous marier. Mais Daniel commençait à craindre que, même après notre mariage, il soit incapable de trouver du travail en Chine et que nous soyons obligés de partir au Canada jusqu'à ce que le scandale meure de lui-même.

Dans cette éventualité, il se mit à remplir la caisse de biens personnels qu'il avait le droit d'emporter au Canada à la fin de son engagement à Heida. Je m'achetai de nouveaux vêtements et les articles nécessaires pour notre future maison. On chargea le tout dans la caisse. Nous pensions qu'il faudrait peut-être un certain temps avant que Daniel ne trouve un travail au Canada et que nous devrions vivre avec peu d'argent au début.

Pendant cette période de flottement, Daniel et Josh campaient un peu partout chez des amis canadiens. Ils venaient chaque soir chez mes parents où ils restaient jusqu'après dîner. Même si nous nous voyions tous les jours, Daniel et moi n'avions aucun endroit pour nous retrouver seuls. Un jour, il demanda à l'ami chez qui lui et Josh demeuraient s'il pouvait m'inviter à passer l'après-midi.

Andrew McLean, qui travaillait pour l'ambassade canadienne, n'y vit pas d'objection; Josh pourrait aller chez ma mère.

Même si ce n'était pas le premier appartement de diplomate que j'avais visité, je fus quand même impressionnée: une salle de séjour, une salle à manger, une cuisine, une salle de bain et deux chambres à coucher avec des placards dans lesquels on pouvait entrer de plain-pied! Dans la cuisine, le congélateur contenait de la viande à pleine capacité.

Daniel me fit entrer dans sa chambre à coucher. Il soupçonnait les chambres d'être branchées sur table d'écoute, mais au point où nous en étions, ça ne nous dérangeait plus. Enfin nous pourrions avoir un rare moment d'intimité!

Une semaine plus tard, j'étais invitée à une réception au même appartement où je rencontrai quelques-uns des amis diplomates de Daniel. Le lendemain, un de mes collègues laissa tomber qu'il savait où j'avais passé la soirée précédente. Comment pouvait-il le savoir? Le chauffeur de taxi qui nous y avait conduits? Le cuisinier? Une caméra de surveillance dans l'édifice ou des micros dans l'appartement? Jamais je ne pus le savoir.

Quelques semaines plus tard, Daniel et Josh vinrent chez mes parents pour notre petite promenade habituelle du dimanche. Comme nous sortions, j'entendis Josh demander:

«Doit-on le lui dire maintenant?

– Plus tard», répondit Daniel. Il était inhabituellement laconique, et j'eus comme un pressentiment. Nous marchâmes en silence jusqu'à la Cité interdite.

Quand nous fûmes complètement perdus dans la foule, il commença: «J'ai téléphoné à Marta hier soir. Elle était furieuse. Elle jurait et m'insultait. Elle a changé d'idée et dit que si je veux le divorce, je devrai revenir au pays pour m'occuper moi-même du reste des documents.»

Cela m'assomma. Je sentis mes jambes faiblir. «Que vas-tu faire?

– Je dois retourner sans toi. Il n'y a pas d'autre solution.

– Quand pars-tu?

– Dans deux semaines environ.»

Je gardai le silence. Daniel avait son appareil photo avec lui et il voulut que Josh nous prenne en photo. Je détournai la tête. Non. Pas maintenant.

Daniel avait voulu m'annoncer la nouvelle à l'extérieur de chez moi pour que personne ne me voie éclater en sanglots. Il n'avait pas prévu que je réagirais aussi calmement. Il oubliait que même dans des moments de joie ou de douleur extrêmes, les Chinois considèrent la perte de contrôle comme un signe de faiblesse.

On parla peu durant notre retour à la maison. Daniel dit seulement : « Nous sommes maintenant allés trop loin pour faire marche arrière. N'aie pas peur. Je vais revenir. Mais j'ai besoin de temps. Si je ne t'amène pas avec moi, je ne me le pardonnerai jamais. »

Je ne savais que dire. Intuitivement, je pensais qu'une fois parti, il ne serait pas facile pour lui de revenir. La situation chez lui serait trop complexe et trop chargée d'émotivité pour qu'il puisse prendre le large.

De retour chez mes parents, je ne pus me maîtriser plus longtemps. J'entrai seule dans une chambre, je me couvris le visage d'une serviette et commençai à sangloter amèrement. Daniel entra et m'entoura de ses bras.

« Tu as finalement laissé sortir ta peine. J'étais inquiet de te voir si silencieuse. »

Sa voix et ses gestes apaisants ne réussirent qu'à me faire pleurer davantage.

De l'extérieur, ma mère nous entendit. « Qu'est-il arrivé ? » demanda-t-elle.

« Rien », répondis-je. Je n'avais pas la force de le lui dire.

Les deux semaines suivantes furent consacrées à la préparation du départ de Daniel. Ma mère sortit un après-midi et revint avec une paire de chaussures de coton noir.

« N'oublie pas Zhimei, dit-elle, en les offrant à Daniel. Ces chaussures t'aideront à marcher plus vite. Elles te ramèneront plus tôt. »

Daniel fut touché par ce geste. Pour ma part, j'étais surprise de voir une femme de la génération de ma mère accepter d'aussi bonne grâce la tournure des événements.

Daniel aurait besoin d'une offre d'emploi pour obtenir un visa lui permettant de revenir en Chine. Aux Éditions du Nouveau Monde, une division des Éditions en langues étrangères, on lui dit qu'on lui garderait un poste. Il leur assura qu'il reviendrait cinq mois plus tard.

Durant son dernier jour à Pékin, nous évitâmes tous deux de discuter de ce qui nous inquiétait le plus. À un moment, il retira l'anneau de son grand-père qui était également son alliance. Il le glissa à mon doigt et dit : « Garde-le-moi. Je reviendrai le chercher. » Avec cet anneau au doigt, je sentis qu'il y avait un espoir qu'il réapparaisse.

« Je reviendrai », chuchota-t-il, après m'avoir embrassée en me souhaitant au revoir à l'aéroport. Mes yeux le suivirent jusqu'à le perdre lentement de vue. Il ne se retourna pas.

Durant son escale à Vancouver, il me posta une lettre disant combien je lui manquais et son espoir que nous serions bientôt réunis. Une autre lettre, postée de Toronto, annonçait qu'il pourrait commencer à planifier les prochaines démarches après avoir parlé avec Marta. Mais après son retour dans sa ville, je n'entendis plus parler de lui. Chaque jour après le travail, je courais jusqu'à la maison dans l'espoir de trouver du courrier, mais chaque jour la déception seule m'attendait. Rien n'arriva le premier mois ni le deuxième. Mon anxiété augmentait sans cesse.

Les membres de ma famille paraissaient inquiets, mais personne ne voulait aborder le sujet. Ken m'emmenait faire de longues promenades, au cours desquelles il me pressait gentiment de parler. Il avait peur que je tombe malade si je continuais à tout garder en dedans : « Fâche-toi, crie, mais ne reste pas muette. » Si ce n'avait été de lui, je serais peut-être devenue folle. J'avais le cœur brisé.

Finalement, j'écrivis à Daniel une lettre que j'adressai chez son frère à Toronto, lui enjoignant d'expliquer son long silence. Trois semaines plus tard, je recevais une réponse. La lettre avait été écrite le 5 janvier 1981, deux mois et vingt jours après son départ : « Je suis désolé de ne pas avoir répondu plus tôt, mais ça ne m'a pas été facile de m'asseoir à la machine à écrire. D'abord, je dois te dire que j'ai échoué. Oui, c'est vrai. C'est quelque chose que je n'aurais jamais pensé avoir à dire. » Je ne pouvais continuer à lire. Le papier me glissa des mains.

Hua reprit la lettre : « C'est de lui ? » J'acquiesçai. Elle ne posa pas de deuxième question. Tout était écrit sur mon visage.

Daniel écrivait qu'il habitait de nouveau avec Marta à cause des enfants et de raisons financières. Mais, disait-il, il se sentait déchiré entre deux femmes et deux pays.

*Je me sens prisonnier ici. Toi et la Chine, vous me manquez tellement. Je pense toujours à ce merveilleux poste qui m'a été offert par les Éditions Nouveau Monde. Je me vois marcher dans les rues de Pékin, en hiver, toi à mes côtés. Je suis un étranger ici, pensant à mon chez-moi de l'autre côté du Pacifique. Je dévore avec avidité toute nouvelle venant de Chine. Je ne me suis jamais senti si frustré.*

*Puis je regarde Marta, Josh et Rosa et je vois combien ils sont heureux ici. Comment une telle chose peut-elle arriver ? Tous les deux nous sommes malchanceux ; c'est seulement que ma malchance est arrivée plus tard que la tienne. Que se passe-t-il de ton côté ? Qu'est-ce qui rend ta vie supportable ? Maintenant que je t'ai causé une déception de plus, pouvons-nous encore continuer à rêver ?*

Le ton de ma réponse trahissait mon désarroi. Je voulais qu'il comprenne dans quelle position difficile il m'avait placée.

Sa deuxième lettre arriva en février :

*Je me rappelle de la première fois que je t'ai vue, en 1977, lors de mon premier cours à Heida. Tu étais assise à l'arrière, prenant des notes avec acharnement ; visiblement tu comprenais tout ce que je disais. Déjà à ce moment-là, j'ai senti un lien entre nous. Nous étions deux personnes destinées à partager quelque chose ensemble. Nous réaliserons cette destinée. Je le sais.*

*D'avoir à te laisser derrière moi faire face toute seule à tant de forces inconnues m'a brisé le cœur. Ma conscience ne me laissera pas en paix tant que tu ne seras pas à mes côtés. Ni l'un ni l'autre ne serons des êtres complets tant que ce ne sera pas réalisé. Il m'est insupportable de n'être que la moitié d'une personne.*

Ses déclarations romantiques ne m'émouvaient plus comme avant. Je ne le croyais plus. J'allai rendre visite à Andrew et lui parlai de la dernière lettre de Daniel et de mes doutes à son propos.

« Je sais qu'il est difficile pour toi de passer par-dessus tout ça, commenta le diplomate, mais essaie de le ranger quelque part au fond de ta tête. On vit tous une expérience déplaisante de ce genre à un moment ou l'autre de la vie. » Il fit une pause. « Puis-je faire quelque chose pour toi ?

– Je veux aller étudier à l'étranger, mais je ne veux surtout pas d'aide de Daniel. C'est difficile pour moi désormais de faire face à ma famille, à mes amis, à mes collègues. Quel est mon avenir ici ? Je vais traîner un dossier entaché de honte toute ma vie. »

Andrew répliqua qu'il n'avait pas beaucoup de contacts dans les universités. « Mais fais-moi parvenir ton curriculum vitæ, je vais voir ce que je peux faire. » Il paraissait sincère, et je pensais qu'il était l'unique personne capable de m'aider.

Quelques semaines plus tard, je reçus une autre lettre du Canada, de Greg cette fois, un vieil ami de Daniel que j'avais rencontré à plusieurs reprises. Il écrivait :

*Danny dit qu'il veut divorcer, mais qu'il n'est pas prêt à juste plaquer Marta. Et il veut les enfants. Donc il doit, pour quitter Marta, avoir un emploi stable et de bonnes perspectives d'avenir. Mais combien de temps lui faudra-t-il ? Ça se compte en années, pas en mois. Cela prend des années pour décrocher un poste permanent lorsqu'on revient au Canada après avoir coupé les ponts.*

*J'ai fait porter la conversation sur toi, Zhimei, pour savoir ce qu'il ressentait vraiment. J'ai parlé des risques que tu avais pris pour lui et de la façon dont tu avais bouleversé ta vie. Mais la conversation a tourné court. J'ai alors parlé de l'admiration que j'avais pour ta force et ta détermination. Danny la partageait. J'ai dit que je ne savais pas s'il se rendait compte à travers quoi tu avais pu passer. Il m'a dit que oui. Il savait également que Marta ne voulait pas réellement le divorce. Mais il a dit qu'aussitôt qu'il le pourrait, il divorcerait d'elle, même si toi, Zhimei, tu n'es plus là pour l'épouser.*

*À un moment donné, Danny a lancé sur un ton désinvolte : « Je pourrais être parfaitement heureux en étant marié à deux femmes, tu sais. Ce serait évidemment assez difficile de faire accepter ça à l'une et à l'autre... Greg, pourquoi n'épouserais-tu pas Zhimei ? »*

*Que puis-je dire de plus, Zhimei ? Avec le temps qui passe tu dois lâcher prise. Même à présent, tu n'es pas assez importante pour que Danny soit prêt à tout quitter pour toi. Mais je ne crois pas que ta vie en sera ruinée. Ça ne mérite pas que tu en sois anéantie.*

Bien que personne de ma famille ne m'ait dit ou demandé quoi que ce soit à propos de Daniel, je partis de chez mes parents. J'avais besoin de me retrouver seule. Je ne pouvais faire comme si de rien n'était. Après avoir vu Daniel chez nous et entendu Josh m'appeler maman et ma mère grand-maman, je savais que les voisins comméraient. Rien de cela ne pouvait s'effacer en prétendant que rien n'était arrivé.

Je mis un lit de camp dans un coin de la salle du *China Reconstructs*, juste à côté de ma machine à écrire. En soirée, une fois mes collègues retournés à la maison, je restais seule, entourée de machines à écrire, de livres et de papiers éparpillés. Qu'y avait-il encore dans la vie pour me faire continuer ?

Le travail.

Oui, le travail m'aiderait à oublier. Je mis la main sur un récit bouleversant, *Le nouveau conte d'hiver**, où une femme racontait son acharnement à surmonter les difficultés du travail sur une ferme d'État située dans le rude Nord-Est, ainsi que sa quête d'amour. Pour me tenir occupée, je commençai à en faire la traduction en anglais. Lorsque mes collègues revenaient au travail le matin, peu importe à quel point je m'étais sentie malheureuse durant la nuit, j'essayais d'avoir l'air enjoué. J'étais déterminée à sauvegarder ma fierté et ma dignité, dans lesquelles un jour je puiserais la force nécessaire pour retomber sur mes pieds. Mais j'étais très désorientée, hantée par des questions qui demeuraient

* Ce livre de Yu Luojin a été traduit en français par Huang San et Miguel Mandarès et est paru chez Christian Bourgois, à Paris, en 1982.

sans réponse : avions-nous tous les deux été aveuglés par l'amour ? Ou bien Daniel m'avait-il simplement utilisée comme un exutoire à la tension qu'il y avait dans son couple ?

Je me sentais coupable d'avoir insisté pour que Lulu m'accompagne à Pékin. Lorsque nous sommes arrivées, au début, elle était malheureuse ; chaque nuit, elle s'enfouissait la tête sous la couverture et pleurait. J'essayais tant bien que mal de la réconforter, mais elle ne voulait pas que je la touche. C'était une véritable torture de demeurer éveillée à ses côtés en l'écoutant sangloter. Comment pouvais-je lui faire ça ? Lorsque quelqu'un disait quelque chose de négatif à propos de Harbin, elle montait aux barricades. Je savais que c'était son père qu'elle défendait, pas vraiment Harbin.

Après avoir déménagé au bureau, je revenais quand même chez mes parents durant le week-end. Lulu me téléphonait au travail pour me demander quand j'allais revenir, et je l'entendais renifler à l'autre bout de la ligne. C'est durant cette période que ses talents artistiques devinrent apparents : lorsqu'elle se sentait seule, elle utilisait le verso de vieux calendriers pour dessiner des personnages vêtus de costumes traditionnels chinois.

Au bout de deux mois, on me donna une petite pièce dans un dortoir situé à deux pas du bureau. Il n'y avait pas de cuisine ; chacun se faisait à manger dans le corridor. Un seul cabinet de toilette était disponible pour la douzaine de familles qui habitaient au même étage. Mais cet arrangement me convenait ; j'avais de nouveau un chez-moi. J'apportai un lit de chez mes parents et j'empruntai une table et une étagère au bureau. Les choses que j'avais achetées pour entreprendre une nouvelle vie au Canada y avaient été expédiées dans les malles de Daniel et je n'avais plus d'économies pour acheter quoi que ce soit de nouveau.

J'essayai de paraître gaie lorsque Lulu vint me rendre visite une semaine après mon déménagement. « Est-ce que ce n'est pas joli et bien organisé ici ? Et il y a encore plus de place pour bouger que chez grand-maman. »

Lulu but son thé dans le couvercle du thermos parce que je n'avais qu'une seule tasse. Elle demanda si on pouvait aller déjeuner quelque part, mais je n'avais pas assez d'argent. Quelques jours plus tard, elle vint me trouver au bureau. «Tante Kang est venue de Harbin et m'a donné 20 yuans de la part de papa. Voilà, c'est pour toi.» Je la pris dans mes bras, ne sachant que dire. Elle n'avait alors que 11 ans, mais elle semblait comprendre mes ennuis. Nous dépensâmes plus de 10 yuans au restaurant ce soir-là; plus que ce que nous pouvions nous permettre, mais ma fille était contente, et moi aussi.

Après un silence d'un an et demi, en mars 1983, Daniel m'écrivit de nouveau. Il disait qu'il avait maintenant un travail qui allait l'amener en Chine plusieurs fois l'année suivante, afin de mettre sur pied un programme d'enseignement des langues dans la province du Hunan.

*Il semble que le chagrin que je t'ai causé ne puisse avoir de fin, et ma conscience jamais ne me laissera de repos,* écrivait-il. *Les chaussures que ta mère m'a offertes vont remplir la fonction qu'elle leur voyait, mais pas dans les circonstances que nous avons tous souhaitées en 1980. Deux ans et demi ne suffisent pas pour guérir les blessures du cœur et de l'esprit. Chacun de notre côté, nous avons porté notre fardeau.*

Quelques semaines plus tard, il téléphona de Pékin à mon bureau. Il mentionna qu'il avait rapporté quelques-unes de mes affaires et nous avons convenu de nous retrouver à mon lieu de travail le soir même. Je fondis en larmes après avoir raccroché. À entendre sa voix si près, je sentis qu'en dépit de mes blessures, l'amour était toujours présent. Mes sentiments étaient mêlés: je voulais le revoir, mais j'avais peur de retourner le fer dans la plaie.

Ce soir-là, nous nous saluâmes d'une poignée de main et nous assîmes tout raides l'un à côté de l'autre dans deux fauteuils, nous évitant du regard. Daniel brisa la glace. «J'ai apporté quelques-uns de tes effets. J'apporterai le reste la prochaine fois.»

Silence.

«Dis quelque chose, reprit-il, maudis-moi, dis-moi que tu me détestes, mais dis quelque chose.» L'effort que je faisais pour rester maîtresse de moi-même me faisait trembler. Je pris une grande respiration et je commençai : « Tu as dit un jour que nous étions tous les deux des égoïstes. Tu peux le dire à ton sujet, pas au mien. Tu veux tout avoir, tu n'es pas prêt à faire quelque sacrifice que ce soit. J'ai presque tout abandonné et tu n'as renoncé à absolument rien. »

Daniel alluma sa pipe et en tira une bouffée. « Oui, c'est injuste. Je me suis mal conduit. Peux-tu me pardonner ? »

Un autre long silence. Je n'étais pas prête à lui dire que je lui pardonnais tout. Et je luttais pour ne pas pleurer. « Je crois que tu devrais t'en aller. Il se fait tard. »

Debout à l'entrée de l'immeuble, hébétée, je le regardai s'en aller à grands pas. Après une si longue séparation, notre rencontre avait été malaisée, semblant irréelle.

Il réapparut à l'automne, me rapportant encore quelques-unes de mes affaires. De nouveau nous nous rencontrâmes, de nouveau notre conversation fut embarrassée. Mais cette fois-là, sa façon de s'exprimer laissait entendre qu'il avait davantage à me dire, qu'il n'osait dire. Une lettre m'attendait lorsque je rentrai chez moi ce soir-là. C'était son écriture. Je la reconnus immédiatement.

*J'ai été longtemps sans t'écrire. Ne crois surtout pas que c'est parce que je ne pensais pas à toi ; je l'ai fait tous les jours depuis 1980. J'écris cette lettre avec une certaine réserve. Je crains toujours de te causer encore de la peine.*

*Mon dilemme était celui d'aimer deux femmes et de ne pas trouver la manière de les rendre heureuses toutes les deux. Je savais que tu étais la plus forte des deux. Le fait de savoir ce que tu avais vécu et ce à quoi tu avais survécu, me convainquait de faire le choix que j'ai fait. Ta force, ta dignité, ta fierté et ta détermination te rendaient vraiment belle à mes yeux.*

*Lorsque je t'ai quittée en 1980, que je te voyais debout à l'aéroport de Pékin, toute seule avec ta tristesse et l'anneau de mon grand-père, j'ai pensé que tous deux, sans vouloir l'admettre, nous savions que nous n'allions pas vivre ensemble. Nous étions voués à coexister comme le yin et le yang, et c'est ainsi que nous allons continuer. En un certain sens, je t'ai donné naissance et tu as fait de même pour moi. Je sens que l'on s'est connus tous les deux avant, dans un passé oublié et très loin-tain. Nous avons été un et cela ne changera jamais. Alors que nous suivrons chacun notre chemin, un fil délicat nous unira toujours. L'héritage de notre amour malheureux, c'est que, où que tu sois, je serai toujours avec toi.*

En lisant la lettre, les moments que nous avions passés ensem-ble me revenaient à l'esprit. Je pensais que Daniel n'était plus dans mon cœur, mais ce n'était pas vrai. Sur l'enveloppe, il avait écrit l'heure à laquelle était prévu son départ de Pékin. Je dormis diffi-cilement cette nuit-là, jonglant avec l'idée de l'appeler. Au matin, je composai son numéro.

«Avais-tu bu lorsque tu as écrit cette lettre? demandai-je.

– Un peu. Je l'ai écrite tout de suite après un banquet. Mais j'étais totalement sobre lorsque je l'ai livrée chez toi.» J'aurais presque souhaité l'entendre me dire qu'il était ivre. Ça aurait rendu les choses plus faciles pour moi.

«Je reviendrai en février. Écris-moi s'il y a quoi que ce soit que je puisse faire pour toi au Canada», ajouta Daniel.

Je me sentais déchirée. Devais-je lui pardonner et lui laisser la chance de racheter ce qu'il avait fait? Ou devais-je laisser faire et le laisser vivre avec sa culpabilité?

Lorsque Daniel revint en février 1984, je l'amenai chez mes parents. Ma mère fut charmée de le voir porter les chaussures de coton qu'elle lui avait données trois ans plus tôt. Elle ne savait pas cependant qu'il n'était pas revenu afin de me retrouver. Je ne pou-vais me résoudre à le lui dire; elle avait connu tant de rêves brisés.

Daniel l'amena déjeuner au Jianguo, un hôtel luxueux cons-truit en partenariat avec une firme de Hong Kong. Les jours sui-vants, elle se tenait dans la cour et elle racontait tout ce qu'elle avait vu aux voisins, pleins d'envie. Son excitation a duré une bonne semaine.

Daniel était maintenant pardonné et de retour dans ma vie. Il était difficile à certaines personnes de comprendre pourquoi; spé-cialement à Ken, lui qui m'avait aidée à passer à travers les jours de désespoir. Mais malgré tout le mal que Daniel m'avait causé, je ne pouvais toujours pas résister à son charme. Le sentiment d'être un existait encore. Nous pensions tous les deux qu'il pouvait être possible de reprendre notre relation, mais en réduisant nos attentes. Je savais désormais que jamais nous ne serions mari et femme.

Peu après son retour au Canada, je reçus une lettre de lui :

*Tu m'as enseigné la beauté du pardon, le pouvoir de la dignité et la valeur de l'amitié. Même si j'ai commis bien des fautes dans la façon dont je t'ai traitée et que j'en ai profondément souffert, je prends ce nouveau départ avec toi avec espoir, et sans doute avec quelque appréhension. Encore une fois, je t'abandonne dans cet environnement souvent hostile. Je suis toujours porté à m'en faire pour ta sécurité et ton peu de liberté.*

*La chose que toi et moi voulons le plus ne peut nous être donnée présentement. Je ne peux dire si cela pourra se réaliser un jour, mais je conserve toujours une petite flamme d'espoir en moi. Sans elle, je ne serais jamais revenu dans ta vie pour réveiller ce qui dormait depuis longtemps.*

Il terminait sa lettre avec le symbole circulaire du yin et du yang, les principes mâle et femelle au cœur de la philosophie chinoise. À côté, il ajoutait : « Nous sommes un. »

## CHAPITRE XIV

# La Bande de l'épingle à cheveux blanche

C'est à l'été de 1984 que je revis Daniel, de passage à Pékin avant d'aller s'installer au Hunan. Sa famille le suivrait quelques mois plus tard. La veille de son départ, il m'accompagna pour une excursion aux collines des Parfums, dans la banlieue ouest de Pékin. Nous nous joignîmes à une longue file pour prendre le funiculaire. Nous attendîmes notre tour tout près l'un de l'autre à bavarder et à rire. Lorsque notre tour arriva, nous sautâmes dans la cabine. Celle-ci montait par saccades en passant sur les raccordements et Daniel pour me rassurer passa son bras autour de moi. Rendus au sommet, nous cherchâmes un endroit tranquille pour passer l'après-midi. Sur une butte isolée j'étendis une serviette pour que l'on puisse s'asseoir.

Une fois que nous fûmes installés, Daniel m'enlaça et nous nous embrassâmes. «C'est si merveilleux d'avoir un peu de paix et de tranquillité», se réjouit-il.

Tout à coup, deux hommes brandissant leurs cartes d'identité surgirent d'un bosquet juste derrière nous. «Nous sommes de la Sécurité!» lança le plus jeune, celui que nous avons plus tard surnommé Baby Face. «Et nous avons tout vu.»

«Ils doivent être interrogés séparément», dit le plus vieux, celui que nous avons appelé Big Brother. Daniel et moi nous relevâmes et Big Brother se dirigea vers moi. Je me sentais défaillir, la tête me tournait.

«Donnez-moi votre nom, votre âge, votre statut marital, votre unité de travail et la nature de votre relation avec cet étranger. Comment le connaissez-vous? Quand et où vous êtes-vous connus?»

Et ainsi de suite… Je tentai de répondre honnêtement, mais Big Brother n'était pas satisfait.

«Vous comprenez que, de s'embrasser en public, c'est scandaleux et que cela contrevient à la moralité? Que vous apprêtiez-vous à faire ici?

– Rien.

– Mensonge! Nous vous traiterons avec indulgence si vous êtes honnête. Je suis un homme marié, vous savez. Vous n'avez pas à être gênée avec moi.

– Nous n'avons rien fait.

– Si nous ne nous étions pas montrés, vous auriez été beaucoup plus loin que de vous embrasser. Voilà pourquoi vous avez apporté cette grande serviette. Vous êtes divorcée. Vous n'avez pas d'homme à la maison présentement. Je comprends tout à fait ce que vous pouvez ressentir.»

Dégoûtée, je le regardai fixement en pensant: «Vieux cochon! Tout ça t'excite, non? Si j'avais voulu coucher avec cet homme je ne serais pas venue ici.» Mais je pensai qu'il valait mieux garder le silence, ce qui l'ennuyait. Il s'attendait à une confession beaucoup plus croustillante.

«Bon, dit-il, c'est à vous de décider si vous voulez parler ou non. Votre attitude n'est pas très positive et vous devez nous suivre au bureau de la Sécurité. Nous devons consigner tout ça.»

Du coin de l'œil, je pouvais constater que les choses semblaient mieux se dérouler pour Daniel avec Baby Face. Les Chinois et les étrangers reçoivent toujours un traitement différent! Daniel l'amusait en imitant l'accent du Hunan.

«Je leur ai dit qu'il est parfaitement normal d'embrasser une bonne amie dans notre culture», me confia-t-il plus tard. Les agents de la Sécurité décidèrent que Daniel pouvait partir, mais que je devais rester.

«Pas question, dit Daniel. Nous sommes venus ensemble et nous repartirons ensemble.» Big Brother me demanda d'expliquer à Daniel que les règlements en Chine concernaient les citoyens chinois. Mais Daniel insista pour me suivre.

Baby Face me prit à part et souffla : « Nous ne voulions pas vous embarrasser, vous savez. Nous avons un quota à respecter chaque mois et si nous ne le remplissons pas, nous perdons notre boni. » Je le regardai, étonnée, avec un sentiment tout à la fois de mépris et de pitié. Voulait-il une « enveloppe rouge » pour régler l'affaire ?

« Si vous voulez de l'argent, je peux vous en donner, dis-je.

– Non, non, dit-il. Ce n'est pas ce que je voulais dire. »

Imbécile ! Pourquoi lui avais-je demandé cela ? Pourquoi ne lui avais-je pas plutôt glissé l'argent dans la main ?

Des quotas, des quotas pour tout ! Parce qu'il y a un quota à atteindre, la police détient des gens pour des motifs insuffisants. Des arbres sont plantés sur des pentes sèches et rocailleuses où ils n'auront pas la chance de pousser à cause d'un quota. Les travailleurs bâclent la tâche qu'on leur a assignée et se tournent les pouces le reste du mois sans scrupules parce qu'ils ont atteint leur quota.

En marchant jusqu'au funiculaire, je remarquai un homme avec des lunettes fumées. Nous l'avions aperçu plus tôt alors que nous montions vers la butte. Il arborait un large sourire, peut-être en signe de victoire. Avait-il alerté la police ? Une fois au funiculaire, le percepteur de billets lança à nos policiers : « Je vois que vous en avez attrapé aujourd'hui ! » J'étais rouge de colère.

Au bureau de la Sécurité publique, je fus interrogée par deux hommes en uniforme alors que Daniel attendait dehors. « Vous allez rédiger une confession. Mais avant, vous devez admettre avoir violé l'article 4 de nos règlements. » Il pointa son doigt en direction d'une affiche sur le mur énumérant la liste des « règles de sécurité » du secteur de la colline des Parfums. Je ne voulais pas être détenue pendant des heures et faire attendre Daniel, donc je fis ce qu'on me demandait, et je signai vis-à-vis de mon empreinte digitale.

« Vous ne devez rien dire à l'étranger sur ce qui s'est passé à l'intérieur de cette pièce, m'avertit l'un des policiers. C'est la règle ! »

Comme Big Brother me raccompagnait à l'extérieur du complexe, son ton changea : « Ne vous inquiétez pas. Nous ne rapporterons rien de tout cela à votre unité de travail. Mais faites attention la prochaine fois. Choisissez un endroit plus discret. »

Dès le lendemain, j'étais convoquée pour rendre compte de tout cela au service des ressources humaines de mon unité de travail. Big Brother avait donc menti : il avait tout rapporté, ce qui allait ajouter une autre mauvaise note à mon dossier.

Mes rencontres avec la police ne faisaient que commencer. Pas très longtemps après l'épisode de la colline des Parfums, je reçus un appel téléphonique troublant de la station de police du quartier. Ils voulaient interroger Lulu qui vivait maintenant avec moi : « Peu importe à quelle heure elle rentre, amenez-la à la station ce soir.

– De quoi s'agit-il ? Pourquoi est-ce si urgent ? » Je pensais que la mère d'une adolescente avait tout de même le droit de savoir.

« Nous ne pouvons pas vous le dire », répondit l'homme avant de raccrocher.

Je me rendis à l'arrêt d'autobus chaque demi-heure, dans l'espoir de tomber sur Lulu. À mon quatrième déplacement, vers 20 heures, elle descendit d'un autobus, aussi gaie que d'habitude. Nous montâmes les marches en silence. Une fois dans notre chambre, je lui dis doucement :

« Dis-moi, Lulu, as-tu fait quelque chose de mal ?

– Non.

– Alors pourquoi la police veut-elle te parler ?

– Ouais, je sais, dit-elle nonchalamment. Ils veulent savoir des choses à propos du livre manuscrit. Ils ont déjà interrogé quelques-uns de mes amis.

– Un livre manuscrit ? »

En la voyant rougir, je commençai à m'inquiéter.

« Je ne l'ai pas lu, honnêtement ! Je... Je l'ai seulement feuilleté en diagonale. De toute façon, je ne comprenais pas ce qu'il racontait. »

Je compris tout à coup de quoi elle parlait. Des romans roses avaient commencé à circuler à Pékin. Ils étaient à peine explicites en matière de sexe. On y trouvait des couples qui s'étreignaient et s'embrassaient. Mais même ces livres étaient perçus comme susceptibles de «corrompre la morale des jeunes». On savait que la police cherchait à découvrir la provenance de ces écrits.

«Bon, si ce n'est que ça, ne t'en fais pas. On ferait mieux d'y aller et de s'en débarrasser tout de suite. Dis-leur juste ce que tu sais et ne cache rien.»

Une fois à la station de police, on emmena Lulu pour l'interroger.

«Savez-vous pourquoi ils veulent voir ma fille? demandai-je à un officier.

– C'est pour vérifier quelque chose avec elle», répondit-il, d'un air distrait, tout en changeant de sujet:

«Que fait votre mari?

– Je suis seule.»

Une telle réprobation était attachée au mot «divorcée» que j'essayais toujours d'éviter de le prononcer; les femmes divorcées l'étaient uniquement parce qu'elles étaient «mauvaises».

Quelques minutes plus tard, on me pria de partir et d'attendre Lulu à la maison: «Ça peut prendre un certain temps.»

À minuit, je réveillai Yan, en visite de la province de l'Anhui. Lulu n'était pas encore rentrée. Nous partîmes pour la station de police et bientôt nous vîmes trois silhouettes s'approcher: deux policiers escortant Lulu vers la maison.

«Ramenez Pang Lu chez elle», dit l'un des officiers à Yan et, se tournant vers moi: «Nous devons vous parler. Vous seule.»

Après le départ de Lulu et de Yan, l'officier dit que Lulu leur avait révélé ce qu'elle savait à propos du manuscrit qui circulait à l'école. Mais maintenant, ils voulaient en savoir davantage sur la relation qu'elle entretenait avec un certain garçon.

«Nous avons essayé de lui faire comprendre qu'elle ne sera pas blâmée pour ce qu'elle a pu faire, souligna-t-il, parce que nous la considérons comme une victime. On ne peut rien sortir d'elle. Nous espérons que vous allez coopérer.»

Lorsque j'arrivai à la maison, Lulu était à son pupitre à faire ses devoirs, comme d'habitude. Je ne pouvais pas croire que ma fille de 14 ans prenait tout ça avec autant de calme, plus que moi-même.

Lulu fut encore convoquée à la station de police le lendemain. Lorsque je m'y rendis après le travail, je l'aperçus à travers la petite fenêtre d'une salle d'interrogatoire. Je fis signe à un policier qui vint me retrouver dans le hall.

« Que se passe-t-il ? demandai-je. Elle est ici depuis des heures.

– Votre fille est très têtue. On ne peut rien lui faire dire, dit-il.

– Elle l'est peut-être, mais elle ne cache rien, dis-je. Qu'essayez-vous de lui faire avouer ?

– On l'a vue avec des garçons, affirma-t-il.

– Oui ? Et faisant quoi ?

– Patiner, se promener, aller au ciné.

– Y a-t-il quelque chose de répréhensible là-dedans ?

– En fait, il y a plus que ça. D'après ce que l'on sait, nous pensons qu'elle a peut-être eu des relations indécentes avec un garçon. »

Je ne voulais pas d'euphémismes et de vagues explications, je voulais les faits :

« Comment le savez-vous ?

– Nous avons analysé la situation. »

Je commençais à me fâcher :

« Qu'est-ce que cela veut dire ? Les faits doivent être prouvés, pas seulement *analysés*. Je la ramène à la maison. Et je désire que l'enquête débouche sur une conclusion. Cette affaire ne peut rester en suspens comme ça.

– Regardez, dit-il, ce que nous faisons est confidentiel. Nous ne partageons même pas d'information entre nous à propos des cas dont nous nous occupons. Je ne peux donc vous donner aucune *conclusion*. Peut-être aurons-nous besoin de l'interroger encore, peut-être pas. »

Tout ça me faisait frémir. L'histoire semblait se répéter. Lors d'une séance de critique pendant la Révolution culturelle, on m'avait rappelé qu'« alors que vous étiez adolescente, vous traîniez avec des hooligans, c'est consigné dans votre dossier ». Les « hooligans » en question étaient les camarades de classe de mes sœurs avec lesquels nous allions danser. Ça devenait vraiment un cercle vicieux.

Après son aventure déplaisante avec les forces de l'ordre, j'essayai de consacrer plus de temps à Lulu. Me demandant à quel point cela avait pu l'affecter, je me faisais du souci pour elle. Un soir, alors que nous regardions la télévision, elle dit tranquillement : « Maman, peux-tu me faire sortir du pays ? Je ne veux plus vivre ici. Maintenant on me traite de façon différente à l'école. »

Comme s'ils avaient été des aiguilles acérées, ses mots me percèrent le cœur. En m'efforçant de répondre, j'avais la voix qui tremblait : « Je le ferais si je le pouvais, Lulu. » Nous nous regardâmes silencieusement et nos yeux disaient : quelle vie !

Lulu commença à détester l'école. Les professeurs la critiquaient plus que jamais. Mais il n'était pas facile de changer d'établissement d'enseignement. Vous deviez avoir la permission de l'école que vous quittiez ainsi que de celle où vous vouliez entrer. Nous trouvâmes une institution qui était disposée à la prendre, jusqu'à ce que la direction reçoive une lettre anonyme. Un ami qui y travaillait vit la lettre et m'en révéla la teneur. Elle disait que Lulu était « une mauvaise fille avec un passé de violence », et que la police l'avait interrogée parce qu'on la soupçonnait d'être membre de la Bande de l'épingle à cheveux blanche.

J'étais sous le choc. Qui diable avait inventé cette histoire de Bande de l'épingle à cheveux blanche ? Je n'ai jamais trouvé d'explication. L'école n'accepterait sûrement pas ces bêtises anonymes comme des faits véridiques.

« En plus, ajouta mon ami, il y a un paragraphe qui contient des méchancetés à l'endroit de sa mère. » En me voyant blêmir, il regretta de me l'avoir révélé. Je pensai alors demander à cet ami de me fournir une copie de cette lettre, mais qu'aurais-je pu en faire ? Personne n'aurait pu m'aider à en retracer l'auteur.

Lulu dut rester à son ancienne école et affronter l'humiliation sans fin des enseignants. Elle fut cataloguée « étudiante indisciplinée » avec les preuves suivantes inscrites à son dossier :

Elle ne se mêle pas aux bons étudiants de la classe (lire : les soi-disant modèles qui cherchent à s'attirer les faveurs des professeurs).

Elle est venue à l'école en jeans après qu'une enseignante l'eut avertie qu'elle couperait les jambes de ses pantalons si elle les portait encore.

Elle a frappé une camarade de classe (pour l'empêcher de brutaliser une autre fille).

Elle parle aux garçons avec désinvolture.

Elle persiste à porter une épingle à cheveux blanche alors qu'une enseignante lui a bien signifié qu'elles étaient portées seulement par les mauvais éléments.

En avril 1982, je reçus une lettre d'admission et une offre de bourse d'études de l'École de journalisme de la King's College University de Halifax, en Nouvelle-Écosse. Je compris seulement plus tard quel miracle c'était. À l'époque, je n'avais aucune idée de la difficulté qu'il y avait à obtenir une bourse pour un étudiant étranger au Canada.

Je demandai à mon patron la permission de démissionner, mais il m'opposa un non catégorique. D'après lui, j'aurais dû solliciter la permission avant de faire la demande d'admission au Canada, pas après. Je m'adressai donc plus haut, portant ma demande tour à tour aux trois officiels les plus haut placés de mon unité de travail. Je reçus finalement leur permission de faire une demande de passeport. Mais lorsque j'allai prendre mon formulaire au bureau de la Sécurité publique, on m'informa que même avec une bourse d'études, j'aurais quand même besoin d'être parrainée.

J'étais découragée. Je n'avais aucun parent en Occident. Les seuls que je pouvais approcher à cet effet étaient les étrangers avec lesquels j'avais noué des liens d'amitié les années précédentes. L'un d'eux accepta de signer une déclaration d'aide financière que je présentai à la Sécurité.

« Ce n'est pas un parent », me répondit-on.

Je commençai finalement à penser que mon unité de travail bloquait tout. Un de mes collègues qui avait des relations à la Sécurité confirma mon soupçon. Il découvrit que j'étais sur une liste que tenait la police des « gens à problèmes » nécessitant une surveillance particulière. À moins d'un changement politique, aucune personne fichée n'aurait jamais la permission de sortir du pays.

Environ au même moment, on annonça également que les personnes âgées de plus de 45 ans ne seraient pas autorisées à entreprendre des études à l'étranger. J'avais déjà dépassé de deux ans cette limite. La porte m'était maintenant complètement fermée. Mais plus la chose paraissait impossible, plus je m'acharnai.

Je savais que j'étais filée chaque fois que je rencontrais l'un de mes amis étrangers. Les risques que je courais à garder le contact avec eux étaient plus que compensés par la chaleur de leur accueil et le soutien moral qu'ils m'offraient. Les amitiés que j'avais développées avec des gens d'autres cultures enrichissaient ma vie. Pour moi, il y avait également là une façon de m'échapper : le temps passé avec des étrangers m'offrait un répit dans toute la tension que je vivais. Mais il y avait toujours le risque que, fatigués de jouer au chat et à la souris, les policiers de la Sécurité m'expédient dans une région éloignée pour me faire sombrer dans l'oubli. C'était arrivé à d'autres et je vivais avec la peur de subir le même sort.

Un après-midi, nous avions convenu de nous rencontrer, avec Andrew, devant le Magasin de l'amitié. Comme d'habitude, j'étais arrivée trop tôt et il était en retard. Alors que je guettais sa Mercedes noire, je remarquai soudain trois hommes qui s'approchaient de moi à bicyclette. Avec leurs verres fumés, leur allure était celle d'agents de la Sécurité. Ils formèrent un demi-cercle menaçant autour de moi. Sans prononcer un seul mot. Je me sentis défaillir. Le cœur battant, je cherchai à m'éloigner. Ce n'était pas la première fois qu'on me suivait, mais c'était bien la première fois qu'ils apparaissaient comme ça pour se tenir à mes côtés. Je réussis à me rendre jusqu'à la cabine d'un policier qui dirigeait la circulation sur le bord de la rue, où j'essayai d'empoigner un lampadaire. C'est alors que je m'évanouis.

Lorsque je revins à moi, je n'étais plus sur le trottoir. J'étais maintenant juste devant le Magasin de l'amitié, à environ 10 mètres de là où je m'étais effondrée, entourée de visages inconnus.

J'étais étourdie et très confuse. Mes pantalons étaient déchirés, j'avais des ecchymoses aux mains et aux bras, ma bouche saignait et ma blouse était tachée de sang. J'entendis une femme qui disait : «Quelqu'un devrait l'amener à l'hôpital!» Et puis un homme : «Mais qui voudra le faire?»

Alors que j'essayais de me remettre sur mes jambes, une vieille femme se pencha vers moi pour m'aider. Un homme s'avança, qui offrit de me conduire à l'hôpital. Je levai les yeux et je vis qu'il était en uniforme.

«Merci, ça va. Je m'en vais chez moi maintenant.» Son uniforme me rendait nerveuse.

«Maman!» cria une voix à travers la foule. Je n'en croyais pas mes oreilles. C'était Yan. Elle avait l'air horrifiée. «Que t'est-il arrivé?»

«Je ne sais pas. J'ai eu un malaise, murmurai-je. Que fais-tu ici?» Elle et son petit ami s'étaient débrouillés pour avoir des laissez-passer pour entrer au Magasin de l'amitié, normalement réservé aux étrangers. C'est en quittant l'établissement qu'ils avaient remarqué l'attroupement.

Andrew apparut alors. «Que s'est-il donc passé?» demanda-t-il, étonné de voir dans quel état j'étais. «Ça va? Tu peux marcher? Laisse-moi te reconduire chez toi.»

En montant dans sa voiture, je remarquai un policier qui entrait dans sa guérite et décrochait le téléphone. Ils allaient suivre la voiture à la trace.

«Raconte-moi ce qui est arrivé, dit Andrew. Quelqu'un t'a-t-il frappée?

– Je ne sais pas. J'ai perdu connaissance. Je ne sais rien de ce qui a pu se passer après.

– Mais tu as le visage et les lèvres enflés et tes vêtements sont déchirés. Comment cela a-t-il pu arriver?

– Je ne peux pas l'expliquer, Andrew.» Je portai la main à ma bouche et découvris que l'une de mes dents du devant était rentrée dans la gencive.

«Mon Dieu! Je suis si énervée.

– Ce dont tu as besoin, Zhimei, c'est d'un bon bain et d'un cognac», dit Andrew en faisant tourner son véhicule dans une rue transversale. Il fit toutes sortes de détours de façon à semer ceux qui auraient voulu nous suivre.

Une fois chez lui, après un bain chaud, j'enfilai des vêtements à lui et jetai les miens qui étaient déchirés et tachés de sang. J'étais encore terrifiée et en état de choc. Cet incident produisait sans doute l'effet recherché, celui d'alimenter ma paranoïa croissante.

Imaginant voir des micros partout où je posais les yeux, j'avais peur de parler. Je griffonnai sur un morceau de papier: «Peux-tu m'aider? Pas seulement pour moi, mais aussi pour le bien de mes enfants.» Andrew lut la note, la déchira en miettes et ne prononça pas un mot.

«Regarde, Zhimei, dit-il en me ramenant à la maison, tu sais qu'il me ferait plaisir de t'aider. Mais que puis-je faire? Je ne peux ni te cacher à l'ambassade, ni t'épouser. Les employés du service diplomatique ne sont pas autorisés à épouser des nationaux de pays communistes.

– Je comprends ta situation, Andrew. Je ne veux pas faire quoi que ce soit d'illégal ou te causer des ennuis. Mais je suis tout simplement désespérée.»

Je n'allai pas travailler durant une semaine. Je fis réparer ma dent, je consultai un médecin, et je restai à la maison pour soigner mes blessures morales et physiques. Mes collègues pensaient qu'en raison de la tension des derniers mois, j'avais développé une maladie cardiaque quelconque. Au travail, Ken était le seul qui connaissait la vérité et il s'en faisait pour ma sécurité.

Puisque mes tentatives d'obtenir un passeport avaient été vaines, je décidai d'essayer une autre piste. Shenzhen, la zone économique spéciale près de Hong Kong, cherchait des professionnels et avait mis sur pied un bureau de recrutement à Pékin. Mon entrevue se déroula de façon impeccable, jusqu'à ce qu'on m'interroge sur mon âge. Aussitôt que j'eus répondu à la question elle se termina abruptement. La limite était de 45 ans.

Alors qu'il apparaissait que tous les chemins qui menaient hors de Chine étaient fermés pour moi, mon père fut victime d'une attaque. Partiellement paralysé, il ne pouvait plus parler. Après plusieurs semaines d'hospitalisation, nous le ramenâmes à ma mère, ce qui sembla améliorer immédiatement son état de santé.

Lorsqu'il faisait signe pour montrer qu'il voulait s'asseoir dans son lit, on le calait contre deux oreillers bien rembourrés. Il pointait alors du doigt un livre qu'il voulait qu'on lui place entre les mains : une grammaire anglaise qui, depuis des années, était l'unique livre qu'il lisait. Il avait l'habitude de s'asseoir pendant des heures en tenant ce livre. Parfois il le lisait, parfois pas. Cela semblait une forme de méditation ou, du point de vue de ma mère, d'évasion.

Par le passé, elle avait été tentée plusieurs fois de jeter cette grammaire. «Il fait semblant de lire, maugréait-elle. Il ne veut tout simplement pas aider au ménage.» En fait, mon père avait l'habitude de faire une grande partie du ménage et presque toute la cuisine. Ma mère était juste restée fidèle à un mode de relation qui s'était installé tôt dans leur mariage : elle avait l'habitude de se plaindre de lui.

Mon père était de retour à la maison depuis seulement une semaine lorsqu'il mourut adossé contre des oreillers dans son lit et souriant devant son livre favori. Avec le temps, mon impatience juvénile à l'endroit de ce que je percevais comme de la soumission et de la passivité s'était transformée en prise de conscience de l'humiliation dont il avait souffert durant la seconde partie de sa vie et en sympathie pour l'angoisse qu'il avait ressentie d'être incapable de bien faire vivre sa famille. «Je suis né sans rien et je quitterai ce monde sans rien», avait-il l'habitude de dire. Et il avait raison.

Même si leur vie commune n'avait jamais été très sereine, ma mère se sentit seule sans lui. Après sa mort, sa propre santé commença à décliner. En Chine, beaucoup pensent que quand une personne âgée décède, son conjoint la suit peu après.

Un mois après le décès de mon père, un matin de novembre 1984, une collègue se précipita dans mon bureau en agitant une carte postale. «Zhimei, regarde ce que j'ai là! Une note de la Sécurité publique. Tu vas avoir ton passeport!»

Je ne pouvais en croire mes oreilles. J'avais tenté d'obtenir un passeport durant trois ans et j'avais quasi perdu tout espoir. «Tu me fais marcher?

– Je suis sérieuse. Je l'ai trouvée sur le rebord de la fenêtre de la loge du concierge. Elle aurait aisément pu se perdre si je ne l'avais pas remarquée. »

Il y avait une seule phrase sur la carte : « Voulez-vous toujours vous rendre au Canada? »

J'avais entendu certaines rumeurs au sujet d'un assouplissement de la politique concernant ceux qui voulaient aller à l'étranger, mais échaudée je n'osais plus trop espérer. J'écrivis immédiatement au bureau de la Sécurité publique confirmant que je désirais partir et j'allai porter la note moi-même pour être sûre de sa livraison. Une semaine plus tard, ils communiquèrent avec moi. Je retournai à ce bureau. Je remplis un autre formulaire, déboursai 15 yuans et on me remit un passeport. Tout était devenu subitement si simple.

Je marchai lentement jusqu'à l'arrêt d'autobus en regardant fixement le livret marron. Il était difficile de croire que c'était vrai.

Lorsque j'annonçai à mon patron qu'un passeport m'avait finalement été délivré, il laissa tomber : « Mais que peux-tu en faire désormais? L'offre de la bourse est échue depuis longtemps. » Il préférait voir la malchance s'acharner contre moi plutôt que de se réjouir de quelque lueur d'espoir.

J'envoyai un câble à Andrew qui avait récemment été transféré à Ottawa : « Passeport obtenu. » Quelques jours plus tard, il m'appela et me demanda pour quelle raison il m'avait été finalement accordé.

« Je suppose que c'est parce que tout le monde peut en obtenir un, dis-je. Mais maintenant, je n'ai plus d'école où aller.

– Écris au King's College. Je vais leur téléphoner aussi de mon côté. Et ne t'en fais pas pour le billet d'avion. Je t'en fais parvenir un. » Andrew voulait toujours aider et n'attendait jamais rien en retour.

J'écrivis au King's College, qui avait maintenant un nouveau directeur. Mon admission par l'ancien directeur George Bain remontait déjà à deux ans, mais, à ma grande surprise, Walter Stewart m'écrivit immédiatement pour me dire que l'admission était renouvelée. Il augmentait de plus la somme de la bourse mensuelle qui m'avait été promise en tenant compte de l'inflation des deux années passées depuis ma première admission. Tout semblait si incroyable.

En février 1985, deux mois avant que je quitte la Chine, Daniel revint à Pékin pour affaires. Nous ne nous étions pas revus depuis l'été d'avant, lorsque nous avions été interrogés pour un simple baiser. Il vint à la maison un après-midi. Je préparai du thé et nous nous assîmes côte à côte sur le divan.

«Marta est de nouveau toute bouleversée, dit-il. Je ne peux plus lui cacher quoi que ce soit. Elle sait que nous nous sommes encore vus l'été dernier.»

Je m'attendais un peu à une nouvelle comme celle-là. Il y eut un long silence pendant que je versais le thé et que je pesais mes mots. «C'est le moment de cesser de nous voir complètement, Daniel.»

Il alluma sa pipe tout en réfléchissant à sa réponse. Finalement il déclara: «Les autres hommes ont des maîtresses parce qu'ils n'aiment pas leur femme. Mais ce n'est pas mon cas. J'aime ma femme.»

Je sentais que je m'éloignais de lui et sa présence me gênait. Une fois de plus, un gouffre s'était creusé entre nous.

«Le cœur peut être brisé une fois, mais pas deux, dis-je. Il vaudrait mieux cheminer chacun de notre côté. Je préférerais que tu n'essaies pas de me joindre au Canada.»

Daniel était assis, silencieux, l'œil fixé sur sa pipe.

«Ça va bien pour toi, Daniel. Tu as rétabli ta réputation en Chine. Et tu peux faire beaucoup de choses ici. Sois heureux avec ce que tu as.

– Mais une fois que tu seras partie, la moitié de mon intérêt pour la Chine se sera envolée», dit-il, en se tournant vers moi. Je me levai pour aller vers la fenêtre, et il comprit que je voulais qu'il parte.

«On s'est tenus comme ça, à distance, la première fois que je suis revenu en Chine. Maintenant on se sépare de la même manière, dit-il tristement.

– C'est mieux ainsi. » Je ne me retournai pas et nous nous séparâmes sans même une poignée de main. Je demeurai à la fenêtre et le regardai partir. J'avais la certitude que je ne ressentirais jamais la même chose pour un autre homme. Les illusions, la passion, la douleur, les espoirs et les déceptions ne seraient jamais aussi intenses qu'avec Daniel.

Avant de quitter Pékin, le lendemain, il me posta une lettre, la dernière qu'il m'écrirait :

*Notre rencontre d'hier a été difficile pour moi et, en dépit de ce que tu en dirais peut-être, difficile je pense pour toi aussi. Je ne crois pas t'avoir jamais aimée plus qu'hier. Le passé est toujours avec nous. L'avenir t'appartient en partie, le reste appartient au destin. Dans quelle part, je n'en sais rien. Si tu réussis à tout oublier, mes souvenirs suffiront pour deux.*

*Sois heureuse et sois sans crainte. Tu peux être assurée qu'en cas de nécessité, si les autres solutions ont échoué, je serai là. Je doute que cela soit nécessaire. Il y a tellement de gens qui sont prêts à t'aider. T'es-tu déjà demandé pourquoi ils veulent tant t'aider ? Tu es spéciale et nous le savons tous.*

*Les clameurs de la réalité étouffent le cri du désir. Voilà notre karma. Ton étoile monte à l'horizon. Ce sera un très grand plaisir pour moi de la regarder s'élever.*

Les préparatifs du départ furent chargés de beaucoup d'émotion parce que je savais que je ne reviendrais pas de sitôt. Il y avait tant d'arrangements à prendre et d'adieux à faire. Pang descendit à Pékin pour prendre Lulu ; c'est lui qui s'en occuperait.

Quitter ma mère fut difficile. Le jour de mon départ en avril 1985 a été le dernier que nous avons passé ensemble. Elle est morte huit mois plus tard et elle a été enterrée aux côtés de mon père.

Malgré l'importance que les familles chinoises accordent aux garçons, j'avais toujours été la favorite de ma mère. Elle mettait ses espoirs en moi. À travers moi, elle vivait par procuration la vie d'une femme forte et indépendante, celle-là même qui lui avait été refusée. La nouvelle de sa mort a été un choc. J'avais pensé qu'elle vivrait assez longtemps pour se réjouir de tout ce que je pourrais accomplir dans ma nouvelle vie. J'aurais tellement aimé la faire venir au Canada pour partager avec elle les dernières années qui lui seraient restées.

Au moment de nous séparer, elle répéta quelque chose qu'elle disait souvent dans les moments difficiles : « N'aie pas peur, Zhi-mei, même si les murs s'écroulent autour de toi. »

Elle avait aussi coutume de dire : « Si vous me faites reine aujourd'hui, je vivrai comme une reine. Mais si demain vous me faites mendiante, je survivrai quand même. » Effectivement, lorsque les circonstances changeaient, elle relevait rapidement le défi et vivait une remarquable métamorphose. Dans mon enfance, elle était dépendante du mah-jong et avait très peu de loisir pour quoi que ce soit d'autre. Mais lorsqu'il lui incomba de subvenir aux besoins de la famille, elle surmonta sa dépendance. Elle avait monté un petit commerce, élevé des poulets, pédalé à sa machine à coudre des journées entières et s'était remise au tricot. Elle avait essayé tout ce qui lui passait par la tête pour mettre de la nourriture sur la table. Sans elle, la famille se serait effondrée.

J'ai toujours vu ma mère comme une femme étonnante, hors du commun. Avec son optimisme, sa confiance en elle-même et sa détermination, elle était pour moi un modèle. Les femmes de sa génération avaient les pieds bandés ou « libérés », mais elle, elle avait également un esprit libre, plein d'idées en avance sur son temps. J'avais un énorme respect pour elle et c'est seulement lorsqu'elle faisait sentir à mon père qu'il était un incapable que je ne l'aimais pas.

J'avais demandé la permission de démissionner de mon unité de travail, ce qui aurait dû me valoir une indemnité de départ calculée sur la base des trente-quatre ans pendant lesquels j'avais travaillé en République populaire. Je voulais donner ce pécule à mes filles. J'eus la permission de démissionner, mais on ne m'accorda pas le droit de réclamer de l'argent. Le service des ressources humaines semblait déterminé à m'empoisonner l'existence jusqu'à la fin. Mais je n'avais ni le temps ni l'énergie de disputer ce dernier round avec eux.

« Vois cela comme le prix que tu as à payer pour ta liberté », me dit Ken.

Le départ fut déchirant : je laissais tout ce que j'avais construit au cours des ans. Je quittais ma famille et mes amis. J'échangeais une culture qui m'était familière pour une autre faite d'inconnues et d'incertitudes. J'aurais à découvrir mon propre chemin, toute seule, là-bas, dans un monde compétitif dont beaucoup estimaient qu'il était fait par et pour les hommes. J'aurais à me bâtir une nouvelle vie à l'âge de 50 ans, quand plusieurs pensent que ça ne vaut plus la peine d'essayer.

Je quittai Pékin chargée de sentiments partagés : une certaine peur de l'avenir, et la détermination d'échapper à une société qui ne m'accepterait jamais complètement. J'avais souffert de discrimination dans ma propre culture, et je ferais désormais partie d'une minorité en Occident pour le reste de mes jours. Mais on me laisserait enfin tranquille et je pourrais respirer librement.

Le vol de Pékin, au bout d'une demi-heure, comportait une escale dans la ville de Tianjin. Tous les passagers passèrent sans problème l'inspection finale des passeports, sauf moi. L'inspecteur examina mon titre de voyage avec soin et me dit : « On va devoir le garder un petit moment. »

Attendant son retour, chaque minute me parut une heure. J'étais nerveuse. Était-ce l'obstacle de la onzième heure ? Les autres passagers m'observaient et leur impatience grandissait.

Une demi-heure plus tard, on me remit mon passeport sans autre explication. Avaient-ils communiqué avec Pékin pour vérifier si ce nouveau passeport flambant neuf était authentique ? Je ne savais pas. Mais maintenant, ça n'avait plus d'importance.

Peu de temps après que l'avion eut décollé, je me rendis compte que la femme assise juste à côté de moi m'était familière. Nous avions été collègues dans les années cinquante. Elle travaillait toujours pour la même société de commerce extérieur et se rendait à New York pour affaires. Trente ans plus tôt, nous avions travaillé dans le même édifice. Elle était restée dans le coup depuis cette époque ; j'avais moi-même déjà essayé très fort de suivre le courant, mais je n'y étais pas arrivée.

Au cours de la conversation, quelque part entre la Chine et le Canada, elle me confia : « Tu es dans une meilleure situation que moi. »

Je fus très surprise. Je ne voyais pas ce qu'elle voulait dire. Puisqu'elle avait la possibilité de voyager entre la Chine et l'Occident et de jouir des deux mondes, je pensais que son sort était beaucoup plus enviable que le mien.

« Qu'entends-tu par cela ? »

Elle soupira : « Tu as plus de liberté pour faire les choses… à ta manière. »

*Foxspirit*, la version originale en anglais de *Ma vie en rouge*, a été publié à Montréal chez Véhicule Press en 1992. Le livre a obtenu le prix QSPELL des œuvres littéraires non romanesques de la Canadian Science Writers' Association. Cinq ans plus tard, je retournais en Chine pour une mission professionnelle de longue durée qui s'est achevée à ma retraite en 2002. J'étais en poste à Taiyuan, la capitale du Shanxi (au sud-ouest de Pékin). Cette ville a été la vitrine par laquelle j'ai pu voir quelques-uns des changements survenus en Chine depuis mon départ. J'avais quitté le pays en tant que citoyenne chinoise et j'y revenais comme expatriée. Tantôt les Chinois me regardaient et me traitaient différemment des autres Chinois ; tantôt ils me considéraient encore comme une des leurs. Cette expérience me donnait l'impression de jongler avec le passé et le présent, alternant entre le sentiment de nostalgie et celui d'être extérieure à cet univers.

J'étais renversée par les changements survenus en Chine, le développement économique sans précédent qui épatait les Chinois comme les étrangers, les affrontements entre les privilégiés, et la corruption rampante qui se propageait comme une maladie. Tout cela m'a incitée à écrire un autre livre sur la Chine, offrant cette fois le point de vue de quelqu'un qui connaît les choses de l'intérieur comme de l'extérieur. J'y aborde également mon expérience de vie au Canada, où j'ai été traversée autant par des sentiments d'appartenance que de non-appartenance. Ce prochain livre s'intitulera *Foxdream*. Il prendra la forme du parcours qui m'a menée à devenir celle que je suis aujourd'hui.

*Foxspirit* a été traduit en allemand et a été publié chez Schneekluth en 1997. Jamais je n'aurais pensé voir un jour une version chinoise de ce livre jusqu'à ce qu'un éditeur de Pékin me fasse une proposition en 2003. L'idée que l'on puisse lire cet ouvrage dans ma langue maternelle m'a enthousiasmée. Malgré quelques doutes, un contrat a été signé avec Véhicule Press et j'en ai entrepris la traduction que j'ai moi-même livrée à Pékin l'année suivante. Cela semblait trop beau pour être vrai – et ce l'était. Même s'il ne relatait que l'histoire de ma vie, ce récit n'est jamais parvenu à franchir la censure chinoise. Malgré les énormes changements que la Chine a connus, il semble que certaines choses demeurent inchangées.

# TABLE

Cet ouvrage composé en Garamond corps 12 a été achevé d'imprimer au Québec
le vingt-quatre janvier deux mille huit sur papier Quebecor Enviro 100 % recyclé sur les
presses de Quebecor World à Saint-Romuald pour le compte de VLB éditeur.